D0610234

PENSEZ
EN
GAGNANT!

DISTRIBUTION:

Pour le Canada:

Les messageries ADP
955, rue Amherst
Montréal (Québec) H2L 3K4
Tél: (514) 523-1182

Pour la France:

Dervy livres
Z. I. Pariest-Allée des frères Mongolfier
Paris (France) 77325 Croissy-Beaubourg
Tél: 60 17 51 60

Pour la Belgique:

Vander, s. a.
321, Avenue des Volontaires
B — 1150 Bruxelles, Belgique
Tél: (32-2) 762 9804

Cet ouvrage a été publié en langue anglaise sous le titre original:
THINK LIKE A WINNER!
Published by Pelican Publishing Company, Inc.
1101 Monrœ Street, Gretna, Louisiana 70053
Copyright © 1991 by Walter Doyle Staples
All rights reserved

©, Les éditions Un monde différent ltée, 1991
Pour l'édition en langue française

Dépôts légaux: 4ᵉ trimestre 1991
Bibliothèque nationale du Québec
Bibliothèque nationale du Canada

Conception graphique de la couverture:
SERGE HUDON

Version française:
MESSIER & PERRON INC.

Photocomposition et mise en pages:
COMPOSITION MONIKA, QUÉBEC

ISBN: 2-89225-183-4

PENSEZ
EN
GAGNANT!

de
Walter Doyle Staples

Les éditions Un monde différent ltée
3925, boulevard Grande-Allée
Saint-Hubert (Québec)
Canada J4T 2V8
(514) 656-2660

«*Les leaders sont les gens qui ont une vision d'excellence et qui ont acquis les capacités leur permettant de s'aider et d'aider les autres à réaliser pleinement leurs possibilités. En mettant en pratique les principes contenus dans ce livre, vous franchirez une étape majeure dans cette direction.*»

Docteur Kenneth Blanchard
Coauteur de *The One Minute Manager*

«*Si vous souhaitez obtenir des résultats comparables à ceux des gagnants, vous devez d'abord penser en gagnant!*»

Alors, comment pense un gagnant? Voici la liste des 10 convictions principales communes à tous les hommes et à toutes les femmes qui ont à leur actif des réalisations exceptionnelles. Examinez soigneusement chacune d'entre elles, et imaginez ce que serait votre univers si vous adoptiez ces convictions pour qu'elles fassent partie de votre vie quotidienne.

Un: Les gagnants ne naissent pas gagnants, mais le deviennent.

Deux: La force dominante de votre existence est votre mode de pensée.

Trois: Vous avez le pouvoir de créer votre propre réalité.

Quatre: Toutes les difficultés comportent des avantages.

Cinq: Chacune de vos convictions est un choix.

Six: L'échec ne survient que lorsque vous l'acceptez comme une réalité et que vous décidez de ne plus essayer.

Sept: Vous avez déjà la capacité d'exceller dans au moins un secteur important de votre vie.

Huit: Vos seules véritables limites, quant à ce que vous pouvez accomplir dans la vie, sont celles que vous vous imposez.

Neuf:	Il ne peut y avoir de grandes réussites sans grands engagements.
Dix:	Il vous faut l'appui et la collaboration des autres pour réaliser un objectif important.

Alors tournez la page et commencez à penser en gagnant!

Table des matières

     La théorie de l'espoir — Les convictions
     limitatives entraînent un comportement
     conduisant à l'échec — En transformant votre
     façon de penser, vous transformez votre vie
     — Le défi de la pensée positive
     — Où allons-nous?

Première partie:
À la défense de la théorie de l'espoir

     La clé de la réussite — Le processus de la pensée
     — Quels propos entretenez-vous dans votre
     esprit? — L'étude de soi

     Le rôle de l'éducation — Quelles sont vos
     convictions? — L'abondance est partout
     — Une idée peut-elle transformer votre vie?
     — Le risque et le changement

     Humains et animaux — La formule — Vous êtes
     plus important que la somme de vos parties

Deuxième partie:
La mise en pratique de la théorie de l'espoir

Avant-propos

«Si vous souhaitez obtenir des résultats comparables à ceux des gagnants, vous devez d'abord penser en gagnant!» Cette affirmation constitue le fondement de l'ouvrage vivant et motivateur du docteur Walter Doyle Staples sur la manière de réussir dans les années 90. *Pensez en gagnant!* est un guide emballant pour quiconque désire réussir et «gagner» dans la vie.

Le docteur Staples nous montre comment nous nous limitons en ce qui a trait à la pleine réalisation de nous-même, et ce, en raison de notre système de convictions personnelles erronées. Il s'en prend à notre étroitesse d'esprit avec charme et sagacité, et nous indique comment ajuster nos pensées et nos réactions aux stimuli extérieurs tout en élargissant leur éventail. Le docteur Staples explique aussi comment nos pensées conscientes sont constamment en opposition avec notre programmation mentale, ce qui donne naissance à des sentiments négatifs tels que la crainte de l'échec, la peur d'être rejeté et l'inquiétude de ne pas être à la hauteur.

Pensez en gagnant! démontre clairement l'effet profond qu'exercent nos convictions et nos valeurs sur notre vie, et ce, d'une manière entièrement nouvelle. Le livre contient d'excellents exercices et des citations pertinentes de certaines des personnes les plus prospères ayant jamais vécu. Vous pouvez ouvrir l'ouvrage à n'importe quelle page et y trouver quelque chose de nouveau, ou une vieille idée présentée de façon originale. Ce livre est une aventure fascinante vers une meilleure compréhension du fonctionnement de l'esprit humain, comportant des étapes précises que n'importe qui peut suivre pour transformer sa vie. Il devient rapidement le texte de références pour l'épanouissement personnel et professionnel au sein de plusieurs entreprises, universités et agences gouvernementales aux États-Unis, au Canada et dans d'autres pays du monde.

Le docteur Staples énumère trois questions que vous devez vous poser pour évaluer les conséquences de votre façon de penser actuelle. Vous fixez-vous invariablement un objectif par semaine? Avez-vous une mentalité de «super fonceur»? Croyez-vous honnêtement pouvoir réaliser tous vos objectifs, quels qu'ils soient? Si vous répondez par la négative à n'importe laquelle de ces questions, vous aurez besoin de l'aide contenue dans les pages de *Pensez en gagnant!*

À propos de l'auteur

Le docteur Staples est l'auteur canadien le plus éminent en ce qui a trait aux possibilités humaines. Il a servi dans l'armée canadienne et dans la diplomatie pendant plus de 25 ans. Depuis 1981, il a écrit trois ouvrages sur la croissance personnelle et l'épanouissement professionnel, y compris le présent livre, *Pensez en gagnant!*

Préface

«Pour changer le monde, il suffit de le percevoir sous un éclairage différent.»

Walter Doyle Staples

Tout le monde veut être gagnant.

Nul ne peut nier cette affirmation. De façon subconsciente ou profondément enfouie, tout le monde veut réussir, «gagner» dans la vie. Plusieurs croient fermement en valoir la peine et le mériter. Pourtant, la plupart des gens sont confus et déçus de constater qu'ils n'ont pas encore véritablement réussi.

Curieusement, nombre de gens ne prennent pas conscience du processus à respecter pour réussir. Ils acceptent le fait que, pour réussir en médecine, en ingénierie ou en droit, il faut se soumettre à plusieurs années d'études et d'efforts sérieux. Pourquoi en serait-il autrement pour réussir dans la vie?

Il devrait aller de soi que, si vous entretenez des pensées d'échec, tous vos projets seront voués à l'échec. Vous devez donc maintenir des pensées de «réussite» si vous souhaitez réussir. Vous devez d'abord penser en gagnant, si vous voulez être gagnant. Vous devez adopter les puissantes convictions des gens exceptionnels du monde!

Et c'est pourquoi vous avez besoin de ce livre. En fait, si vous deviez ne lire qu'un seul livre du genre dans votre vie, que ce soit celui-ci! Il s'agit d'un ouvrage complet portant sur l'épanouissement personnel et professionnel, fondé sur des conseils pratiques et éprouvés.

Son objectif premier est de convaincre les gens ordinaires qu'ils peuvent être exceptionnels dans un ou plusieurs secteurs de leur vie, quelle que soit leur éducation ou leurs réalisations antérieures. Son message s'adresse à la fois aux cadres supérieurs, aux enseignants, aux représentants de la vente, aux administrateurs, aux ingénieurs, aux infirmiers et infirmières, aux entrepreneurs, aux secrétaires et aux étudiants, bref, à quiconque est disposé à donner davantage à la vie pour en tirer davantage.

Il contient aussi de précieuses citations — de plus de 100 personnages célèbres de l'histoire — servant à appuyer les facteurs clés abordés dans le texte, et ces citations sont plus pertinentes que celles de tout autre ouvrage du genre. Vous bénéficiez ainsi de plus de 5 000 ans de sagesse collective, si nous présumons que chacune des personnes citées a vécu 50 ans en moyenne.

De toute évidence, *Pensez en gagnant!* est un concept mis en pratique depuis très longtemps par certaines des personnes les plus exceptionnelles qui aient jamais vécu. Il ne s'agit pas d'un nouveau concept ou d'une mode passagère. Efforcez-vous sérieusement de tirer parti de la sagesse pratique de personnes prospères qui ont vécu avant vous, plutôt que de ne tirer profit que de vos propres erreurs. Ainsi, vous progresserez davantage et beaucoup plus vite. Après tout, le temps est votre bien le plus limité et le plus précieux.

Cet ouvrage démystifie le sens du terme «réussite». Les gens ne réussissent pas par magie. Les gens ordinaires ne sont ordinaires que dans la mesure où leur réalité subconsciente est ordinaire. Par ailleurs, les gens exceptionnels ne sont exceptionnels que parce que leur réalité subconsciente est exceptionnelle. Ce que vous imaginez mentalement est ce que vous espérez. Donc, vous obtenez ce que vous espérez. C'est là ce qui distingue principalement les gens qui n'obtiennent que des résultats moyens dans la vie, de ceux dont les résultats sont exceptionnels.

L'un des outils les plus efficaces pour se doter de nouvelles images, et par conséquent, pour transformer sa réalité, est le processus du remaniement. Il consiste à transformer la façon de se représenter des idées et des expériences. Il est toujours plus efficace de s'imaginer ses expériences comme étant positives et satisfaisantes plutôt que négatives et décevantes. Ainsi, vous avez le pouvoir de progresser dans la vie et de réaliser de grandes choses pour vous et les autres, des choses qu'autrement vous n'auriez pas réalisées. Rappelez-vous ceci: Les seules personnes qui ne changent pas d'idées sont les têtues qui refusent de le faire et les décédées qui ne le peuvent plus. Il existe des réalités permanentes, mais la plupart ne le sont guère.

Voici quelques-unes des questions qui ont inspiré la quête du savoir pour mener à l'écriture de ce livre:

- Pourquoi certaines personnes réussissent-elles mieux que d'autres?

- Comment peut-on contrôler ses pensées et ses actes?

- Quelles sont les qualités que seuls possèdent les gens qui réussissent exceptionnellement?

Les récompenses de la vie résultent de votre rendement, et non de vos possibilités. Cet ouvrage établit un lien entre votre rendement actuel et vos possibilités, pour une évaluation plus rationnelle. Ces facteurs sont examinés à la lumière de données qui ne vous étaient pas accessibles jusqu'ici.

Thomas Edison, le prolifique inventeur américain, disait qu'avant d'entreprendre quelque grand projet que ce soit: «Le plus important est de découvrir tout ce que l'on sait déjà, puis de commencer à partir de là.»

Les renseignements contenus dans ce livre représentent «ce que tout le monde sait» sur les possibilités humaines et la croissance personnelle. Il vous fournit un intéressant point de départ, un nouveau début vers une vie plus riche et plus satisfaisante.

Pour citer Thomas Mann (1875-1955), le romancier américain d'origine allemande qui a reçu le prix Nobel de littérature en 1929: «L'ordre et la simplification sont les premières étapes conduisant à la maîtrise d'un sujet; l'ennemi véritable est l'inconnu.»

Le sujet que vous souhaitez maîtriser est de savoir comment et pourquoi vous pensez comme vous le faites, car en changeant votre façon de penser, vous changerez votre vie.

Remerciements

Un auteur n'écrit jamais un livre sans obtenir beaucoup d'aide. J'ai tiré de l'inspiration et des idées de nombreuses sources, y compris des revues, des livres, des cassettes, des séminaires et des conférences. Me fondant sur mes 25 ans d'expérience d'homme d'affaires et de conférencier, je me suis servi de ces idées pour présenter une approche aussi originale que possible pour appuyer ma thèse: Pour être un gagnant, on doit d'abord penser en gagnant!

Ma compréhension du sujet a été grandement influencée par les personnes suivantes:

Kenneth Blanchard	Wayne Dyer
Napoleon Hill	Maxwell Maltz
James Newman	Norman Vincent Peale
Tom Peters	Anthony Robbins
Robert Schuller	Brian Tracy
Denis Waitley	Zig Ziglar

Je suis persuadé que cet ouvrage contribuera à l'avancement de la cause qu'ils servent tous si généreusement: l'épanouissement des possibilités humaines.

Enfin, un merci tout spécial à Kenneth Blanchard, Art Linkletter, James Newman, Norman Vincent Peale, Anthony Robbins, Robert Schuller, Brian Tracy et Denis Waitley pour leur témoignage encourageant et l'intérêt qu'ils ont porté à mon travail; à Joan Price Winser, ex-consul général du Canada à Los Angeles, qui pense en gagnante chaque jour de sa vie; à Betty Westbury, qui a dactylographié la première ébauche; et à mes éditeurs, Claudette Wassil-Grimm, Faren Bachelis et Barbara Marinacci, qui ont grandement amélioré le manuscrit original.

Introduction

«L'homme est semblable à ses convictions.»

Anton Tchekhov (1860-1904)
Écrivain et auteur
dramatique russe

La psychologie est l'étude scientifique du comportement humain et des processus mentaux. Elle est présente dans tous les aspects de la vie, y compris le bonheur et la tristesse, les rapports, bons ou mauvais, avec la famille, les amis, les camarades de travail et la société en général. Aucune entreprise, qu'il s'agisse du mariage, de l'éducation des enfants, de la communication de ses idées aux autres, de la vente d'un produit ou de la mise sur pied d'une compagnie, n'est complètement étrangère au phénomène de la psychologie.

Au cours des 35 dernières années, des percées majeures ont été effectuées dans le domaine de la psychologie du comportement. Parmi les plus significatives, on remarque les théories portant sur l'image de soi, le pouvoir de la pensée positive et la nature cybernétique du mécanisme de la réussite humaine. Toutes ces approches sont combinées en une nouvelle méthodologie fantastique appelée «programmation neuro-linguistique» (PNL). Le terme «neuro-linguistique» vient de «neuro» qui signifie cerveau, et de «linguistique», qui a trait au langage. La «programmation» est le stockage d'idées ou de concepts dans l'esprit. La PNL est donc la façon dont les gens communiquent, que ce soit verbalement ou non, grâce à leur cerveau, et l'influence que cela peut produire sur leur système nerveux central et leur comportement.

Malgré ces percées, le public demeure quelque peu sceptique face à une approche qui prétend transformer de façon significative et visible le comportement individuel. Ce n'est pas que ces théories soient inefficaces. En fait, appliquées individuellement ou collectivement avec diligence et détermination, elles se sont avérées extrêmement efficaces pour aider des milliers de gens à accroître le niveau de leur assurance, de leur énergie et de leur enthousiasme, tout en donnant à leur vie de nouveaux objectifs et une nouvelle direction.

Il peut se trouver une explication pragmatique au fait que le public résiste à la mise en pratique des techniques d'amélioration personnelle. L'étude, l'assimilation et la mise en pratique des données pertinentes est tout simplement une tâche trop importante pour l'individu moyen. Peu de gens peuvent s'offrir le luxe de consacrer cinq ans de leur vie à toutes ces activités. La plupart des gens sont trop préoccupés par leur routine journalière pour prendre des engagements portant sur leur croissance personnelle et professionnelle. Ils restent au contraire dans leur ornière familière et s'efforcent de survivre au jour le jour.

Ce livre vise à aider les gens occupés à surmonter les contraintes de temps qui nuisent sérieusement à leur amélioration personnelle. Il concentre ses efforts sur l'un des facteurs les plus significatifs et les plus déterminants en ce qui a trait au comportement: les convictions personnelles et les images connexes que les gens entretiennent quant à eux-mêmes et à leurs habiletés, et les attentes que génèrent ces convictions.

La théorie de l'espoir

J'appelle cette approche la *théorie de l'espoir*. Selon cette théorie, vos croyances fondamentales concernant votre personne et votre univers sont les principaux facteurs déterminants de votre réussite dans la vie. En fait, c'est à vos croyances que vous devez l'univers dans lequel vous vivez.

La théorie fonctionne de la façon suivante:

- Les croyances que vous entretenez résultent directement de vos pensées et aussi de celles que vous n'avez pas. Les croyances sont des forces latentes, mais puissantes, dissimulées dans les profondeurs de votre esprit.

- À leur tour, ces croyances génèrent vos attentes quant à vos résultats futurs. Ces attentes sont des forces actives, à l'œuvre dans votre esprit.

- Vos attentes déterminent votre attitude. Lorsqu'elle s'exprime, cette attitude modèle votre comportement.

Examinez la relation de cause à effet qui suit afin de voir combien les croyances personnelles représentent le fondement même de votre vie:

Lorsque vous changez votre façon de penser,
vous changez vos croyances;
Lorsque vous changez vos croyances,
vous changez vos attentes;
Lorsque vous changez vos attentes,
vous changez votre attitude;
Lorsque vous changez votre attitude,
vous changez votre comportement;
Lorsque vous changez votre comportement,
vous changez votre performance;
Lorsque vous changez votre performance
VOUS CHANGEZ VOTRE VIE!

Notez que vous ne pouvez changer votre vie en essayant de changer votre vie; vous ne pouvez modifier votre performance en essayant de modifier votre performance; vous ne pouvez changer votre comportement en essayant de changer votre comportement; vous ne pouvez changer votre attitude en essayant de changer votre attitude; vous ne pouvez changer vos attentes en essayant de changer vos attentes; vous ne pouvez changer vos croyances en essayant de changer vos croyances. *Mais vous pouvez changer les images que vous entretenez dans votre esprit et qui représentent votre façon de penser*. Cela provoquera des changements dans tous les autres secteurs de votre vie qui ont de l'importance à vos yeux.

Vos croyances représentent des décisions conscientes que vous avez faites par le passé quant à votre personne, de même que ce que vous espérez ou non réaliser. Ces décisions se répètent inconsciemment tout au long de votre vie. Elles contrôlent constamment votre façon de penser, dirigent votre comportement et déterminent le niveau relatif de votre rendement. Votre rendement dans un secteur ou l'autre de votre vie n'est qu'une fonction partielle de vos possibilités dans ce secteur. En fait, il est largement lié à vos convictions profondes.

De toutes vos convictions, les plus importantes sont vos convictions du fond du cœur, car elles sont absolument décisives quant à votre avenir. Vous nourrissez plusieurs milliers de convictions à propos de tous les aspects de la vie. Vous avez une opinion ou une conviction sur le tennis, la pollution de l'air, les voitures sport, les politiciens, les voiliers, les pâtes alimentaires, les antiquités, les fleurs, la musique rock, les serpents, les avions, le camping, etc. Mais rien de tout cela n'a un impact majeur sur votre vie. Il en est tout autrement des convictions du fond du cœur. Car ces convictions profondes sont le fondement même de votre être, et elles sont déterminantes quant à la direction que prend votre vie.

Votre esprit est la force dynamique qui réside derrière le merveilleux système de réussite que vous possédez en vous. Quoi que vous croyiez, que vous ayez en tête ou que vous pensiez la plupart du temps, vous finissez toujours par le réaliser.

Dans sa forme la plus simple, la théorie de l'espoir stipule que vous obtenez généralement ce que vous espérez. Les attentes positives sont les caractéristiques les plus identifiables des gagnants, des gens qui réussissent. Ces personnes font naturellement preuve de beaucoup d'assurance, d'enthousiasme et d'optimisme dans la poursuite de leurs objectifs.

Pensez pendant un moment aux personnes qui ont le mieux réussi parmi celles que vous avez connues: les enseignants, entraîneurs, leaders du monde des affaires et de la collectivité. Quels sont les aspects de leur comportement qui vous semblent les plus uniques? N'ont-ils pas généralement beaucoup d'assurance, d'enthousiasme et d'optimisme? Si cela leur a permis de réussir, vous pouvez faire de même. Il vous suffit de percevoir l'univers comme ils le perçoivent, et obtenir ainsi un rendement comparable au leur.

Les convictions limitatives entraînent un comportement conduisant à l'échec

L'accumulation de toutes les données portant sur tout ce qui vous est arrivé dans la vie constitue votre système de convictions personnelles, votre réalité ou la vérité telle que vous la connaissez, vous la comprenez ou vous l'acceptez. Cela vous sert de références à mesure que vous vivez de nouvelles expériences dans la vie, et cela représente la «programmation» totale à laquelle votre esprit a été soumis, volontairement ou non, jusqu'à ce jour.

Par exemple, ce que vous êtes en ce moment même, assis et en train de lire cette page, est ce que votre esprit croit que vous êtes. Votre capacité de résoudre un problème, d'exécuter une tâche ou d'atteindre un but précis dépend des convictions que recèle votre esprit quant à vos forces et à vos faiblesses dans ces secteurs.

La percée se produit quand vous constatez que votre système de convictions actuel est généralement peu fiable, puisqu'il se fonde sur des données souvent imprécises, insuffisantes ou irrationnelles. Peu de gens connaissent vraiment à fond un sujet particulier, même à notre époque moderne, surtout en ce qui a trait à nos talents et à nos habiletés qui ont rarement été pleinement et adéquatement éprouvés.

Les gens tiennent leurs convictions de leurs expériences ou, plus précisément de leur interprétation de ces expériences. Par conséquent, toute conviction que vous entretenez actuellement est davantage une opinion subjective qu'autre chose. Ce n'est qu'en réévaluant de manière critique vos vieilles convictions que vous pouvez les modifier et aller de l'avant avec votre vie. Cela suppose nécessairement que vous vous livriez à une réflexion profonde, concentrée!

En transformant votre façon de penser, vous transformez votre vie

Un processus vous permet de transformer votre vie. Vous pouvez rejeter toutes vos vieilles pensées usées et révolues et y substituer de nouvelles pensées emballantes et responsables.

Saviez-vous que vous aviez le pouvoir de décider? Oui, vous l'avez! Il vous suffit de le reconnaître et d'exercer votre autorité. Ce livre vous montrera comment changer votre processus de réflexion actuel et votre façon de penser pour apporter des changements radicaux dans votre vie. Le but est toujours d'adopter un comportement humain à rendement élevé pour vous aider à obtenir ce que vous voulez plutôt que ce que vous possédez déjà.

Vous avez ce que vous avez en faisant ce que vous faites depuis toujours: en pensant comme vous en avez pris l'habitude. Si ce que vous voulez est différent de ce que vous possédez actuellement, vous devez changer de façon d'agir!

Vos récompenses dans la vie ne sont pas dues à vos possibilités. Elles sont le résultat de votre performance. C'est donc sur votre rendement que vous devez concentrer vos efforts et c'est lui que vous devez améliorer.

La vie comporte deux routes. La plus élevée vous permet de concentrer vos efforts et vos énergies à la réalisation de votre objectif. L'autre vous distrait et dissipe vos énergies. Il est toujours plus productif de canaliser toutes ses énergies sur les défis et les occasions de réussite que sur ce qui vous semble des problèmes ou des échecs passagers; de se concentrer sur les raisons qui rendent l'objectif réalisable plutôt que sur celles qui le rendent impossible; de se concentrer sur les solutions plutôt que sur les excuses. Il y aura toujours des difficultés. C'est votre attitude envers ces obstacles, plutôt que les obstacles eux-mêmes, qui décidera de votre réussite ou de votre échec.

Votre vie n'est pas tant le résultat de conditions et de circonstances extérieures que notre perception de ses facteurs. Votre univers correspond à la perception que vous en avez. Le psychiatre américain, Karl Menninger, disait un jour: «Les attitudes sont plus importantes que les faits.» Toute réussite est axée sur «soi». Comme vous le verrez, elle doit provenir de l'intérieur.

Le défi de la pensée positive

Le corps suit le sentier le mieux éclairé par l'esprit, qu'il soit rocailleux ou uni. Ainsi, vous pouvez pénétrer dans les profondeurs du désespoir et de la confusion ou atteindre les sommets de l'illumination. En observant le monde de votre fenêtre, vous pouvez voir des problèmes ou des occasions de réussite. Ce sont en fait les deux côtés de la même médaille, et ces deux côtés sont très présents. Il vous reste à choisir le côté sur lequel vous vous concentrerez. Cette entité croîtra ensuite dans votre conscience pour devenir plus grande que nature, pour devenir votre univers tel que vous le voyez et que vous l'acceptez. C'est la façon dont vous aurez décidé d'interpréter les facettes des choses qui se reflétera dans votre esprit et qui fera de votre vie sur terre un enfer ou un paradis.

Ce paragraphe décrit le défi très réel auquel nous faisons tous face. L'homme moyen n'a généralement pas tendance à aborder la vie de façon positive. Penser positivement, c'est vivre de façon pratique. De toutes les options qui s'offrent à vous, c'est la plus productive et la plus satisfaisante.

La pensée positive n'est pas une fuite, une excuse permettant d'éviter la réalité. Elle contribue plutôt à créer sa propre réalité, une réalité qui se prête davantage à un comportement efficace et à un rendement élevé. Elle contribue à maintenir à bonne distance le pessimisme si présent dans notre société. Elle ne permet pas au 10 % d'imperfections dans votre vie d'influencer et de contrôler 100 % de vos pensées et de votre existence quotidienne. Votre réalité est ce que vous en faites. En fin de compte, c'est votre perception de la réalité qui fera la différence en ce qui concerne votre mode de pensée, votre comportement et votre rendement.

Nous sommes tous différents, même si, à bien des égards, nous sommes semblables. Nous provenons tous du même moule et nous avons la vie et la possibilité de réaliser de grandes choses. Nous possédons un mélange unique de talents et de capacités qui, en général, sont peu développés et sous-utilisés. Chacun de nous dispose de 24 heures par jour et de 7 jours par semaine pour vivre sa vie comme il l'entend. La vie est en fait une série de choix, qui représentent tout autant un droit qu'une responsabilité. En fait, le seul choix que nous n'ayons pas, c'est celui d'effectuer des choix, car éviter d'en faire, c'est choisir. Ce livre traite du plus important choix de votre vie: votre façon personnelle de penser.

Le processus de la pensée positive est plus simple que ne le savent la plupart des gens. La pensée positive consiste d'abord et avant tout à concentrer son attention sur les sujets positifs ou sur le côté positif d'une situation particulière, et à faire appel à des mots, des images et des gestes positifs pour s'exprimer. Vous pouvez vous entraîner à penser de manière plus positive en vous exerçant à choisir où à porter votre attention sur ce que vous dites, tant à vous-même qu'aux autres. Vous pouvez apprendre à voir le bon côté des choses, même dans ce qui est mal, transformant par le fait même ce mal.

Cela accroît invariablement la somme de bonheur de votre vie. Le bonheur est un état d'esprit, une décision d'adopter une stratégie mentale conduisant à une vie plus efficace et plus satisfaisante. Bien sûr, vous ne pouvez espérer obtenir quoi que ce soit dans la vie simplement parce que vous le voulez. Mais vous pouvez réaliser des choses inespérées en prenant simplement le temps de développer les talents et les capacités que vous possédez déjà. «Nous savons ce que nous sommes, mais pas ce que nous pouvons devenir,» observait si justement William Shakespeare (1564-1616), le célèbre poète et dramaturge anglais.

Une attitude aussi affirmative vous donne le contrôle de la situation. Elle vous met à l'abri des circonstances imprévues, de la chance ou des décisions des autres en ce qui a trait à votre bonheur. N'abandonnez jamais, au grand jamais, ce contrôle à des forces extérieures.

Alors je vous invite à poursuivre votre lecture et à commencer à découvrir qui vous être vraiment et ce que vous pouvez réaliser. Essayez de voir le rôle majeur que jouent les attentes dans les nombreux exemples présentés dans le texte. L'expérience d'apprentissage sera plus significative si vous êtes en mesure de découvrir et de déterminer vous-même pourquoi vous êtes tel que vous êtes aujourd'hui. Vous ne pouvez espérer participer à l'évolution et à la croissance du genre humain que dans la mesure où vous découvrirez et vous réaliserez toutes vos possibilités comme être humain.

Où allons-nous?

Chaque jour, de nombreuses découvertes brillantes deviennent le reflet du progrès humain, de la marche régulière vers une meilleure compréhension et un meilleur contrôle de notre environnement. Des secrets de l'atome, à l'exploration de l'espace, de grandes réalisations sont enregistrées, considérées impossibles, voilà quelques années à peine.

Mais posez-vous cette question vitale: Possédez-vous une bonne connaissance de vous-même? Comprenez-vous votre façon de penser, et la raison pour laquelle vous réagissez et vous vous comportez comme vous le faites? Êtes-vous conscient de vos possibilités, du véritable pouvoir de votre esprit? Ce n'est pas le cas pour bien des gens: les alcooliques, les drogués et les étudiants décrocheurs. En fait, ce n'est pas le cas de la personne moyenne je crois qu'il serait préférable de tenter de mieux comprendre notre propre nature physique, mentale et spirituelle, avant de partir à la découverte des mystères de l'univers.

Le plus grand mystère du monde porte sur l'essence de l'Homme. Nous avons appris à gérer et à contrôler plusieurs facettes de notre environnement. Pourtant, une chose nous échappe encore: il nous faut obtenir la maîtrise de nous-même, de notre façon de penser et de notre vie. Ces paroles du poète Alexander Pope (1688-1744), écrites il y a plus de 250 ans, sont toujours actuelles: «Connais-toi toi-même... l'étude appropriée du genre humain est celle de l'homme.»

La programmation neuro-linguistique
Exercice de remaniement #1
«Pour avoir plus d'assurance»

Installez-vous dans une pièce tranquille et imaginez que vous vous sentez tout à fait confiant, totalement à l'aise avec vous-même et votre environnement. Cela devrait représenter une expérience mentale très intense, que vous n'avez sans doute connue que quelques fois au cours de votre vie. Vous pouvez y arriver en vous rappelant une occasion où vous avez ressenti la même chose ou en imaginant simplement ce que vous ressentiriez si vous étiez dans un état aussi merveilleux.

Imaginez maintenant comment vous vous tiendriez, comment vous respireriez et à quoi vous ressembleriez dans cet état de bien-être extrême. Tout en prenant conscience de votre posture — dos droit, épaules carrées et tête haute — formez un poing et frappez-en la paume de votre autre main à plusieurs reprises avec beaucoup de vigueur et d'intensité, en criant chaque fois: «Oui, je le peux!», avec beaucoup d'assurance. En prenant conscience de votre respiration dans cet état d'assurance absolue — souffle lent et profond provenant de l'abdomen — répétez le même processus. Refaites-le en prenant conscience de votre expression faciale: yeux, mâchoire et dents, reflétant votre assurance et votre aise. Pendant quelques instants, examinez votre physiologie tout entière en faisant l'expérience de cet état de conscience intense.

Livrez-vous à cet exercice 10 fois par jour pendant une semaine. À la fin de cette période, vous aurez inscrit cet état d'esprit désirable dans votre réalité subconsciente, et vous pourrez vous le rappeler sur demande avant ou pendant tout moment d'anxiété, en fermant simplement le poing et en vous répétant la même affirmation, même sous la forme d'un murmure. Rappelez-vous toujours ce geste associé à votre sentiment de «penser en gagnant!» C'est votre voie vers une nouvelle réalité et un avenir emballant.

Première partie

À la défense de la théorie de l'espoir

Chapitre 1

Pourquoi réussissez-vous?

«Changez vos pensées et vous changerez le monde.»
Norman Vincent Peale

Vous êtes-vous déjà demandé ce qui distingue la personne qui réussit de celle qui ne réussit pas, la raison qui fait qu'une personne a plus de succès qu'une autre? Des milliers d'études ont été effectuées au cours des années pour trouver la réponse à cette question.

Nombre de penseurs et d'auteurs ont consacré leur vie entière à tenter d'y répondre. Pourquoi certains réussissent-ils plus que d'autres dans tous les domaines de leur vie? Il en est à qui tout semble réussir. Ils comptent plus d'amis, jouissent d'une meilleure santé, donnent un meilleur rendement, bénéficient de meilleurs revenus et d'une meilleure vie affective que les autres.

Beaucoup croient que la réussite dans la vie est une question d'hérédité, d'influences ambiantes lors de l'enfance, de chance ou d'une combinaison de tout cela. Au premier aspect, ce point de vue semble reposer sur la logique. Après tout, on ne choisit pas ses parents, sa ville ou son village d'origine, ou encore sa nationalité. On ne nous consulte pas non plus quant au nombre de sœurs ou de frères qui seront nôtres, à la langue que nous emploierons ou aux voisins que nous aurons. Mais les gènes des parents et l'environnement jouent un rôle majeur dans votre vie, que vous le vouliez ou non.

Premièrement, quels sont les faits qui sous-tendent la théorie voulant que les gens qui réussissent le doivent uniquement à leur hérédité?

Les gens qui réussissent n'ont pas de gènes communs. Ils sont de toutes les origines, de toutes les tailles et de toutes les couleurs, et sont différents les uns des autres, tant physiquement que mentalement. Aucun n'est exactement semblable. Il existe des exemples de jumeaux génétiquement identiques dont l'un réussit et l'autre pas. De plus, nous connaissons tous des gens qui subissaient l'échec à une certaine époque et qui ont par la suite très bien réussi, sans que leur code génétique subisse le moindre changement.

L'autre argument, qui veut que les gens doivent uniquement leur réussite à leur éducation est plus valable. Des chercheurs ont découvert que certains milieux favorisent certains comportements, le positif engendrant le positif et le négatif favorisant le négatif. Les enfants nés dans des ghettos ont un taux plus élevé d'échecs scolaires et de criminalité, par exemple, que les enfants élevés dans des milieux de classe moyenne ou supérieure. Mais l'inverse est aussi vrai. Des familles pauvres ont produit beaucoup de gens ayant réussi, et des familles de classe moyenne et supérieure ont produit des gens qui n'ont pas réussi. La réussite n'est donc pas uniquement une question de facteurs environnementaux.

Par ailleurs, beaucoup d'élément semblent établir que la réussite est davantage le résultat de certaines caractéristiques mentales et de traits de personnalité, c'est-à-dire d'attitudes, que de tout autre facteur. Les attitudes sont le résultat de choix, de décisions de croire ou ne pas croire en certains aspects précis de la vie. Par exemple, des gens choisissent de croire fermement en l'honnêteté, l'intégrité, la débrouillardise, l'effort et le respect du prochain. D'autres rejettent ce choix. Nous avons tendance à adopter de telles convictions à partir des idées de notre entourage, des gens avec lesquels nous nous associons et qui nous servent de modèles pendant nos années de formation. En ce sens, nous sommes le produit d'un vaste éventail d'éléments suggestifs de notre environnement.

Cependant, les attitudes et les convictions positives ne sont pas le fait d'un environnement particulier. Elles sont simplement présentes partout, à un degré plus ou moins important, et l'on choisit de les intégrer ou non à sa vie. En termes clairs, les gagnants ne naissent pas gagnants, ils le deviennent, ce que croient fermement tous les hommes et les femmes qui ont à leur actif de grandes réalisations.

Examinez les affirmations suivantes qui illustrent des caractéristiques mentales particulières à tous les gens qui réussissent exceptionnellement:

- Oui, c'est la vie, mais plutôt que de ne rien faire, j'entends prendre des mesures à ce sujet.

- Oui, je crois que mon sort est entre mes mains, que c'est à moi de décider.

- Oui, le hasard joue un certain rôle dans ma vie, mais c'est à moi de décider ce qui se passera dans ma vie.

De telles personnes croient contrôler leur vie, et sont prêtes à assumer toute la responsabilité de leur comportement et de ses conséquences.

Maintenant, pour écarter ce dernier argument voulant que le hasard joue un rôle majeur, permettez-moi de vous confier une ancienne légende chinoise qui illustre clairement le fait que la chance a peu à voir avec la réussite dans la vie.

C'est l'histoire d'un vieillard qui semblait être comblé. Il avait un fils qu'il aimait, un cheval exceptionnel et beaucoup des biens matériels que désirent la plupart des gens. Mais un jour son bien le plus précieux, son cheval, quitta son enclos et s'enfuit dans les montagnes. Quelle catastrophe! L'homme avait perdu son inestimable animal!

En entendant parler de cette calamité, ses voisins vinrent lui offrir leurs sympathies. Ils lui dirent: «Ton cheval est parti, quelle malchance!» Puis ils pleurèrent et tentèrent de le consoler. Mais il leur dit: «Comment savez-vous qu'il s'agit de malchance?»

Mais quelques jours plus tard, le cheval revint là où il savait pouvoir trouver de la nourriture et de l'eau. Il entraînait avec lui 12 beaux étalons sauvages. Lorsque les gens du village prirent connaissance de la bonne nouvelle, ils vinrent féliciter le vieillard et lui dirent: «Quelle chance, 13 chevaux!» Et le vieux sage répondit: «Comment savez-vous que c'est de la chance?»

Ils se rappelèrent ses paroles le lendemain lorsque son fils, son fils unique, essaya de monter l'un des étalons sauvages. Il fut désarçonné, se fractura la jambe et en garda une claudication permanente. Ses voisins, ayant entendu parler de l'accident, lui dirent: «Ton fils, infirme à jamais, quelle malchance!» Mais le vieux sage demanda à nouveau: «Comment savez-vous qu'il s'agit de malchance?»

Environ un an plus tard, un seigneur arriva au village, enrôla de force tous les jeunes hommes en santé dans son armée et les emmena à la bataille. La bataille fut perdue et tous les guerriers furent tués. Le seul jeune homme qui resta dans le village fut le fils infirme du vieux sage, qui n'avait pas été conscrit à cause de son handicap.

La morale de l'histoire est la suivante: Vous ne savez jamais s'il s'agit de chance ou de malchance, alors ne comptez pas sur la chance pour atteindre vos objectifs.

La clé de la réussite

Revenons à notre question: Pourquoi certaines personnes réussissent-elles mieux que d'autres?

Dans sa forme la plus simple, la réponse est la suivante: la clé de la réussite est liée à votre façon de penser. En transformant votre façon de penser quant à votre propre personne, à vos rapports avec les autres, à vos objectifs et à votre univers, vous transformerez votre vie. En changeant la qualité de votre pensée, vous changerez nécessairement la qualité de votre vie.

Vous verrez au cours des chapitres suivants que vous pouvez contrôler votre façon de penser. Par exemple, consciemment, vous ne pouvez faire que deux choses. Vous pouvez (a) choisir vos pensées ou (b) réagir par une pensée à un stimulus externe. Ce sont là les deux seuls types de pensées conscientes auxquels vous aurez jamais à faire face dans la vie. Et vous pouvez contrôler ces deux types de pensées!

Cette capacité de contrôle de vos pensées à chaque minute, jour après jour, est la principale merveille de l'esprit, car c'est là que réside votre liberté individuelle.

Ralph Waldo Emerson (1803-1882), éminent essayiste, philosophe et poète américain, a un jour écrit: «Tant que l'homme pense, il est libre.»

Vous êtes semblables à vos pensées.

L'une des plus précieuses découvertes, léguées par les grands personnages de l'histoire au cours de ce siècle, est ce que le regretté Earl Nightingale, le célèbre diffuseur et éducateur, appelle le secret le plus étrange. Il disait: «Vous êtes semblable à vos pensées» ou «Vous devenez ce à quoi vous pensez.» Comme le dit la Bible: «Tel l'homme pense son cœur, tel il est.» Le pouvoir réside donc en vous. Votre capacité de transformer votre vie réside dans votre capacité de penser, et de penser différemment si tel est votre choix.

Qu'ils en soient conscients ou non, les gens qui réussissent font la preuve de cette vérité dans tout ce qu'ils disent et font. Pour les besoins de la cause, nous définirons les gens qui réussissent comme des personnes qui se fixent sans cesse des objectifs plus élevés, qui visent graduellement la réalisation de ces objectifs et qui vivent une vie dynamique et bien équilibrée.

Examinez l'exemple suivant. Une session de planification avait été organisée au sein d'une grande entreprise de produits pour le bureau; on devait y fixer les nouveaux objectifs de vente de l'année qui venait. Tom, le directeur du marketing, voulait donner le ton de la rencontre en présentant Mike, le meilleur représentant de l'année, à tous les représentants présents. Il demanda à Mike de monter sur le podium pour que ses pairs le félicitent de ses réalisations: cinq fois plus de commissions que la moyenne du groupe.

Après les applaudissements, Tom posa au groupe plusieurs questions. «Je veux que vous regardiez Mike. En quoi est-il différent? Que possède-t-il de plus que vous qui lui permette de gagner tellement plus?» Il poursuivit en disant: «Mike est-il cinq fois plus intelligent que vous? Non. Selon son dossier, il dispose d'une intelligence moyenne. Est-il plus instruit? Non. Il détient un baccalauréat en administration obtenu à l'université locale. Cela lui a demandé plusieurs années de cours du soir, mais il a persévéré. Mike a-t-il travaillé plus d'heures ou a-t-il sacrifié ses vacances annuelles. Non, ses fiches de temps indiquent qu'il s'est accordé autant de congés que la plupart des gens. Son territoire est-il plus vaste ou comporte-t-il plus de clients importants? Non, son territoire est moyen. Son expérience de cinq ans au sein de l'entreprise est moyenne. En fait, Mike semble dans la moyenne à tous les égards.»

Tom continua. «Mike, nous ne savons vraiment que penser. Qu'est-ce qui t'a permis d'atteindre un niveau supérieur à celui de tous les autres? La chance ou le destin y sont-ils pour quelque chose?

— Non, je ne crois pas, dit Mike. Ce n'est pas la chance qui m'a fait respecter tous mes rendez-vous l'année dernière ou qui m'a fait rappeler chacun de mes clients précisément une semaine après chaque rencontre. Ce n'est pas la chance qui m'a poussé à m'assurer que toutes mes commandes étaient traitées adéquatement et livrées à temps.

Ce n'est ni la chance qui m'a fait suivre des cours du soir pendant six ans pour obtenir mon diplôme. Ce n'est pas la chance qui m'a amené à lire 10 livres au cours de la dernière année à propos des techniques efficaces de vente et de la gestion du temps. Non, je ne crois pas que la chance ou le destin ait quoi que ce soit à voir avec mon rang de premier représentant. Mais je crois que mon attitude positive et les réussites au-delà de mes espérances ont eu beaucoup à voir avec mon succès. Je me fixe des buts élevés, cinq fois plus élevés que la moyenne, et je crois fermement pouvoir les réaliser. Je planifie mon travail et je respecte cette planification pour atteindre mes buts. Je fais simplement chaque jour ce qui, selon mes plans, me permettra d'aller là où je veux aller.»

«Voilà la différence!» s'écria Tom. «Voilà ce qui distingue Mike. La différence réside dans la qualité de sa façon de penser. Il pense cinq fois plus grand et, si je puis m'exprimer ainsi, cinq fois plus intelligemment. Nous devons comprendre ceci: la qualité de la réflexion qui guide l'intelligence est beaucoup plus importante que la somme d'intelligence que vous possédez.»

Le processus de la pensée

Puisque notre thème central gravite autour des processus de réflexion que nous appelons «mode de pensée», il importe dès le départ de bien définir l'expression. Le *Petit Robert 1* définit le verbe «penser» dans sa forme transitive comme suit:

> «Former, combiner des idées et des jugements; exercer effectivement son intelligence; exercer son esprit, son activité consciente; avoir pour opinion, pour conviction; avoir l'idée de; croire, avoir l'idée, la conviction que; avoir dans l'esprit; avoir l'intention, avoir en vue de.»

Dans sa forme intransitive, il veut dire:

> «Appliquer sa réflexion, son intention à; évoquer, par la mémoire ou l'imagination; s'intéresser à; avoir dans l'esprit, en tête.»

43

Daniel Webster (1782-1852), l'homme d'État et orateur américain, disait: «L'esprit est le plus grand levier qui soit; la pensée humaine est le processus par lequel les problèmes humains trouvent ultimement leurs solutions.»

On peut tirer trois grandes catégories de pensées de ces définitions: (1) Soupeser dans l'esprit; méditer; cogiter; raisonner; réfléchir constamment à, par exemple pour prendre une décision; comprendre ou résoudre. Cette forme de pensée portant sur le présent suppose surtout la création de solutions et le fait de tirer un sens d'informations conflictuelles, d'adopter une opinion ou une conviction à propos d'un sujet précis ou de réaffirmer des opinions et des convictions déjà adoptées; (2) d'avoir à l'esprit, de se rappeler le passé; et (3) de prévoir ou d'escompter un résultat donné fondé sur des données historiques en réfléchissant à l'avenir et à ce qu'il réserve.

La pensée consciente se produit plus ou moins avec votre pleine conscience. Vous êtes conscient de l'acte et souvent vous vous parlez à vous-même. Ensuite, vous vous donnez une réponse. Cette conversation intérieure se déroule continuellement lorsque vous êtes éveillé. Sa direction et son intensité sont déterminées par les thèmes ou modes de pensée courants que vous avez choisis d'entretenir. Par ailleurs *la pensée subconsciente*, telle que décrite dans cet ouvrage, se produit sans que l'on en soit pleinement conscient, même si l'on est souvent conscient des réactions physiques qu'elle entraîne.

Vivre, c'est penser. Vous êtes fondamentalement un esprit doté d'un corps. Votre chair, vos os et vos muscles peuvent se comparer à 80 % d'eau, en plus de quelques produits chimiques de peu de valeur. Mais c'est votre esprit et ce que vous pensez qui déterminent qui vous êtes. Même lorsque vous dormez, vous pensez beaucoup au plan du subconscient. Lorsque vous cessez de penser, vous cessez de vivre. Vous êtes «mort cérébralement.»

Chaque geste que vous posez, qu'il s'agisse de manger, de parler, de faire une promenade ou de lire un journal, est précédé d'une impulsion intellectuelle. Bien que vous puissiez considérer chacune de ces activités comme plus ou moins automatiques, elles résultent d'un message provenant de votre esprit et qui est expédié à travers le système nerveux vers vos muscles qui agiront ou n'agiront pas, selon le cas. Une pensée puissante, formidable, est derrière tout cela. Ainsi, vous êtes le produit de votre pensée dans tout ce que vous dites et faites. «Les grands hommes, écrivait Ralph Waldo Emerson, sont ceux qui se rendent compte du fait que les pensées mènent le monde.»

La pensée est la source originale de toute réussite, de toute prospérité et de tout bonheur dans le monde. Toutes les grandes découvertes et inventions de l'histoire sont le résultat d'idées et de pensées. La pensée est aussi la source de tous les échecs, de la pauvreté et du malheur dans le monde. Les pensées qui prédominent dans notre esprit déterminent notre caractère, notre carrière et tous les aspects, négatifs et positifs, de notre vie. Comme l'observait le poète anglais, John Milton (1608-1674): «L'esprit est son propre lieu, et de lui-même il peut faire d'un paradis un enfer, et d'un enfer un paradis.»

La pensée est la plus haute forme d'activité dont l'être humain soit capable, et pourtant peu de gens pensent vraiment. Trop souvent on s'imagine faussement que l'on pense parce que l'on a conscience d'une activité mentale dans son esprit. La plupart du temps vous ne faites que vous rappeler vos expériences passées, comme de la musique sur une bande, sous forme d'images mentales déjà enregistrées dans votre subconscient. Vous vous reportez à une programmation antérieure — les dossiers internes de votre mémoire, en quelque sorte — et il en résulte un comportement habituel. La programmation préalable est votre seule base de comparaison et vous agissez nécessairement d'une façon préconçue ou vous vous attendez à un résultat déjà vu. Dans un tel cas, la loi de la conviction s'applique.

Henry Ford (1863-1947), le fameux industriel américain, faisait le commentaire suivant à ce sujet: «La réflexion est le travail le plus difficile qui soit, ce qui explique sans doute pourquoi si peu de gens s'y adonnent.»

Cette capacité de se former des images et de les garder à l'esprit est particulière à l'espèce humaine, et c'est cette faculté qui vous élève au-dessus des autres êtres vivants. Vous êtes le directeur, le producteur, l'auteur et l'acteur principal de toutes les images qui apparaissent à l'écran de cinéma de votre esprit. Dans une très large mesure, tout ce que vous réalisez ou ne réussissez pas à réaliser dans la vie est le résultat direct des images que vous entretenez dans votre esprit.

Saviez-vous que vous pensez en images et non à l'aide de mots? Ces concepts sont simplement des images mentales qui proviennent de pensées représentant des idées et des expériences. Pendant des milliers d'années, l'homme primitif a communiqué ses idées et ses expériences en dessinant des images dans le sable ou sur les murs de cavernes. Ça ne fait pas si longtemps que les êtres humains ont créé divers langages et alphabets pour symboliser ces «messages» picturaux. L'esprit ne s'est pas encore tout à fait adapté à cette nouveauté relative. Une image donne un impact bien plus grand sur le cerveau que les mots, et cela grâce au fait que les nerfs qui relient l'œil au cerveau sont cinq fois plus gros que les nerfs qui vont de l'oreille au cerveau. Par exemple, on se rappelle souvent le visage d'une personne sans pouvoir se rappeler son nom. L'adage qui dit «qu'une image vaut mille mots» est vrai.

Vous pensez en trois dimensions.

Il est également important que vous vous rendiez compte que vous pensez en trois dimensions, concept développé tout d'abord par James Newman dans son excellent livre intitulé *Release Your Brakes!* Chacune de vos pensées comporte une «idée» ou une composante verbale, une «image» ou une composante conceptuelle, et une composante «émotionnelle». Chacun de ces éléments joue un rôle précis.

Considérez par exemple le terme «plage». L'idée qui stimule la conscience initiale est simplement celle de «plage». L'image est celle que vous vous formez mentalement en entendant le mot. Toute la signification réside dans l'image. Pour la plupart des gens, elle se composera de vastes étendues de sable blanc, de vagues se brisant sur le rivage et de gens se faisant bronzer ou se lançant des objets en forme de «soucoupe volante». La composante émotionnelle, qui représente le lien corps-esprit, est ce que l'image vous fait ressentir. Il peut s'agir de la chaleur du soleil sur votre corps ou du sable doux entre vos orteils. D'autres pourront imaginer une plage isolée de plusieurs kilomètres de longueur, sans la moindre personne en vue. Leur réaction émotive inclura des sentiments de paix, de solitude et de tranquillité. Ce que vous ressentez dépend de l'image que vous concevez. Par exemple, si vous vous êtes évanoui sous le choc d'une grosse vague lorsque vous étiez petit enfant, votre sentiment concernant la plage pourra être radicalement différent. Vous voudrez probablement l'éviter.

De la même façon, vous enregistrez mentalement de l'information sur chacune de vos expériences, et ce, en trois dimensions: verbalement, conceptuellement et émotionnellement. Cette information est rassemblée par vos cinq sens et forme la base de votre système de convictions personnelles ou votre compréhension du monde tel que vous le concevez. Les scientifiques estiment à cent milliards environ le nombre de neurones qui composent le cortex cérébral humain moyen. Elles peuvent emmagasiner plus de cent trillions de bits d'information. Chaque élément de votre mémoire est enregistré en trois dimensions: les trois composantes de tout ce que vous avez jamais pensé ou vécu. Cette façon de penser, en images et de manière tri-dimensionnelle, sera importante plus tard lorsque nous discuterons du concept de soi, de l'image de soi et de l'estime de soi.

Quels propos tenez-vous à votre esprit?

Un concept simple m'a permis d'entreprendre mon voyage vers la découverte de soi. Après beaucoup d'étude et de méditation, j'en suis venu à la conclusion que les gens ont précisément dans leur vie ce qu'ils réclament constamment dans leur esprit. Au début, j'ai trouvé cela quelque peu désarmant. Je savais ce que j'avais et je croyais savoir qui j'étais à cette époque, même si je n'étais pas très riche et que je ne valais pas grand-chose non plus. Pourtant, m'avouer que ce que je possédais et qui j'étais venait de ce que je me disais, était trop me demander. Comment pouvais-je être responsable de mon propre insuccès, alors que je pouvais l'imputer à tant d'autres facteurs? «Impossible», me disais-je.

Heureusement, ce concept persista. Le défi qu'il me forçait à relever perdura. Alors je continuai à étudier mon propre comportement et celui de bien d'autres de manière très détaillée afin de vérifier le bien-fondé de mon concept. Ayant fait cette étude, et sachant ce que je sais maintenant, je suis en mesure de vous répéter cette formule: Vous avez précisément dans votre vie aujourd'hui, ce que vous réclamez constamment à votre esprit.

Votre univers physique actuel est fondamentalement le reflet de toute votre réflexion ou de votre absence de réflexion jusqu'à ce jour. Des principes existent pour vous et moi. Ils représentent une loi universelle. En expliquant ces principes, je vous démontrerai que vous possédez exactement ce que vous réclamez constamment à votre esprit... par le biais d'images mentales.

L'étude de soi

Des psychologues disent que si vous consacrez une heure par jour à l'étude intensive d'un sujet pendant cinq ans, à la fin de cette période vous serez considéré comme un expert dans ce domaine particulier.

En ce qui me concerne, je savais que je pouvais encore progresser et changer pour le meilleur. Je cherchais comment je pourrais apporter des changements constructifs dans ma vie. Alors je parcourus pendant cinq ans ce long et difficile chemin à la recherche de la solution, et je crois l'avoir trouvée. J'ai découvert que la force dominante de mon existence était la réflexion à laquelle je m'adonnais — une conviction fondamentale. Alors j'ai décidé d'acquérir le contrôle de ce processus, car je savais qu'en y parvenant, j'allais réussir à contrôler ma vie.

Au cours des 24 mois qui suivirent, je n'ai pas regardé une émission de télévision, ni écouté une émission de radio et je n'ai pas lu un journal ou un magazine. Et j'ai soigneusement évité toute conversation négative à laquelle j'étais exposé à cause de l'impact négatif que cela aurait eu, j'en étais sûr, sur moi!

Puisque j'utilise les termes positif et négatif, je veux que vous conceviez la notion de positif comme signifiant créateur et constructif, et celle de négatif comme étant désespérant et destructeur. L'une suppose une notion de progrès et d'amélioration, et l'autre une notion de régression et d'échec. Je veux que vous gardiez en tête cette importante distinction, car en utilisant les termes positif et négatif, nous parlons des forces créatrices et des forces destructrices à l'œuvre dans votre esprit.

Pour mieux comprendre les divers effets des modes de pensée positif et négatif, voyez, à partir de votre propre expérience, ce qu'éveillent dans votre esprit les images suivantes: joie, fierté, amour, emballement, optimisme et enthousiasme. Comparez maintenant leurs effets à ceux de la crainte, de la colère, de la culpabilité, de la rancune, de la jalousie, du désespoir et de la haine. Chacun des premiers éléments exerce une influence créatrice et constructive sur une personne et son entourage, alors que ceux de la seconde série donnent précisément l'effet contraire. Les effets positifs et négatifs proviennent des sentiments positifs et négatifs, suscités par des pensées positives et négatives ou, plus justement, par des pensées-images positives et négatives.

Chacun de nous peut choisir de penser ou d'agir positivement ou négativement, de façon constructive ou destructive. Vous vous dites peut-être: «Si tel est le cas, pourquoi quelqu'un choisirait-il d'être négatif?» La réponse est que personne ne fait consciemment un tel choix chaque fois qu'il pense. On se laisse simplement conditionner à penser d'une façon habituelle, et cela se répète sans cesse. Presque toutes les pensées d'un adulte sont une question d'habitude, au niveau subconscient.

Malheureusement, la plupart d'entre nous avons développé une multitude de façons de penser habituellement négatives. Comme le notait le lexicographe anglais, Samuel Johnson (1709-1784): «Les chaînes de l'habitude sont généralement trop légères pour qu'on se rende compte de leur présence, jusqu'à ce qu'elles soient trop lourdes pour être rompues.» Nous avons tous pris l'habitude d'utiliser certains modes de pensée qui se sont gravés dans notre esprit.

Les habitudes ont une influence marquée sur la vie. Elles peuvent être les meilleures servantes qui soient et nous aider à atteindre de nouveaux sommets; elles peuvent aussi s'avérer les pires des maîtresses et vous interdire tout progrès. L'habitude consiste simplement à penser d'une façon habituelle. La majeure partie de notre comportement, 99 % en fait, est réflexive, car elle se fonde sur des données profondément ancrées dans les cavernes du subconscient. Presque toutes vos pensées sont des échos de vos perceptions et de votre programmation passées. C'est pourquoi vous devez apprendre à devenir un penseur ou, mieux encore, un penseur original, car c'est là la seule façon de permettre à la raison de triompher des réflexes.

Pour illustrer la puissante influence qu'a sur vous la pensée habituelle, prenez l'exemple qui consiste à regarder des deux côtés avant de traverser une rue. Si vous êtes né en Amérique du Nord, vous avez été conditionné à regarder à gauche d'abord, puis à droite ensuite. Si vous êtes né en Grande-Bretagne, vous avez été conditionné à regarder d'abord à droite, puis à gauche, les voitures roulant du côté gauche de la route. Rien n'est aussi comique que de regarder des touristes américains à Londres s'efforcer de perdre cette habitude. Ils ont d'abord appris à réagir très jeunes par un effort conscient fondé sur les circonstances particulières à leur environnement. À force de répétition, cette réaction est devenue une habitude, une sorte de programme presque dénué de réflexion, du moins à un niveau conscient.

De la même manière, certains modes de pensée ont été programmés dans votre subconscient et ont fait de vous la personne que vous êtes aujourd'hui. Ces modes de pensée peuvent être changés par l'apprentissage de modes de pensée différents et plus efficaces. Vous devez accroître le niveau de conscience de ce que vous désirez changer, et répéter sans cesse dans votre imagination, consciemment, la nouvelle expérience d'apprentissage souhaitée. Les nouvelles pensées-images produisent de nouvelles expériences de vie.

Voyez à quel point les pensées sont importantes dans votre vie à partir du poème suivant intitulé «Les pensées sont des objets»:

«Je soutiens que les pensées sont des objets;
Elles possèdent un corps, un souffle et des ailes:
Et nous les entretenons pour remplir
Le monde de bons ou de mauvais résultats.
Ce que nous appelons notre pensée secrète
Rejoint aussitôt les lieux les plus isolés de la terre,
Laissant derrière elle ses bonheurs ou ses malheurs
Comme des traces à mesure qu'elle progresse.
Nous construisons notre avenir, pensée par pensée,
Pour le meilleur ou le pire, bien que sans le savoir.
C'est ainsi que l'univers a été formé.

PENSEZ EN GAGNANT!

La pensée est une forme de destin;
Choisis alors ton destin et attends,
Car l'amour apporte l'amour, et la haine, la haine.»

Henry Van Dyke

Chapitre 2

Les principales influences de votre éducation

«*Que vous croyiez ou non pouvoir faire quelque chose,
vous avez raison.*»

Henry Ford

Nous avons assisté à un énorme changement au sein de la société américaine depuis la Deuxième Guerre mondiale. Grâce à l'introduction de la technologie moderne et à la prolifération des biens de consommation, les gens bénéficient d'une nouvelle option, qui ne leur était pas offerte dans la même mesure auparavant. De plus en plus, ils peuvent se montrer moins actifs et moins volontaires face à leur environnement. Ils évitent ainsi les difficultés d'ordre intellectuel plus que jamais.

Presque tous les besoins humains sont instantanément comblés. La prolifération de restaurants de prêt-à-manger (fast-food) symbolise sans doute le mieux l'obsession américaine pour la facilité et la vitesse. Les gens n'ont plus rien à faire. Ils n'ont plus à cuisiner, à coudre, à lire, à écrire ou à réparer leur tondeuse à gazon. Il existe partout un expert ou une machine qui résoudra leurs problèmes.

La télévision en particulier a été des plus efficace pour séparer les téléspectateurs de leur cerveau, leur enlever la capacité de réfléchir et de faire preuve de créativité. Les obsédés de programmes télévisés préfèrent laisser à d'autres la corvée de la réflexion. Cela ne peut que signifier qu'ils regardent la télévision pour échapper à leurs propres pensées.

La télévision a fait d'une majorité d'Américains des consommateurs habituels d'expériences toutes faites, de fantaisies irréalistes permettant simplement de passer le temps et qui privent l'esprit de sa propre nature créatrice. On a qualifié la télévision de gomme à mâcher pour l'esprit. En fait, c'est bien pire que cela. C'est un cancer qui s'attaque à la créativité, à l'indépendance, à l'initiative et à l'énergie de la population en général.

Actuellement, plus de 96 % des foyers américains possèdent un poste de télévision, 59 % en ont deux ou plus et 20 % en ont trois ou plus. En fait, 22 % des foyers disposent de 15 chaînes ou plus. Par ailleurs, moins de 10 % de la population lit des livres de façon régulière.

Qu'on le veuille ou non, la télévision est un facteur majeur pour ce qui est de donner à la société ses modèles et, à travers ceux-ci, ses valeurs et ses priorités. Les problèmes humains dans la plupart des émissions de télévision sont réduits à des solutions simplistes, amenant généralement la violence comme le moyen le plus acceptable et le plus efficace. On met aussi l'accent sur le sexe et les gratifications sexuelles comme étant une obsession humaine primordiale. La convoitise, la haine, la cupidité, la vengeance et l'adultère sont dépeints comme des vertus et des nécessités, et font partie de la majorité des scénarios.

La télévision conditionne l'esprit de manière très importante en créant un monde faux et irréaliste. Il vous fait croire que l'univers des téléromans et celui du crime et de la violence sont les seuls qui existent. Vous finissez par accepter cette perception déformée de votre environnement, et cela affecte nécessairement votre pensée et votre comportement.

Une étude des résultats scolaires enregistrés entre 1960 et 1975 démontre un déclin des aptitudes verbales et mathématiques au cours de cette période, phénomène coïncidant avec l'émergence de la télévision comme phénomène culturel significatif aux États-Unis. La télévision fait gaspiller du précieux temps d'apprentissage et réduit les spectateurs au plus petit dénominateur commun. Il est rare que les gens soient invités à accepter des standards que l'on décrirait comme étant réalisables et valables.

Les psychologues nous disent que les enfants disposent de cinq ou six ans pour se donner des valeurs et des convictions fondamentales et développer leur héritage génétique incroyablement riche et vaste. Les enfants viennent au monde avec une grande variété de talents et d'habiletés. Il peut s'agit de talents d'ordre scientifique, artistique, scolaire, athlétique ou musical, par exemple. Les enfants n'ont besoin que d'un environnement réceptif et stimulant pour exploiter ces possibilités. Un environnement adéquat favorise l'exploration et développe l'enthousiasme pour la croissance et l'excellence. Il est rare que la télévision favorise le développement des possibilités humaines. Elle sert surtout à tuer le temps. Elle fait perdre un temps précieux, rare et impossible à récupérer.

Le rôle de l'éducation

Il est intéressant de noter comment les jeunes gens perçoivent le rôle de l'éducation moderne par rapport aux nombreux défis que présente la vie. Plusieurs croient que s'ils vont à l'école et deviennent experts dans leur domaine, tout ira comme sur des roulettes et qu'ils obtiendront le succès qu'ils souhaitent désespérément. Les aspirants professionnels passent beaucoup de temps à soupeser les mérites et la réputation de l'établissement d'enseignement ou de l'entreprise qu'ils choisiront. Peu de gens pensent à l'importance qu'aura leur façon de penser en tant qu'élément de leur éducation globale. Une intelligence supérieure peut ne servir à rien sur la voie de la réussite. Le dévouement et le travail ardu ne suffisent pas. L'éducation ou le talent n'est pas une garantie de réussite. Beaucoup de gens dans le monde sont bien éduqués, très intelligents et talentueux, mais ne font pas de bons employés. Du moins, ils ne peuvent jamais garder un emploi.

Il semble que la réflexion en tant que compétence ait fait l'objet d'une attention limitée dans notre société moderne en général et dans notre système d'éducation en particulier. Cette situation commence à changer. Les éducateurs progressistes manifestent de plus en plus d'intérêt pour «l'art» de la réflexion. La réflexion est un sujet en soi. On peut l'organiser, l'analyser, l'améliorer, l'apprendre et l'enseigner. La réflexion, comme matière distincte, mérite une étude sérieuse et pratique, et peut représenter la plus grande innovation du siècle dans le domaine de l'éducation.

Les éducateurs doivent tenir compte des changements sans cesse plus rapides qui caractérisent notre environnement et de l'explosion relative d'informations nouvelles. On nous dit que la base d'information du monde double tous les cinq ans environ. Par conséquent, l'apprentissage de cette information ne peut plus être l'objectif primordial. Premièrement, elle est disponible en librairie et sur disquettes. Et il y en a trop en circulation pour qu'une seule personne puisse l'assimiler. En fait, personne n'a besoin d'en connaître tant à propos de quelque sujet que ce soit.

H. Ross Perot, ex-président de Electronic Data Systems et l'un des hommes les plus riches des États-Unis, a fait une remarque intéressante concernant les ordinateurs par rapport aux compétences humaines. Il a dit: «Nous disposons d'énormes sommes de données précises, mais les gens doivent toujours les consulter, les analyser et juger de leur pertinence. Il est terriblement important de ne jamais confondre données et sagesse alors que nous entrons dans l'ère de l'information. Plus que jamais, nous avons besoin de gens capables d'une réflexion originale.»

Je crois que nous devons cesser de confondre éducation et instruction. L'éducation devrait davantage se consacrer à l'exercice d'un jugement rationnel et du bon sens, ce qui permettrait à l'individu de contribuer de façon significative à la résolution de problèmes. Par ailleurs, l'instruction pourrait continuer à transmettre des connaissances fondamentales de manière traditionnelle.

Ces vues sont partagées par un rapport du département de l'éducation des États-Unis, publié à San Diego au mois de juillet 1986.

«La spécialisation au niveau secondaire est devenue une source de faiblesse», écrivait Thomas Kean, gouverneur du New Jersey et directeur de la commission. «Les collèges américains forment des spécialistes alors que les employeurs ont besoin de travailleurs possédant de bonnes connaissances générales. Les employeurs nous disent actuellement que le marché du travail a besoin de gens à l'esprit critique et capables de bien communiquer avec leur entourage, et dont on pourra faire des spécialistes. Nous devons reconnaître la créativité et la prise de risques,» disait Thomas Kean. «La créativité est présente sur tous les campus, mais elle n'est pas encouragée.»

Voici d'autres éléments du rapport:

- Trop d'étudiants entrent à l'université sans posséder les connaissances, les compétences et les attitudes nécessaires au succès.

- Trop d'universités ne permettent pas aux étudiants de participer activement à leur propre éducation.

- Le taux de réussite à l'université, surtout chez les membres de minorités, baisse alors qu'ils devraient être en hausse. Seuls 30 ou 40 % des étudiants méritent un diplôme après quatre ans d'études universitaires.

Nous devons continuer à apprendre toute notre vie pour demeurer compétitifs, compétents et productifs.

On accepte enfin le fait que l'éducation doit être un processus continu pendant toute la vie. On doit continuer à apprendre toute sa vie pour demeurer compétitif, compétent et productif, et pour continuer à croître en tant qu'être humain. Les cours d'éducation aux adultes abondent, avec des programmes en soirée et le week-end incluant la fine cuisine, la diététique, l'exercice, la lutte contre le stress et l'épanouissement fondé sur l'attitude.

Les employeurs américains jouent aussi un rôle beaucoup plus actif pour ce qui est d'éduquer, de conseiller et d'assister les éducateurs lorsqu'il s'agit de concevoir des cours qui répondent davantage à leurs besoins spécifiques.

Donald Petersen, président de la Ford Motor Company, a bien cerné le problème lorsqu'il a récemment déclaré: «En l'an 2000, 75 % de tous les travailleurs américains auront besoin d'une nouvelle formation, notre économie sans cesse changeante redéfinissant ses emplois.»

En ce qui concerne la capacité de lire, monsieur Petersen poursuit en disant que «bien que 96 % des jeunes américains lisent suffisamment bien pour sélectionner le film qu'ils verront à la télévision, aussi peu que 40 % sont en mesure d'interpréter un article écrit par un journaliste.»

Un rapport du département de l'éducation des États-Unis confirme le sérieux du problème. On a découvert que les capacités de lecture de l'adulte moyen se situent au niveau de la septième ou de la huitième année, que 20 % des jeunes adultes de 21 à 25 ans ont un niveau de lecture inférieur à celui de la huitième année, et que 5 % d'entre eux affichent un niveau de lecture inférieur à celui d'une quatrième année. Plus de 27 000 000 d'Américains sont des analphabètes fonctionnels. La moitié des 100 000 000 de travailleurs du pays ont un niveau de lecture inférieur à celui de la neuvième année. Le coût de la perte de productivité que cela entraîne pour les entreprises américaines se chiffre à plusieurs millions de dollars par jour, selon l'expert en alphabétisation de San Diego, le docteur Thomas G. Sticht.

Il est fort probable que vous n'ayez rien appris à l'école pour ce qui est de gagner de grosses sommes d'argent, de développer une attitude positive ou de réaliser vos rêves. Bien que notre système d'éducation n'enseigne pas cela aux gens pour qu'ils puissent mieux vivre et de façon plus satisfaisante, nous pouvons encore y arriver.

Le grand philosophe écossais, Thomas Carlyle (1795-1881), l'expliquait de la façon suivante:

> «Si nous y réfléchissons, tout ce qu'une université ou une grande école peut nous apprendre est la même chose que ce qui nous était enseigné à la petite école: la lecture. Nous apprenons à lire dans diverses langues, dans diverses sciences; nous apprenons l'alphabet et les lettres de toutes sortes de livres. Mais nous ne tirons des connaissances, même théoriques, que des livres eux-mêmes. Tout dépend de ce que nous lisons, après ce que toutes sortes de professeurs ont fait pour nous. La véritable université d'aujourd'hui est une collection de livres.»

En d'autres mots, son message est que nous devons d'abord apprendre à lire, pour ensuite lire pour apprendre!

Les experts en croissance personnelle et en comportement humain de haut rendement ont découvert que les gens changent surtout en fonction des livres qu'ils lisent et des personnes qu'ils rencontrent car ce sont ces deux facteurs qui influencent le plus la façon de penser d'une personne. Cela nous amène à poser une importante question: Quel genre de livres lisez-vous et quel genre de personnes rencontrez-vous et fréquentez-vous?

Quelles sont vos convictions?

Bien des gens me demandent si un livre ou un séminaire peut transformer leur vie. Je crois que cela est possible à condition qu'un concept puissant et susceptible d'ouvrir l'esprit s'enracine et croisse dans la conscience. Comme le notait un jour l'auteur américain, Oliver Wendell Holmes (1809-1894): «L'esprit de l'homme, ouvert à une nouvelle idée, ne retrouve jamais ses dimensions originales.» Nous avons en nous-mêmes beaucoup de bon sens, même si la vie dissimule ce bon sens sous un épais fatras de fausses impressions. Nous nous laissons conditionner de façon remarquable par notre environnement et notre éducation, et nous croyons bien des choses à propos de nous-mêmes et de notre univers qui ne sont tout bonnement pas vraies.

Par exemple, beaucoup d'entre nous croient que les océans sont un vaste système, qu'il y a et qu'il y aura toujours abondamment d'eau propre dans le monde. En vérité, cette quantité d'eau est très limitée. Notez que la distance de la surface de la terre à son centre est d'environ 4 827 000 km et que la profondeur moyenne des océans n'est que de 3 218 km. Ce n'est pas beaucoup d'eau, si l'on tient compte des 5 000 000 000 d'habitants que compte la planète.

Il y a aussi la notion voulant que les océans constituent, à condition d'être bien gérés, une source majeure de nourriture pour le monde. Mais l'efficacité de la production de nourriture dans l'océan est beaucoup plus faible que sur terre. Dans la mer, il faut mille tonnes de plantes pour produire une tonne de thon. Sur terre, il ne faut que dix tonnes de végétaux pour produire une tonne de bœuf.

John Marks Templeton, l'un des meilleurs gestionnaires de fonds mutuels au monde, s'est récemment vu demander au cours d'une interview ce qui, à son avis, était le facteur le plus important de sa réussite. Voici ce qu'il a répondu:

«Probablement mon concept de la réalité. Depuis des années, je suis persuadé de l'existence d'un être supérieur, du fait que rien n'existe à l'exception de Dieu. Il n'y a pas d'autre réalité. Ce que par le passé les gens appelaient réalité est passager et souvent source de confusion. Par exemple, prenez le concept suivant: Vous êtes assis, immobile. En vérité, à cause de la rotation de la terre, vous vous déplacez vers l'est à plus de 1 609 km/h. La terre tournant autour du soleil, vous vous déplacez dans une autre direction à plus de 3 218 km/h. Et parce que nous pensons que le soleil se déplace dans la voie lactée, vous vous déplacez à 24 135 km/h. Toutes ces directions sont des réalités. Par conséquent, votre apparente immobilité est trompeuse.»

Et maintenant pensez à ceci: Si vous vous êtes trompé à ce point en pensant tout bonnement que vous étiez assis et immobile, imaginez à quel point vous vous êtes trompé quant à ce que vous pouvez réaliser! Il est malheureux mais vrai que les convictions fondamentales que l'on entretient à propos de soi sont presque toujours imprécises, insuffisantes ou simplement irrationnelles. Elles n'ont pas de bon sens.

Je conseille une pratique que j'appelle la réflexion originale. La réflexion originale est la réévaluation critique du fondement de vieilles convictions, surtout de celles qui vous sont personnelles et que vous continuez d'entretenir à votre propos. Souvent, vous découvrirez que le fondement d'une vieille conviction est faible, qu'il ne supporte pas un examen approfondi. Par exemple, vous ne croyez peut-être pas pouvoir prendre la parole devant un large auditoire. Pourtant, si vous êtes capable de changer cette conviction, vous pourrez passer à de plus grandes choses dans la vie.

Malheureusement, la majeure partie de ce que nous appelons «réflexion» consiste à trouver des raisons pour continuer à penser comme on le fait déjà. Cela ne mène qu'à la poursuite d'un comportement habituel.

Lorsqu'il est question d'adopter des convictions réalistes, on peut faire appel à un outil majeur: apprendre à distinguer les données rationnelles et fiables de celles qui ne le sont pas. Cela suppose d'abord une observation, une écoute et un raisonnement critiques. Ce processus est appelé la détection de faussetés, expression que nous devons à Ernest Hemingway (1899-1961), le fameux romancier et nouvelliste américain. Il est nécessaire de lutter contre la manipulation mentale progressive si présente dans notre société de consommation.

Il est très facile de se laisser tromper par une façon de penser erronée. Prenez l'exemple du message publicitaire suivant qui démontre comment on peut amener les gens à agir de manière illogique:

«Bobby Bigtime est un excellent athlète.»
«Bobby Bigtime boit de la bière de marque X.»
«Vous devriez boire de la bière de marque X.»

Si nous examinons ce scénario, aucune raison logique ne permet d'affirmer que Bobby Bigtime est un connaisseur de bière, simplement parce qu'il est un bon athlète. Ses critères lui permettant de décider d'une bonne bière sont sans doute radicalement différents des vôtres. Vos qualifications à cet égard sont tout aussi bonnes et valables que les siennes. C'est votre goût qui détermine ce que vous aimez dans une bière.

C'est ainsi que les Américains de classe moyenne sont victimes d'un lavage de cerveau sans même le savoir. Plus de 50 000 messages publicitaires par année leur disent comment s'habiller, quoi manger et quoi boire, quelle automobile conduire, où habiter, et quelles valeurs, besoins et aspirations détenir. Tout cela dans le but de les prédisposer à penser et à agir d'une façon précise. Ils sont encouragés à consommer pour la simple raison que la consommation est bonne pour eux et nécessaire au maintien de leur mode de vie particulier et de l'image qu'ils ont d'eux-mêmes.

Les Américains atypiques démontrent plus de discernement. Ils examinent la masse de publicité commerciale pour en découvrir la vraie signification et ce qu'elle veut dire pour eux, en tant que gens intelligents qui réfléchissent. Ils sont moins un produit de leur environnement qu'un produit de leur façon de penser.

Vous devez savoir détecter les faussetés si vous désirez maîtriser votre vie et contrôler votre comportement. Vous devez évaluer soigneusement toutes vos expériences présentes et passées, surtout ce que l'on vous a dit à propos de vous-même et de vos possibilités.

Par exemple, on vous a sans doute dit lorsque vous étiez jeune qu'à moins de bien réussir à l'école, vous ne réussiriez jamais dans la vie. Alors si vous étiez un piètre étudiant, vous vous êtes probablement résigné à une vie médiocre, persuadé que vous ne pourriez jamais aspirer à quoi que ce soit de significatif. Pourtant, toutes les recherches démontrent qu'il n'y a aucun lien direct entre les résultats scolaires et le revenu de l'individu.

Ironiquement, la réussite dans les études risque parfois de nuire à la réussite dans la vie. Nombre d'excellents étudiants grandissent en croyant qu'en ayant de bons résultats à l'école, ils réussiront aussi dans la vie. Ils deviennent donc nonchalants, trop sûrs d'eux-mêmes, et présument qu'ils n'ont plus à travailler aussi fort en tant qu'adultes pour continuer à réussir. Ils sont pris au piège d'une fausse conviction. Donc, les deux groupes — ceux qui ont de piètres résultats à l'école et ceux qui y réussissent bien — se retrouvent souvent avec le même problème: ils sont victimes d'une fausse conviction qui les empêche de réussir dans la vie.

Lisez le texte suivant portant sur les convictions et la profonde influence qu'elles peuvent avoir sur la vie:

«Le doute peut vous arrêter sur place
Il peut vous enlever tout désir,
Par ailleurs, croire
Peut enflammer votre univers.

Lorsque vous croyez que
Vous pouvez réaliser ce rêve spécial,
Vous avez ce qu'il faut pour
Réussir beaucoup plus facilement qu'il semble.

Croire en vos capacités
Influe sur vos actes,
Et produit une impression d'assurance
Qui influence les réactions des autres.

Lorsque vous croyez pouvoir réussir
Et vous le croyez de toute votre âme,
Vous possédez un puissant atout
Vous atteindrez vraisemblablement votre but.»

Anonyme

L'abondance est partout

Votre système de convictions personnelles crée votre réalité. Il s'agit d'une loi immuable de l'univers. Vos convictions personnelles sont le fondement même de votre vie. Et comme nous en avons discuté, plusieurs de vos convictions actuelles sont erronées. Les convictions erronées sont rarement valables, car elles vous empêchent de voir les occasions de réussite dans la vie et l'abondance qui vous entoure.

Le fait de croire en la rareté — par exemple, qu'il n'y a pas d'abondance dans le monde — est une erreur fatale. Celui qui entretient une telle conviction voit la vie comme une tarte ne comportant qu'un nombre limité de pointes. Si vous obtenez une pointe de la tarte, vous en privez quelqu'un d'autre. Ou si d'autres ont la pointe que vous convoitiez... tant pis, elle est déjà prise!

En poussant plus loin une telle façon de penser, vous pourriez croire qu'en réussissant, vous en forcez un autre à échouer. Que si vous êtes prospère, quelqu'un d'autre doit être pauvre. À votre avis, il n'existe pas assez de tout pour contenter tout le monde. Il n'y a pas assez d'amour, pas assez de créativité, pas assez d'argent et pas assez de succès. Cela signifie également que vous ne pouvez avoir plus de ce que vous voulez à moins d'en priver un autre.

Une autre conviction erronée veut que vous protégiez soigneusement ce que vous possédez déjà parce que quelqu'un le convoite sûrement. Le moyen le plus sûr est alors l'échange. Donnez un peu de ce qu'ils veulent aux autres en échange d'un peu de ce que vous voulez. Mais évitez à tout prix de donner le premier! Vous risquez de n'être jamais payé! En vous montrant aussi froid et calculateur, vous finissez par vivre dans une prison que vous vous êtes construite à l'aide de convictions erronées.

J'ai expliqué comment j'avais éliminé de ma vie tous les éléments négatifs pendant une période de 24 mois. J'ai cessé de regarder les informations de 18 h à la télé, de lire le journal et de regarder les informations télévisées de 23 h. Vous savez, il ne s'agit pas vraiment de nouvelles puisque l'on a déjà entendu tout cela. Les soi-disant informations sont de la programmation négative et destructrice déguisée sous la forme de nouvelles. C'est du reportage biaisé, tous ces crimes, désastres et calamités de la journée qui, pour les gens, deviennent alors les événements normaux au pays. Lorsque tous les aspects négatifs de la vie, les événements tristes, déplorables ou sanglants, obtiennent la majeure partie de la publicité, ils finissent par avoir plus d'importance dans votre esprit qu'ils n'en méritent. Et vous vous identifiez à eux parce qu'ils finissent par adopter une apparence de réalité.

Et vous concentrant constamment sur les événements négatifs de la vie, vous avez tendance à devenir généralement plus négatif. Les nouvelles négatives nous entraînent à leur niveau destructeur. Elles ne favorisent jamais la créativité. Vous ne pouvez tout simplement pas vous permettre de vous abandonner à toute cette négativité. Sinon, vous avez tendance à reproduire cette façon de penser, et alors tout est perdu.

Examinez le scénario «BONNES NOUVELLES/MAUVAISES NOUVELLES» suivant:

1a. Le taux de chômage a atteint 5 %.

1b. Le taux d'emploi demeure à 95 %.

2a. Un avion s'est écrasé aujourd'hui à l'aéroport de Los Angeles.

2b. Il y a 549 avions sur 550 qui se sont posés sans incidents aujourd'hui à l'aéroport international de Los Angeles.

3a. Monsieur Jones est décédé aujourd'hui à l'âge de 84 ans.

3b. La vie de monsieur Jones, qui a duré 84 longues et productives années, a pris fin aujourd'hui.

4a. Joe Barnes a perdu un doigt dans un accident industriel aujourd'hui.

4b. Joe Barnes a encore sept doigts et deux pouces, sans parler d'une excellente santé mentale, pour continuer à faire ce qu'il fait si bien.

5a. De nos jours, un mariage sur trois se termine par un divorce.

5b. De nos jours, deux mariages sur trois réussissent et durent toute une vie.
Quelles nouvelles sont les plus précises?
Quelles nouvelles sont les plus positives?
Quelles nouvelles sont rapportées le plus souvent?

Votre esprit est la force qui sous-tend le merveilleux système de réussite que vous avez en vous. Tout ce que vous croyez, toutes vos images et vos pensées habituelles deviendront éventuellement réalité. Si vous vous dites: «Je ne peux pas», «Je n'en vaux pas la peine» ou «Cela ne m'arrivera jamais»; tout cela se réalisera. Si vous croyez en la rareté, vous verrez de la rareté, vous vivrez de la rareté et pour vous cette rareté se matérialisera.

La rareté est la mère de l'égoïsme, de la jalousie, de l'agressivité et de la rancune. Tous ses effets sont négatifs.

L'abondance est la mère de la prospérité, de la créativité, de la bonté et de l'amour. Tous ses effets sont positifs.

Chaque fois que vous ressentez une émotion négative, arrêtez-vous et examinez les convictions sur lesquelles elle s'appuie. Demandez-vous: «Pourquoi est-ce que je ressens cela? Quelle est la conviction qui en est la cause? Cette conviction est-elle réaliste, logique, et s'agit-il d'un reflet précis du monde réel?»

Si la réponse est non, transformez la conviction en une affirmation positive qui conduira à des émotions plus positives et à un comportement plus constructif. Le fait de vous libérer de vos convictions négatives et de vos pensées rigides et illogiques vous libérera et vous mettra sur la voie d'une prospérité accrue et d'une meilleure satisfaction personnelle.

Une idée peut-elle transformer votre vie?

Bien des gens qui ont assisté à des séminaires et lu des livres du même genre que le présent ouvrage ont été capables d'atteindre de plus hauts niveaux d'assurance. Ils ont transformé leur personnalité pour devenir plus patients, meilleurs et plus aimables, et ils ont transformé leurs rapports avec les gens, surtout avec leur conjoint et leurs enfants. Ils ont désormais plus d'énergie et de détermination, et ils savent où ils vont et quels sont leurs buts dans la vie. L'expérience est un peu comme une «renaissance», comme si l'individu pouvait recommencer sa vie armé de nouveaux concepts puissants et de nouvelles connaissances. Tout le monde peut accéder à des niveaux plus élevés que tout ce qu'il croyait possible.

Il y eut un temps où les chercheurs estimaient que les gens utilisaient environ 20 % de toutes leurs facultés intellectuelles. Aujourd'hui cependant, on connaît bien plus la complexité de la machine humaine, et les experts affirment que nous n'en utilisons qu'un ou deux pour cent. En fait, les experts ne peuvent trouver aucune limite aux possibilités humaines, à ce que l'on peut réaliser dans la vie. On n'est limité que par les capacités illimitées des pouvoirs créateurs de son esprit.

Napoleon Hill (1883-1970), auteur de l'ouvrage classique *Réfléchissez et devenez riche*[*] est sans doute surtout connu pour sa célèbre phrase: «Tout ce que l'esprit de l'homme peut concevoir et croire, il peut le réaliser.»

Nous vivons tous dans un univers très structuré et très ordonné. Rien ne se produit accidentellement. Des principes et des lois s'appliquent universellement. Examinez l'observation suivante du docteur Werner Von Braun, le regretté scientifique de l'espace d'origine allemande, souvent appelé le père de l'exploration de l'espace:

---

[*] Publié aux éditions Un monde différent ltée sous format de cassette audio.

«Après des années de recherches portant sur les mystères spectaculaires de l'univers, j'en suis venu à croire fermement en l'existence d'un pouvoir supérieur. La grandeur du cosmos ne vient que confirmer ma conviction en la certitude de l'existence d'un Créateur. Je ne peux tout simplement pas imaginer cet univers se formant en l'absence de quelque chose comme une volonté divine. Les lois naturelles de l'univers sont si précises que nous n'avons aucune difficulté à construire un vaisseau spatial pouvant se rendre sur la Lune en chronométrant le vol à une fraction de seconde près. Ces lois doivent avoir été formulées par quelqu'un.»

Comme vous le verrez bientôt, tout comme des lois régissent la physique, la chimie ou l'astronomie, il existe aussi des lois mentales infaillibles. La loi de la conviction est tout aussi valable et sensée que la loi de la gravitation ou celle qui précise que la lumière voyage à 299 274 km/s. Ainsi la réussite dans votre univers physique, tout comme s'il s'agissait d'expédier un vaisseau spatial sur la Lune, ressemble fort à la réussite dans votre monde mental, qui consiste à réaliser toutes vos possibilités. L'un et l'autre sont prévisibles et résultent directement du fait de poser des gestes précis de façon précise.

Le coût d'un livre ou d'un séminaire est relativement modeste. Mais cela ne peut être qu'un début. Le prix à payer pour relever le défi auquel nous devons tous faire face — comment tirer le maximum de soi — est beaucoup plus élevé. Vous devez d'abord apprendre les règles du jeu, les lois mentales qui existent pour tout le monde, puis travailler diligemment à les mettre en pratique.

Il y a aussi un prix à payer pour échouer continuellement ou vivre dans la médiocrité. Une idée peut-elle transformer votre vie? Bien sûr. Si vous prenez ce que vous apprendrez dans ce livre et vous le mettez en pratique, cela pourra transformer entièrement votre vie. Vous ne serez plus jamais la même personne si vous conservez un esprit ouvert et vous réservez votre jugement jusqu'à ce que vous ayez assimilé ce que vous aurez appris.

Tout en poursuivant votre lecture, évitez de vous dire que vous êtes d'accord avec certains points et en désaccord avec d'autres. Essayez de ne pas préjuger de chaque point qui vous est présenté en vous basant sur votre façon actuelle de penser. Examinez d'abord globalement le contenu du livre, en le considérant comme une nouvelle expérience qui vaut un examen. Pensez simplement (encore ce mot) que, si les 5 000 ans de sagesse collective présentées dans ce livre sont justes, en ce qui vous concerne, vous n'avez aucune raison de vous en priver.

Le monde ne peut vous changer pour le meilleur, même s'il le veut.

Le monde est impersonnel. Votre réussite ou votre échec lui importe peu. Cela vous regarde. Le monde ne peut vous changer pour le meilleur, même s'il le veut. Vous seul le pouvez. Mais vous devez d'abord commencer à percevoir votre univers et vous-même sous un éclairage différent.

La plupart des gens ne se rendent pas compte du fait que la joie de la croissance provient davantage du périple que de la destination en soi. Un vieux proverbe chinois dit qu'un voyage d'un millier de kilomètres doit commencer par un premier pas. Et chaque pas apporte sa propre récompense. Êtes-vous prêt à faire ce premier pas, à admettre que ce que vous êtes sur le point d'apprendre est peut-être plus près de la réalité que vous ne l'avez d'abord cru?

Se convaincre de sa propre valeur est la chose la plus difficile qui soit: Les gens ont une certaine expérience de la vie et leur programmation rejette rapidement toute donnée qui ne correspond pas à leurs convictions fermement ancrées. Les gens demeurent convaincus de leurs propres faiblesses parce qu'ils ont connu beaucoup de médiocrité et d'échecs au cours de leur vie, et il n'est que naturel qu'ils s'identifient davantage avec ce qu'ils «connaissent» et ce qu'ils ont expérimenté plutôt qu'avec quelque chose de nouveau. La plupart des gens n'ont pas réussi beaucoup de choses au cours de leur vie, et si tel est le cas, ils l'écartent comme étant une aberration.

Le risque et le changement

Tout changement comporte un élément de risque: risque de l'inconnu et risque de l'échec. Mais qu'on le veuille ou non, le changement est inévitable. Il vous suffit de vous regarder dans un miroir pour vous en convaincre. Votre façon de penser changera aussi à la suite de chaque nouvelle expérience que vous vivrez ou que vous provoquerez.

Vous pouvez choisir par défaut ou volontairement. Vous pouvez contrôler le processus si vous le désirez. Vous pouvez en déterminer la direction et l'intensité. Vous pouvez contrôler le processus parce que vous pouvez contrôler votre pensée à tout moment. Vous pouvez choisir de penser positivement ou négativement, de façon constructive ou destructive. Et votre système intégré de réussite vous obéira fidèlement. Il vous assurera toujours d'obtenir ce que vous réclamez dans votre esprit. Il vous permettra d'obtenir des résultats constructifs ou des conséquences destructrices. Tout cela se produira selon une loi, et non pas selon des circonstances. La réussite n'est pas un accident.

Alors le cours que je vous suggère d'entreprendre comporte certains risques. Mais qu'est-ce qui est pire: risquer un changement que vous pouvez contrôler, ou bien un changement sur lequel vous n'avez aucun contrôle? Croyez-vous que la chance (12 étalons sauvages apparaissant sur votre propriété) vous suffira pour obtenir tout ce que vous désirez dans la vie?

Je dis que cela ne se produira pas. En fait, même si vous deviez gagner 1 000 000 $ à la loterie la semaine prochaine, vous ne pourriez acheter tout ce que vous désirez vraiment. Par exemple, je ne connais pas d'amitiés valables qui soient à vendre. Vous auriez pu poser la question à Howard Hughes. Il avait tout l'argent qu'une personne peut désirer, et pourtant il est mort abandonné et malheureux au sommet de sa fortune et de sa célébrité.

Vous changer vous-même n'est pas la chose la plus facile qui soit au monde. Cela demande beaucoup de désir, de discipline personnelle, de concentration et d'efforts, ce qui explique pourquoi si peu de gens changent de façon significative dans la vie.

Rappelez-vous votre réunion avec vos camarades de collège 10 ou 15 ans après la remise des diplômes. Vos camarades avaient-ils beaucoup changé? Ou vos parents ont-ils beaucoup changé depuis vos années d'enfance? Pensez à vous-même. Êtes-vous aujourd'hui une personne plus ouverte, mieux disposée à écouter, plus tolérante, plus aventureuse, plus orientée vers ses objectifs qu'il y a cinq ans? Quels nouveaux intérêts avez-vous développés? Avez-vous de nouveaux amis, êtes-vous un meilleur père ou une meilleure mère, avez-vous plus de facilité à communiquer avec les gens? Êtes-vous intéressé par certains ou chacun de ces traits de personnalité?

J'espère que plus vous commencerez à découvrir qui vous êtes vraiment et qui vous voulez vraiment devenir, que vous tomberez absolument amoureux de vous-même. Et j'espère que le jour viendra où vous serez capable de vous regarder dans le miroir quotidiennement et de vous dire: «Mon vieux, je t'aime vraiment! Je suis léger comme un cerf-volant, et je m'aime, même avec mes défauts!»

Peut-être croyez-vous que cet amour de soi est égoïste et que vous êtes égoïste. Mais, comme vous le verrez bientôt, vous devez d'abord vous aimer avant d'aimer les autres avec conviction. Et vous devez exprimer votre amour pour les autres de façon convaincante pour que l'on vous aime. C'est la loi de cause à effet, la loi principale et primordiale de l'univers. Vous devez toujours donner pour recevoir.

Une image de soi saine et positive est le meilleur atout qui soit, à condition d'apprendre à développer une telle image. Selon de récents sondages, quatre Américains sur cinq ont une piètre image d'eux-mêmes; cela équivaut à 80 % de la population! Et même les autres 20 % pourraient bénéficier de quelques encouragements. Les résultats se manifestent partout: piètre productivité, mauvais résultats scolaires, maladies que l'on provoque soi-même, dépression et crimes violents. Le mal le plus répandu et le plus grave qui soit de nos jours n'est pas le cancer, les affections cardiaques ou le sida. C'est une piètre estime de soi imputable à une piètre image de soi. Les gens en souffrent à tous les âges, à tous les niveaux socio-économiques et dans tous les pays du monde.

Bien des gens essaient de fuir la réalité qu'ils ont créée. Ils travaillent trop, mangent trop, fument ou deviennent maniaques de la télévision ou consommateurs d'alcool ou de drogues. S'isoler et essayer d'échapper à la vie est une façon de s'adapter, mais ce n'est ni satisfaisant, ni productif. Et puis, ce n'est pas nécessaire. Vous pouvez créer une nouvelle réalité, qui répondra à tous vos besoins et satisfera tous vos désirs. Mais d'abord, vous devez penser. En fait, vous devez changer votre façon de penser. Rappelez-vous que si vous continuez à faire ce que vous avez toujours fait, vous continuerez à obtenir ce que vous avez déjà.

Si vous devenez la personne que vous savez être capable de devenir, votre vie sera une expérience dynamique et emballante. Cela se produira lorsque vous commencerez à élargir vos convictions fondamentales, surtout celles qui portent sur vous-même et ce que vous pouvez réaliser dans la vie. Rien n'est plus excitant que de se rendre compte que l'on peut accomplir tout ce que l'on désire vraiment et qui est conforme à ses talents naturels et ses habiletés uniques. En fait, vous devez vous accorder le droit de réussir à devenir qui vous voulez devenir! Il vous suffit de décider qui vous voulez vraiment être et ce que vous voulez vraiment faire, et d'être prêt à en payer le prix.

Pour conclure, j'aimerais reprendre l'histoire de l'homme qui tomba dans un trou profond et qui se mit à crier à l'aide. Lorsqu'il comprit enfin que personne ne l'aiderait, il se fatigua d'attendre et s'arrangea pour sortir par ses propres moyens.

Cela nous montre que le pouvoir qui nous emprisonne peut aussi nous libérer. Tout dépend de notre façon de penser personnelle.

Chapitre 3

Un modèle de comportement humain

«*L'homme n'est pas la somme de ce qu'il est mais la totalité de ce qu'il pourrait être.*»

Anonyme

Dans ce chapitre, nous allons examiner une formule destinée à représenter un modèle de comportement humain. Elle a pour but d'expliquer que vous fonctionnez comme une mécanique dynamique orientée vers des objectifs en termes de relation naturelle de cause à effet.

Humains et animaux

Que comporte le processus que nous appelons la pensée? On doit faire appel au processus de la pensée pour comprendre le processus de la pensée. Lorsque nous demandons à notre mécanique interne de s'examiner dans un but d'analyse et de compréhension, c'est un peu comme si l'on demandait à la main droite de tenir la main droite. Il s'agit nécessairement d'un processus difficile et imprécis.

Si nous regardons autour de nous dans la nature, nous découvrons que les animaux peuvent communiquer entre eux, et que certains ont le sens de la vue, de l'odorat ou de l'ouïe plus développé que le nôtre. Mais même la plus intelligente des créatures ne sait sans doute pas qu'elle est vivante. Les animaux ne saisissent pas les concepts, les abstractions ou les théories, et ils ne peuvent se fixer des objectifs ou tenter de les réaliser.

On n'a qu'à penser à la migration annuelle des outardes du Canada à des milliers de kilomètres au sud, à la recherche de climats plus chauds. Elles n'ont jamais reçu de formation en navigation, en géographie ou en météorologie. Pourtant, elles savent précisément quand entreprendre leur voyage et où aller exactement. De la même manière, les castors n'étudient pas l'ingénierie pour apprendre à construire leurs barrages. Ils savent instinctivement comment s'y prendre. Mais ils construisent toujours le même type de barrage, utilisant les mêmes matériaux et les mêmes techniques. Vous ne verrez jamais un castor plus doué fabriquant un barrage amélioré, puis enseignant ses nouvelles techniques à d'autres castors.

Qu'est-ce qui rend l'esprit humain supérieur au cerveau de l'animal? Si l'on s'en tient à l'apparence physique, le cerveau humain et le cerveau animal sont très semblables. Ils ont la même forme générale, la même structure et la même composition. Quant à la taille, le cerveau du chimpanzé, l'un des animaux les plus intelligents qui soient, est plus petit que celui de l'homme, mais le cerveau de l'éléphant et du dauphin est beaucoup plus gros. Si la différence n'est pas une question de taille et de forme, quelle est-elle?

Le comportement humain diffère beaucoup de celui de l'animal. Nous nous caractérisons par le libre arbitre plutôt que par l'instinct. Nos possibilités sont illimitées. Nous pouvons apprendre, croître, expérimenter et créer. Nous possédons plus qu'un simple cerveau. Nous avons un esprit doté d'une étincelle d'intellect. Nous savons que nous sommes vivants et qu'un jour nous mourrons. Nous savons que nous avons des choix, et qu'un choix particulier entraînera des conséquences particulières. Nous pouvons contempler notre existence sur cette terre et ce que peut nous réserver la suite.

La formule

Même si nous ne comprenons pas vraiment pourquoi le cerveau humain est supérieur à celui des animaux, nous savons que l'instinct aide les animaux à s'adapter à leur environnement. Plutôt que de choisir leurs propres objectifs, les animaux ont des objectifs déjà fixés dans leur conscience qui assureront leur procréation et leur survie. En ce sens, on peut dire que les animaux bénéficient d'un «instinct du succès».

De la même façon, nous sommes aussi destinés au succès. Nous possédons aussi un mécanisme de réussite axé sur des objectifs qui fonctionne toujours. Cependant, dans notre cas, nous participons au processus. Par le biais de nos facultés mentales, nous sommes les co-créateurs de notre existence, nous déterminons notre comportement et les résultats que nous obtenons.

La formule qui suit est censée faciliter l'explication du comportement humain. Bien qu'il s'agisse pour le moins d'une formule très simplifiée, elle représente quand même un outil permettant de prédire avec une certaine précision le résultat ou le rendement de l'opération de la machine humaine à partir de certaines données de base. La formule d'opération de la machine humaine est la suivante:

VOTRE RENDEMENT (R)
égale
LE FACTEUR DE L'IMAGE DE SOI (FIS)
multiplié par
LE FACTEUR D'ENTRÉE MENTALE (FEM)

Le *facteur de l'image de soi* (FIS) est la personne que vous êtes à vos propres yeux, avec les habiletés que vous vous connaissez. Cette image est le facteur le plus dominant qui influe sur tout ce que vous entreprenez.

Le *facteur d'entrée mentale* (FEM) est constitué de votre MATÉRIEL (MAT), soit votre corps et votre esprit, et de votre LOGICIEL, représentant divers facteurs clés de réussite (FCR) que l'on retrouve chez tous les gens exceptionnels et qui sont essentiels à la réussite.

Notre équation devient donc:

$$R = FIS \times (MAT + FCR)$$

ou

$$Rn = FISn \times (MAT + FCRn)$$

n étant égal à 1,2,3...

Rn est un niveau particulier de rendement par rapport à une activité spécifique qui peut faire partie de votre vie personnelle, sociale ou professionnelle. Il peut s'agir de conduire une voiture, de cultiver des fleurs ou de jouer au tennis. Pensez à certaines des activités auxquelles doit se livrer un directeur de bureau, un ingénieur ou un enseignant. Tous doivent probablement rédiger des rapports, faire des présentations et des recommandations et coopérer avec leur entourage dans le cadre normal de leur travail. Il y a des centaines et même des milliers d'indicateurs de rendement, et autant de facteurs de l'image de soi liés à une grande variété d'activités telles que celles-ci, et ce, pour tout le monde.

Le seul facteur constant de cette équation, pour une personne donnée, est le matériel (MAT) ou équipement de base constitué de votre cerveau et de votre corps. Ils sont directement reliés entre eux par votre système nerveux central, ce qui vous permet de poser des gestes physiques commandés par des entrées mentales précises. Ce système neuro-physiologique est commun à tous les êtres humains et fonctionne toujours de la même façon.

Les deux facteurs variables que vous ajoutez au processus sont (a) le facteur de l'image de soi (FIS), la personne que vous croyez être, et (b) votre logiciel constitué de facteurs clés de réussite (FCR), qui représentent vos convictions, votre savoir et votre capacité d'adopter et de mettre en pratique certains principes de réussite qui sont essentiels à tout rendement exceptionnel. Ces principes de réussite incluent des facteurs tels qu'une attitude mentale positive et la capacité de vous fixer des buts, de gérer efficacement votre temps, de faire preuve de créativité et de travailler efficacement avec les gens.

Les facteurs FIS et FCR vous sont personnels et représentent votre façon de penser particulière lorsqu'ils sont ajoutés à vos atouts physiques. Le mode de pensée particulier d'une personne est le facteur critique influant sur tout rendement humain. Comme l'écrivait William James (1842-1910), l'éminent psychologue et philosophe américain: «En changeant les aspects intérieurs de leur esprit, les êtres humains peuvent transformer les aspects extérieurs de leur vie.»

Tout cela tient compte du lien esprit-corps, du fait que vos gestes physiques sont simplement la manifestation extérieure de vos pensées. Cela vient confirmer la vérité universelle selon laquelle vous êtes et vous deviendrez ce à quoi vous pensez la majorité du temps.

En un mot, l'image de soi agit comme un facteur de multiplication ou de division, et se combine à d'autres facteurs clés de réussite que vous possédez à divers degrés pour produire une réaction appelée rendement. Il est clair que votre rendement est relié à la possibilité que vous avez d'atteindre un niveau donné, mais, ce qui est tout aussi important, il a beaucoup à voir avec votre savoir, vos convictions et votre attitude mentale.

Vous pouvez voir qu'en haussant ou en abaissant l'une ou l'autre des deux variables clés, qui prennent leur origine dans le cerveau, vous haussez ou vous abaissez votre rendement. Votre niveau de rendement dans quelque activité que ce soit dépend largement de votre mode de pensée concernant cette activité.

Dans les pages qui suivent, nous examinerons les éléments de l'équation humaine: (1) votre matériel fondamental (le cerveau et le corps), (2) l'image de soi (la personne que vous croyez être) et (3) douze facteurs clés de réussite que l'on retrouve dans tous les comportements humains exceptionnels.

Vous êtes plus important que la somme de vos parties

Il existe plusieurs vérités fondamentales que vous devez connaître à propos de vous-même. Elles vous aideront à mieux comprendre toutes vos possibilités. Plusieurs de ces vérités vont de soi, et pourtant vous agissez peut-être sans tenir compte de chacune d'entre elles.

La vaste majorité des gens sont des personnes complètes à la naissance. Il est probable que rien ne manque à votre équipement de base. Vous avez été formé selon les normes les plus élevées, capable de vous programmer et de vous reprogrammer à volonté, et même de réparer si nécessaire vos parties usées ou endommagées. Les scientifiques nous disent que chacune des cellules de notre corps est remplacée au moins une fois tous les sept ans, et que nous fabriquons 21 000 000 000 de nouveaux globules rouges chaque minute de notre vie pour remplacer celles qui sont détruites.

Vous êtes destiné à faire preuve de créativité et à explorer vos possibilités. Mais vous créez toujours en fonction des convictions fondamentales que vous entretenez à propos de vous-même, de vos habiletés et de votre univers.

Ces convictions se fondent sur des décisions conscientes que vous avez prises par le passé à propos de vous-même et de ce que vous êtes capable de réaliser. Ces décisions se répètent alors inconsciemment tout au long de votre vie, et elles continuent à influer sur votre façon de penser, à diriger votre comportement et à déterminer votre niveau relatif de rendement.

Votre rendement dans tout secteur donné de votre vie est tributaire, en partie, de vos possibilités, et largement conforme à la personne que vous croyez être. Ce que vous voyez en vous-même est ce que vous tirez de vous-même.

Votre subconscient coopère avec vous et appuie totalement ce que vous choisissez de penser et de croire. Il a amassé et enregistré toutes les interprétations conscientes qui ont été les vôtres au cours de votre vie et n'a jamais porté de jugement sur les mérites de votre choix. Il s'est toujours montré d'accord avec vos idées et vos convictions à propos de vous-même et de votre univers, et il continue fidèlement de les appuyer pour s'assurer que les résultats que vous obtenez sont toujours conformes à ce que vous voulez constamment.

De la même façon, votre subconscient est toujours d'accord avec vos possibilités. Mais vous devez déterminer quelles sont vos possibilités, puis indiquer à votre esprit ce que vous voulez. En d'autres mots, vous devez d'abord établir des attentes élevées et positives à votre sujet, puis décider fermement de poursuivre ces objectifs valables.

Vous pouvez maintenir un contrôle total sur les processus de votre pensée. La clé est ce que vous décidez de penser consciemment, ce qui influe directement sur ce que vous pensez de façon subconsciente. Rappelez-vous que votre image de vous-même est profondément enfouie dans votre subconscient. Vous pouvez provoquer des changements prévisibles dans votre comportement en gérant vos pensées de manière plus efficace. Vous pouvez, dans la mesure où vous le désirez, développer de nouvelles habitudes de pensée qui vous permettront de réaliser vos possibilités.

Malheureusement, la plupart d'entre nous nous laissons freiner par des sentiments destructeurs générés par des habitudes de pensées négatives. La plupart de vos craintes sont le résultat de pensées et de programmations négatives. Par exemple, vous connaîtrez toujours la crainte si vous pensez à l'échec, à l'embarras ou au rejet. Mais vous ne pouvez vous débarrasser de la crainte par le simple pouvoir de la volonté. Vous ne pouvez changer le sentiment qu'en modifiant le concept que vous avez en tête, processus connu sous le nom de «remaniement».

En dernière analyse, vous êtes plus important que la somme de vos parties. Vous habitez un corps physique qui est le véhicule à travers lequel vous agissez, mais la partie la plus importante de votre être n'est pas physique.

Il y a en vous un pouvoir infini de la pensée.

Beaucoup des grandes découvertes de l'histoire prouvent que l'information que nous possédons n'est pas limitée à notre mémoire des expériences passées ou des faits acquis. Thomas Edison croyait qu'il tirait plusieurs de ses plus grandes idées d'une source extérieure. Cette capacité de puiser des idées «dans les airs» pour acquérir des connaissances qui transcendent les fonctions sensorielles connues est accessible à quiconque souhaite l'exploiter. Ralph Waldo Emerson comparait le cerveau humain à une île dans un océan universel de cerveaux. C'est la raison pour laquelle la pensée comporte tant d'abondance. Puisque vous pouvez puiser à même la sagesse universelle, source réputée de toute connaissance du passé, du présent et de l'avenir, en vous se trouve un pouvoir infini de la pensée. Il vous suffit d'apprendre comment y accéder.

Comme l'observait Langmann: «Tout le monde a sa propre frontière intellectuelle. D'une part, tout a été essayé, tout est connu. D'autre part, il y a cette partie de vous-même qui est inexplorée. Toutes les grandes aventures de la vie sont de cet autre côté.»

En fait, la recherche démontre qu'environ 88 % du cerveau porte sur des activités subconscientes. Comme pour un iceberg, la plus importante partie de votre être est «submergée». Pourtant vous n'avez conscience ni de sa présence ni de sa puissance.

Réussite totale

La réussite totale vise un haut niveau de réalisation dans votre vie personnelle et professionnelle, ce qui inclut l'aspect familial, social et professionnel. Elle requiert aussi que vous portiez attention à votre santé physique, mentale et spirituelle. Bien des gens acceptent la présence d'une puissance supérieure dans leur vie, et bien souvent cela joue un rôle majeur pour déterminer leurs valeurs et leurs convictions. L'objectif doit toujours être d'atteindre un équilibre, de justes proportions afin d'être une personne complète. Rappelez-vous que les gens qui réussissent sont ceux qui se fixent volontairement des objectifs de plus en plus importants, qui réalisent progressivement ces objectifs tout en menant une vie dynamique et bien équilibrée.

La plupart d'entre nous connaissons des gens qui ont bien réussi dans un secteur bien précis de leur vie, mais qui ont échoué misérablement dans d'autres secteurs. Il peut s'agir de vedettes sportives, de stars de cinéma, de personnalités politiques, ou encore d'amis, de voisins et de parents. Dans bien des cas, malheureusement, les gens confondent le bonheur avec la richesse matérielle. Voyez le cas du jeune chirurgien ambitieux qui a travaillé très fort pendant cinq ans pour obtenir une clientèle lucrative, pour faire ensuite l'objet d'une poursuite en divorce de la part de sa femme qui lui réclamait tout ce qu'il possédait. Ou encore cet homme qui, à 27 ans, était le joueur de hockey le mieux payé au monde, et qui, à 35 ans, est handicapé et sans le sou à cause de sa consommation de drogue et d'alcool.

Nous comptons de nombreux cas de grave dépression, de handicaps majeurs et même de suicide chez ceux qui ont connu la gloire et la fortune, mais qui ont été incapables de s'adapter au prestige, à la renommée et à l'adulation du public. Lorsqu'ils ont eu la gloire et la fortune entre les mains, ils se sont détruits.

Il est certain qu'un équilibre des priorités aide grandement à conserver une bonne perspective et le sens des proportions. Par exemple, les priorités familiales devraient inclure des intérêts communs, des activités communes et des objectifs communs; les priorités sociales devraient inclure de nouvelles rencontres, de nouvelles idées et de nouvelles entreprises; les priorités professionnelles devraient inclure le partage de valeurs, d'efforts et de récompenses; et les priorités spirituelles devraient inclure le sens de la gratitude, de la vénération et de la gloire.

En fin de compte, chacun doit déterminer ce que veut dire le succès à ses yeux. Même si le succès revêt toujours différentes significations selon les gens, la plupart espèrent qu'il leur apportera le bonheur et une vie plus satisfaisante. Le bonheur se trouve dans les nombreuses facettes de la vie qui vous sont accessibles.

Voici certains dénominateurs communs que les gens associent au bonheur et à la réussite:

La santé: Vous avez besoin d'une excellente santé physique et mentale et de beaucoup d'énergie pour faire tout ce que vous voulez faire, et ressentir la satisfaction dont vous avez besoin pour persévérer. Malheureusement, la plupart des gens sont très limités en ce sens, comme le démontre le sondage suivant du département de la santé et des services sociaux des États-Unis. On y révèle que 58 % des Américains ne font pas d'exercice régulièrement, que 31 % fument, que 29 % boivent de façon excessive, que 28 % ont un poids supérieur à au moins 20 % de leur poids idéal, que 25 % ne déjeunent pas et que 22 % ne dorment pas assez.

L'indépendance financière: L'indépendance financière consiste à vivre selon ses moyens, et non pas à l'aide de cartes de crédit. La plupart des gens dépensent trop et ont toujours des dettes ou éprouvent des difficultés à joindre les deux bouts, sans jamais réinvestir quoi que ce soit. L'Américain moyen dépense 105 % de son revenu; le gouvernement dépense encore plus. L'indépendance financière suppose que l'on soit financièrement responsable, que l'on sache que l'on peut s'offrir les biens et le mode de vie que l'on se permet. Une personne peut être capable d'atteindre l'indépendance financière avec 20 000 $ par année, alors qu'une autre en sera incapable avec 50 000 $.

Benjamin Franklin (1706-1790), le célèbre homme d'État, inventeur et écrivain américain, donnait ce conseil concernant les finances personnelles: «Il existe deux façons d'être heureux: réduire ses besoins ou accroître ses moyens; les deux solutions sont bonnes, et le résultat est le même; et c'est à chacun de décider pour lui-même et d'opter pour la solution la plus facile. Mais si vous êtes sage, vous choisirez les deux solutions.»

Les objectifs et les idéaux valables: Tous les gens exceptionnels poursuivent des objectifs valables et vivent selon de grands idéaux. Bien des gens ne prennent pas le temps de se fixer des objectifs dans la vie. D'autres manquent d'idéaux et d'honnêteté dans leurs rapports avec leurs semblables.

Les rapports personnels: Les gens apprécient les rapports personnels chaleureux et aimables. La capacité d'entretenir des rapports intimes et aimables indique une personnalité bien équilibrée et qui fonctionne bien. Les rapports sérieux représentent un effort visant à satisfaire un besoin d'appartenance, d'acceptation et d'amour pouvant adopter de nombreuses formes.

La paix de l'esprit: Tout le monde recherche la paix, tout le monde veut avoir un sentiment de paix intérieure et être content de ce qu'il est et de ce qu'il représente. Tous les grands travaux de psychologie et de philosophie visent à aider les gens à atteindre de plus hauts niveaux de paix intérieure. Sans cela, nous savons que rien d'autre n'a d'importance. Si vous êtes constamment préoccupé par des sentiments négatifs tels que la crainte, la colère ou la culpabilité, cela drainera votre énergie et mobilisera votre attention, ce qui vous empêchera de fonctionner au meilleur de vos possibilités.

La réalisation de soi: Le dernier facteur que les gens associent à la réussite totale est ce qu'Abraham Maslow appelle la réalisation de soi, qui signifie «matérialiser par l'action». C'est le besoin inhérent de réaliser de grandes choses, de faire preuve de compétence, de créativité et d'une grande autonomie personnelle. C'est le fait de savoir et de sentir que vous êtes en train de devenir tout ce que vous pouvez devenir, que vous réalisez toutes vos possibilités en tant qu'être humain.

Nous voyons qu'un excellent rendement dans tous les secteurs clés de la vie conduit à la réussite totale. Analysons maintenant chacune des composantes de l'équation pour voir comment tout cela fonctionne. Nous allons commencer par le matériel de base, soit l'esprit et le corps, pour ensuite passer à l'image de soi et conclure par les divers facteurs clés de la réussite.

Votre outil fondamental:
le rapport corps-esprit

Peu de gens comprennent tout à fait la magnificence de leur esprit. Vous possédez quelque chose qui est à la fois puissant et inestimable. Aucun effort humain, aucune somme d'argent ne permet de créer l'esprit d'un enfant de six ans, en termes de taille, de vitesse, d'efficacité et de possibilités de programmation. C'est vraiment un miracle de miniaturisation.

Ce n'est pas une coïncidence si l'ordinateur personnel d'aujourd'hui a un fonctionnement qui rappelle beaucoup celui de l'esprit humain, car ce sont des êtres humains qui l'ont conçu et fabriqué. Mais nul n'a été capable de concevoir et de fabriquer un cerveau qui soit meilleur que celui que vous possédez déjà.

Dans son excellent livre intitulé *Advanced Psycho Cybernetics and Psychofeedback*, Paul Thomas nous fournit cette description du cerveau:

«Le cerveau humain est remarquablement compact. Il ne pèse qu'un kilo et demi environ chez l'adulte mâle moyen, et environ 140 g de moins chez la femme moyenne. Il n'a besoin que d'environ un dixième de volt d'électricité pour fonctionner efficacement, et pourtant il se compose de dizaines de milliards de cellules nerveuses. Bien que le cerveau fonctionne moins rapidement et avec moins de précision qu'un ordinateur, il présente des capacités qui surpassent même le plus avancé des ordinateurs. Le réseau d'interconnexions (appelées synapses) qui relie les milliards de cellules nerveuses (neurones) du cerveau est potentiellement capable de traiter de l'information à un taux équivalent à 2 à la 10^{13}. Il s'agit d'un nombre considérable, plus important que le total des atomes de l'ensemble de l'univers! Pourtant le cerveau humain est si bien conçu que pour s'approcher d'une telle capacité, un ordinateur moderne devrait être au moins 10 000 fois plus gros qu'un cerveau moyen.».

Des experts ont estimé qu'il faudrait 10 000 000 d'années pour faire le décompte des connexions nerveuses du cerveau si l'on devait compter à la vitesse du tic-tac d'une horloge.

Le cerveau humain est reconnu comme la structure biologique la plus complexe qui soit sur terre. Placé à l'intérieur du crâne, il est l'organe le mieux protégé de tout l'organisme et il reçoit prioritairement du sang, de l'oxygène et des nutriments. Le cerveau flotte dans un liquide à l'intérieur d'une «enveloppe» résistante aux chocs.

Le rôle de premier plan que joue le cerveau pour contrôler toutes les fonctions du corps est évident dans la structure même du corps. La partie inférieure de la structure cervicale, le cervelet, se confond avec la colonne vertébrale pour former le système nerveux central, qui est en contact avec chacune des parties du corps. Toute l'activité se déroulant dans le cerveau agit sur chacune des cellules du corps, directement ou indirectement, par le biais du réseau très étendu des nerfs présents dans tous les tissus.

Les parties consciente et subconsciente de l'esprit jouent des rôles tout à fait distincts, même si elles agissent en harmonie l'une avec l'autre.

La partie consciente est la faculté rationnelle, objective du cerveau. Son rôle est de relever l'information circulant dans l'environnement, de la comparer à des expériences passées, de déterminer si elle est pertinente ou non et de prendre une décision. La partie consciente décide toujours

si l'information qui lui parvient doit être acceptée ou rejetée. Chaque élément d'information que l'esprit conscient
accepte est également accepté par le subconscient. Il est
accepté comme vrai, comme un fait qui peut ou non refléter
précisément la réalité.

Nous savons que deux objets ne peuvent occuper en
même temps le même espace. De la même manière, l'esprit
conscient ne peut entretenir qu'une pensée à la fois. Par
exemple, vous ne pouvez imaginer simultanément que
vous attrapez et que vous laissez tomber une balle. Par
conséquent la pensée ne peut qu'être positive ou négative.
Elle ne peut qu'accepter ou rejeter une idée. Chaque fois
que l'esprit conscient dit: «Oui, c'est cela que je crois», le
subconscient l'accepte instantanément et réagit en conséquence par le biais du système nerveux central.

Reprenons l'exemple simple qui consiste à traverser la
rue. Si vous entendez le klaxon d'une voiture alors que
vous vous apprêtez à traverser, vous regarderez dans la
direction du bruit et vous verrez une automobile qui approche. Vous comparerez ensuite l'emplacement de la voiture et sa vitesse à des expériences similaires passées, et
vous verrez si vous avez le temps ou non de traverser. Si
vous décidez que vous n'avez pas le temps, votre subconscient activera instantanément les muscles de vos jambes et
vous remonterez sur le trottoir. La plupart d'entre nous ne
se préoccupent pas vraiment de savoir comment tout cela
fonctionne, quelle jambe doit bouger d'abord, etc. Notre
activité motrice est tellement automatique que notre système de réussite est simplement activé et nous évite de
nous blesser.

Mais voyez quel message subconscient peut être trans-
mis aux muscles de la jambe d'une personne en bonne
santé et en bonne condition physique qui sait qu'elle peut
remonter sur le trottoir, comparativement à la personne
qui ne se croit pas particulièrement en forme, qui est un
peu gauche et qui ne peut réagir rapidement pour se protéger. Dans les deux cas, ce qui est emmagasiné en mémoire

a de l'importance. Si vous croyez que vous ne pouvez pas réagir pour vous protéger, vous risquez de figer sur place et de vous faire frapper. Il en est de même des pensées. Si vous acceptez l'idée que vous allez échouer, que vous serez heurté par une voiture par exemple, le subconscient adoptera cette conviction et fera en sorte qu'elle se réalise.

La partie subconsciente est une vaste banque de données qui fonctionne à la manière d'un ordinateur. Elle emmagasine et vous livre toutes les données pertinentes à chaque expérience, pensée, image ou idée que vous avez déjà eues. Le subconscient fonctionne toujours de manière à ce que toutes vos paroles et tous vos gestes correspondent à un modèle relié à votre programmation consciente préalable. Il s'assure que vous vous conformerez à l'image que vous avez de vous-même. Vous parlez, vous marchez, vous pensez et vous vous comportez toujours selon l'information que votre conscience a déjà accepté comme étant la représentation de votre personne réelle.

La clé de la réussite consiste à contrôler vos pensées, car vos résultats sont toujours conformes à ce que vous voulez vraiment. Si vous vous concentrez consciemment sur vos désirs plutôt que sur vos craintes, sur la personne que vous voulez devenir avec les qualités que vous voulez posséder, vous obtiendrez des résultats conformes à vos attentes. La réussite n'est possible que lorsque vous contrôlez systématiquement les pensées que vous admettez constamment dans votre esprit conscient. La pensée positive requiert un bon programme de gestion des pensées. La pensée positive donne de bons résultats lorsque vous vous concentrez sur les pensées positives et vous vous exprimez à l'aide de termes et de gestes positifs.

L'histoire d'Helen Keller

Helen Keller est née le 27 juin 1880 dans une petite ville d'Alabama. En février 1882, âgée d'un an et demi, Helen fut frappée d'un mal inconnu, caractérisé par d'importantes fièvres et de grandes douleurs. Lorsqu'elle guérit, elle était sourde et aveugle.

À sept ans, son père lui trouva une tutrice, Anne Sullivan, qui vint habiter avec la famille. Anne réussit à enseigner à Helen à communiquer en bougeant ses doigts, à lire le braille et à parler. Helen fut la première personne aveugle et sourde à réussir un tel exploit. Anne Sullivan allait être sa compagne de tous les instants pendant 50 ans.

Qu'est-ce que Helen Keller a fait de sa vie, malgré ses handicaps apparemment insurmontables? Elle a reçu un diplôme du Radcliffe College avec les honneurs en 1904, en compagnie des jeunes femmes les plus brillantes de son époque. Elle est devenue une éminente conférencière et critique sociale, passionnément dévouée à aider les groupes désavantagés tels que les handicapés, les pauvres et les opprimés. Elle a écrit cinq livres et a compté parmi ses amis intimes des gens aussi éminents que Alexander Graham Bell, Mark Twain, Albert Einstein et Charlie Chaplin. Elle a rencontré les rois et les reines d'Europe, de même que tous les présidents des États-Unis de son époque. À l'âge de 75 ans, elle a été la première femme à recevoir un doctorat honorifique de l'Université Harvard. On a fait trois films sur sa vie.

Helen Keller est décédée le 1er juin 1968 à l'âge de 87 ans. Elle demeure aujourd'hui un exemple resplendissant pour des millions de gens, qu'il est possible d'accomplir de grandes choses dans la vie malgré ses handicaps réels ou imaginaires. C'est simplement une question d'application et de dévouement, d'avoir une cause en laquelle on croit et d'être fermement déterminé à faire la différence.

On considère Helen Keller comme un génie. Pourtant, elle a simplement accompli plus de choses que la plupart des gens... avec beaucoup moins de moyens. Elle n'a simplement pas laissé ses limites l'empêcher de progresser.

Le génie dans la créativité

Avec le cerveau que vous possédez actuellement, vous aussi avez la possibilité d'être un génie, à condition de mieux utiliser les incroyables pouvoirs de la pensée. Comme le soulignait William James: «Le génie est à peine plus que la faculté de percevoir de manière habituelle.» Comme nous l'avons déjà noté, vous disposez de 2 à la 10^{13} différentes façons de traiter de l'information!

Lorsque vous ouvrez de force un esprit fermé, la créativité et l'imagination tendent à s'évacuer à toute vitesse. Lorsque Sir Isaac Newton (1642-1727), le grand mathématicien anglais, s'est vu demander comment il s'y était pris pour découvrir la loi de la gravitation, il répondit: «En y pensant.» Bien sûr, c'est ce qu'il a fait, mais il s'agit d'une grossière simplification. Bien des gens avant Isaac Newton avaient vu des pommes tomber au sol. Mais monsieur Newton y a réfléchi sérieusement et a réagi différemment. Il s'est demandé: «Pourquoi la pomme est-elle tombée vers le bas et non vers le haut?» Il a réfléchi de manière différente et il a cherché une solution en abordant le problème de plusieurs angles différents.

Pour faire preuve de créativité dans la réflexion, vous devez apprendre à sortir des sentiers battus. Demandez-vous un moment comment vous pouvez rapidement transformer, en anglais, un cinq (FIVE) en un quatre (FOUR). Peut-être trouvez-vous le problème ardu et avez-vous du mal à savoir par où commencer. Voici la réponse: ôtez le F et le E du mot FIVE, et il vous reste IV, soit quatre en chiffres romains. Dans ce cas, il s'agissait de ne penser qu'aux mots, et non aux chiffres romains. Cette réponse étonnante est hors de la portée des gens qui pensent toujours de la même façon et ne quittent jamais les sentiers battus où ils se sentent plus en sécurité.

La plupart des «faits» sont de la fiction déguisée, surtout ceux que vous avez adoptés à votre sujet.

De façon similaire, votre pensée actuelle est dirigée, ou, plus exactement, elle se fourvoie dans certaines voies qui sont plus accommodantes pour vous. Il est bien plus facile d'accepter le fait que vous ne serez jamais capable de prendre la parole devant un vaste auditoire que de constater que vous vous formez simplement une opinion à propos de vos capacités dans ce secteur particulier. Bien sûr, il est faux de penser que vous ne pouvez pas vous livrer à cette activité: Vous ne faites que croire en ce «fait». La plupart des «faits» sont de la pure fiction déguisée, surtout en ce qui concerne ceux que vous avez adoptés à votre sujet. Jusqu'à ce que vous appreniez à sortir des sentiers battus, vous ne serez pas en mesure d'explorer de nouvelles avenues ou de nouvelles possibilités vous permettant de réaliser pleinement votre potentiel.

Pensez à la capacité de vous rappeler les noms. Certains ont développé cette faculté à un degré fantastique, à un degré qu'une personne moyenne considère impossible. J'ai entendu parler d'un orateur qui, présenté aux 700 membres de son auditoire, à la porte de la salle, leur a demandé leur prénom, leur nom, l'endroit où ils demeuraient et ce qu'ils faisaient dans la vie. Quelque temps plus tard, il a invité tout le monde à se lever, il a parcouru chacune des rangées et a répété sans se tromper tout ce qu'on lui avait dit. Tout cela sans la moindre répétition! Et cet homme, Harry Lorayne, auteur du livre *The Memory Book*, affirme que tout le monde peut acquérir une mémoire semblable en apprenant simplement à réfléchir et en sortant des sentiers battus.

Pensez à la capacité de lecture. La personne moyenne lit environ entre 250 et 300 mots à la minute et n'en retient que 10 % environ 10 minutes plus tard. Pourtant, grâce à des consignes adéquates incluant la coordination de la main et de l'œil et une bonne concentration, vous pouvez apprendre à assimiler plusieurs milliers de mots à la minute, de la même manière qu'un décodeur lit les prix des produits dans un supermarché. Il n'est pas rare pour des gens ayant complété un cours de lecture accélérée d'une durée de 15 h de pouvoir lire entre 4 000 et 7 500 mots à la minute, avec une compréhension de l'ordre de 85 %.

Combien de capacités latentes attendent que vous les développiez? Vous pouvez développer votre force; tout haltérophile vous le dira. Vous pouvez développer votre sens du toucher; tout aveugle vous le dira. Vous pouvez apprendre une variété de langues étrangères; tout linguiste vous le dira. Et vous pouvez développer votre goût; tout connaisseur en vins vous le dira. Vous avez toutes ces possibilités, toutes ces habiletés, mais vous n'avez jamais essayé de les développer au-delà de ce qui, selon ce que vous avez décidé, est la norme acceptable pour vous.

Pour conclure ce chapitre, voyez la sagesse de ce merveilleux poème d'Edgar Guest intitulé: *Équipement*:

«Vois par toi-même, mon ami,
Tu as tout ce que les plus grands des hommes ont eu,
Deux bras, deux mains, deux jambes, deux yeux,
Et un cerveau dont tu te serviras si tu es sage.
Ils ont tous commencé par cela,
Commence au sommet et dis-toi «Je peux».

«Regarde les sages et les grands hommes,
Ils puisent leur nourriture à même une assiette commune,
Et ils se servent de fourchettes et de couteaux semblables,
Ils nouent leurs chaussures avec des lacets semblables,
Le monde les tient pour braves et brillants,
Mais tu as tout ce qu'ils avaient lorsqu'ils ont commencé.

«Tu peux triompher et apprendre,
Tu peux être grand si seulement tu le veux.
Tu es bien équipé pour le combat que tu choisis,
Tu as des bras, des jambes et un cerveau à utiliser,
Et l'homme qui a réalisé de grandes choses,
A commencé sa vie avec la même chose que toi.

«Tu es le handicap auquel tu dois faire face,
Tu es celui qui doit choisir sa place,
Tu dois dire où tu veux aller,
Combien tu étudieras pour connaître la vérité.
Dieu t'a équipé pour la vie, mais Il
Te laisse décider de ce que tu veux être.

Le courage doit venir de l'âme,
L'homme doit avoir la volonté de vaincre,

PENSEZ EN GAGNANT!

Alors vois par toi-même, mon ami,
Tu es né avec tout ce qu'avaient les grands,
Ils ont tous commencé avec ton équipement.
Maîtrise-toi et dis: «Je peux.»

Chapitre 4

Le pouvoir de la perception

«Rien n'a de pouvoir sur moi, si ce n'est celui que je lui donne par le biais de mes pensées conscientes.»

Anthony Robbins
Auteur du best-seller
Unlimited Power

Explorons en détail le processus de la perception, car c'est cette faculté qui donne un sens à toutes nos expériences. Nous sommes redevables à James Newman, créateur des séminaires PACE, de ses modèles complets et très utiles des processus de la pensée consciente et de la pensée subconsciente.

Les processus de la pensée consciente

Vous êtes plus conscient de certaines activités se déroulant dans votre esprit, et celles-ci représentent les processus de la pensée consciente, que nous pouvons contrôler. La pensée consciente est en fait une forme plus lente et plus limitée de la pensée que la plupart des activités mentales subconscientes. La pensée consciente comporte quatre étapes: (1) la perception sensorielle; (2) l'association; (3) l'évaluation; et (4) la décision. Tous ces processus se déroulent en une fraction de seconde.

La perception sensorielle est la fraction de toutes les données que vous assimilez consciemment. Elle vous indique ce qui se produit à l'intérieur et à l'extérieur de votre corps. Par le biais de la vue, de l'ouïe, de l'odorat, du goût et du toucher, vous saisissez une partie de ce qui se passe dans votre environnement extérieur.

Une multitude d'autres capteurs, à l'intérieur de votre corps, vous fournissent de l'information sur les conditions internes telles que la douleur, la température, la faim, la soif, etc. La quantité d'informations que vous recevez est si grande que votre esprit est forcé de filtrer les données peu importantes au profit de l'information importante ou pertinente. Par exemple, vous devenez plus conscient de l'existence des orteils de votre pied gauche lorsque quelqu'un les écrase. De la même manière, un artiste tirera plus d'informations d'un tableau exposé qu'une personne qui ne connaît pas la peinture.

Votre perception du monde et la façon dont vous y réagissez est particulièrement significative. Vous développez votre mécanisme de filtration personnel, selon l'importance relative que vous accordez aux diverses données conformes à vos valeurs et à vos convictions. Dans la mesure où vous êtes absorbé par la lecture de ce paragraphe, par exemple, vous ne percevrez pas d'innombrables autres choses qui se passent tout autour de vous. Il peut s'agir de la radio ou de la télé qui jouent dans la maison, du voisin qui tond sa pelouse ou d'un avion qui vous survole. Grâce au processus de la perception sélective, vous êtes en mesure d'ignorer tous ces phénomènes secondaires et de diriger toute votre attention vers ce qui, à votre avis, est le plus important pour le moment.

La seconde activité liée à la pensée consciente est *l'association*. Quand vous percevez un stimulus donné, vous vérifiez pour voir si quelque chose de comparable vous est déjà arrivé. Si rien d'exactement semblable n'a été enregistré, vous comparerez l'événement à des expériences similaires afin d'y trouver une signification. Si votre mémoire ne vous est d'aucun secours, vous ne trouverez absolument aucune signification à l'événement.

Immédiatement après l'étape de l'association, vous passez à *l'évaluation* de la perception. Vous portez des jugements quant à l'importance, à la validité et aux implications du message ou de l'événement perçu en vous fondant sur des données emmagasinées en mémoire à la suite d'expériences similaires.

L'étape finale de la pensée consciente est la *décision*. C'est le dernier enchaînement des quatre étapes, et il est le fondement à partir duquel se dessine la réaction du comportement. Selon le rapport que vous faites de ce qui est perçu et de ce qui est en mémoire, vous pouvez décider de réagir de plusieurs façons: ne rien faire, attendre d'avoir plus d'informations, commencer à agir prudemment ou agir sans attendre. Votre réaction à une personne qui crie: «Au feu!» sera certainement différente de votre réaction face à une personne murmurant: «C'est l'heure du lever, mon ami.»

Il est important de noter, à partir de cette série de processus conscients, que votre comportement n'est pas simplement lié à ce qui se produit maintenant. Il dépend (1) des stimuli particuliers que vous acceptez consciemment, et (2) des données spécifiques que vous avez amassées par le passé et qui y sont comparables. Si une expérience similaire s'est déjà soldée par une décision précise, vous réagirez d'une manière similaire cette fois aussi. Votre interprétation, vos décisions et vos gestes passés sont les déterminants principaux de votre comportement actuel.

Nous avons noté que cette accumulation totale de données du passé, incluant tout ce qui vous est jamais arrivé, constitue votre système de convictions personnelles, votre réalité, la vérité telle que vous la connaissez, la comprenez et l'acceptez. Elle vous sert de référence plus vous vivez de nouvelles expériences, et elle représente la programmation totale à laquelle votre esprit a été soumis, volontairement ou involontairement, jusqu'ici.

L'étape importante suivante consiste à vous rendre compte que votre système de convictions est presque toujours incomplet et, par conséquent, peu fiable. Nous sommes tous quelque peu ignorants: personne ne peut espérer tout savoir, même pas à propos d'un sujet unique, qu'il s'agisse de l'étude de l'atome ou de celle de l'univers tout entier. Ainsi que le disait un jour Thomas Edison: «Nous ne connaissons pas la millionième partie de quoi que ce soit.»

Le système de convictions que vous possédez est peu fiable.

Il est donc tout à fait naturel que des distorsions majeures se produisent au cours du processus de la perception. La perception sélective permet rarement de percevoir la vérité telle qu'elle existe vraiment. Vous ne percevez que ce que votre système de filtration juge important. Deux témoins d'un même crime ne voient jamais exactement la même chose, car ils concentrent leur attention sur différents aspects visuels. Chacun des témoins associe et évalue alors chaque aspect à la lumière de ses propres convictions personnelles, qui ne sont jamais les mêmes pour deux personnes différentes. Il n'y a donc rien de surprenant à ce que les interprétations et les conclusions individuelles quant à ce qui s'est produit soient généralement différentes. Par conséquent, vous devez accepter le fait que le système de convictions que vous possédez maintenant est généralement peu fiable puisqu'il est fondé sur de l'information erronée.

La capacité de voir et d'accepter les nouvelles possibilités dans la vie a beaucoup à voir avec le progrès. Vos notions et perceptions, devenues vos critères erronés en ce qui concerne votre personne et votre environnement, sont constamment affectées par des signaux provenant d'une grande variété de sources extérieures. Collectivement, elles forment une mosaïque et constituent le fondement ultime du «profil» de votre attitude, qui reflète votre système de convictions. Par conséquent, pour vous voir différemment, vous devez changer le plus grand nombre possible de ces signaux extérieurs pour que le monde vous semble différent.

La perception individuelle recouvre tout et est toute-puissante. Votre façon de percevoir le monde définit l'environnement dans lequel vous vivez. Elle définit vos espoirs et vos craintes, et fixe des limites supérieures à vos attentes dans la vie.

Nous connaissons des gens qui s'accrochent à de vieilles idées et convictions comme s'il s'agissait de biens précieux. Pourquoi? D'abord, le fait de reconsidérer des idées acquises suppose de la réflexion. En fait, cela suppose une réflexion originale, qui remet en question une affirmation préalable ou le fondement original d'une affirmation préalable. Cette réflexion est difficile, car elle requiert des efforts et une analyse de soi considérables. Et elle comporte des risques. Les gens ne jettent un vieux chapeau qu'après s'en être procuré un nouveau. Il en est de même des idées. Vous devez d'abord faire de la place pour l'idée nouvelle, puis rejeter la vieille idée. Les gens n'acceptent une nouvelle idée que s'ils croient que cela est dans leur intérêt. En d'autres mots, la nouvelle idée ou conviction doit produire une meilleure impression que l'ancienne, compte tenu de la nouvelle réalité de la personne et de la nouvelle façon dont elle se perçoit.

Malheureusement, les gens qui ne repensent pas leur passé sont condamnés à le répéter. La pensée habituelle ne peut que conduire à un comportement habituel. On peut comparer cela à regarder l'eau couler pendant que le temps passe. Les seules personnes qui peuvent transformer leur esprit sont celles qui s'en servent.

Le processus de la perception sensorielle est encore plus compliqué que ne le laisse entendre cette brève explication. Les capacités physiques de perception varient également beaucoup selon les personnes. Examinez cette description détaillée de la façon dont on «voit» physiquement son univers, tirée de *The Art of Thinking*:

«L'œil humain est une mécanique étonnamment complexe. Il est fait de cellules, de bâtonnets, de pigments, de connexions nerveuses, de fluides et d'un nombre incroyable de parties mobiles. L'œil humain normal est capable de percevoir plusieurs millions de variations de couleurs lorsqu'il fonctionne bien. Les nuances de couleurs selon différents yeux sont fantastiques. Des gens ne saisissent que peu de variations de couleurs, sinon aucune. D'autres yeux sont en mesure de distinguer une quantité de nuances presque infinies. D'énormes différences existent en ce qui concerne la profondeur de la perception, la capacité de distinguer les textures, la vision périphérique, la perception du mouvement, la vision à distance, la capacité de distinguer des motifs, les détails en gros plan et les zones d'ombre et de lumière. Il n'est pas deux paires de yeux humains identiques, mécaniquement ou anatomiquement. Tous les yeux voient les choses de façon différente. Les différences de perception entre les gens commencent par ce fait fondamental et étonnant.»

Ainsi, avant que le cerveau et les processus de la pensée consciente, dont nous venons de parler, se produisent, nous sommes aux prises avec ce fait important de la vie: le monde est différent pour chaque paire de yeux. Il est aussi différent pour chaque paire d'oreilles, pour chaque nez et pour tous les autres organes sensoriels.

Vous vous exposez à être mal informé toute votre vie à propos de nombreux aspects de votre monde. Vous acceptez actuellement bien des choses qui sont fausses, telles que l'idée voulant que vous soyez assis et immobile, et pourtant vous parvenez à vivre votre vie et à fonctionner assez bien en dépit de ce handicap. Certaines personnes ne se contentent pas de vivre dans ces conditions. Elles recherchent activement des occasions de corriger leurs convictions erronées. Elles s'enquièrent de nouvelles données pour mettre à jour leur modèle de la réalité, puis elles décident ce que sera ce modèle! Ainsi, ces gens s'arment de convictions plus réalistes et plus puissantes, et ils sont en mesure d'aller de l'avant dans la vie.

Nous vivons tous dans un univers mental. La perception se déroule dans le cerveau, et non au niveau des organes sensoriels. Par conséquent, ce que nous «voyons» n'est que l'interprétation de notre esprit de ce qui existe vraiment. En fait, nous ne savons pas ce qui existe vraiment! C'est un univers de «suppositions» que nous créons et que nous en venons à connaître, si l'on en croit Adelbert Ames, un pionnier de la psychologie de la perception.

Dans *Beyond Biofeedback*, Elmer et Alyce Green font la remarque suivante concernant la perception humaine:

> «*Nul n'a jamais vu le monde extérieur.* Tout ce dont nous pouvons avoir conscience, ce sont de nos interprétations des impulsions électriques du cerveau. Notre seule vue du monde est celle qui apparaît à l'écran interne de notre cerveau. Le cortex occipital (visuel) est par essence l'écran, et les yeux sont deux caméras qui nous fournissent des renseignements quant aux fréquences et à l'intensité de la lumière. Lorsque les yeux sont ouverts nous disons que nous regardons le monde, mais c'est le cortex occipital que nous regardons vraiment. Ce que nous voyons, ce sont des millions de cellules cervicales qui rendent compte de l'activité rétinienne.»

Testez votre perception

Chacun de nous a un angle mort visuellement, une petite partie du champ de vision de chaque œil où il ne peut rien voir. À quinze degrés environ à l'extérieur du point central de l'œil se trouve l'endroit où les nerfs optiques conduisant au cerveau se confondent avec les cellules nerveuses sensorielles de l'intérieur de l'œil. Ce point de votre rétine ne possède pas de cellules réceptrices, et toute image visuelle qui frappe ce point est perdue. La plupart des gens ne remarquent jamais cette déficience parce que les yeux bougent si rapidement qu'ils font en sorte que la mémoire à court terme du cerveau comble le fossé. L'échelle de l'illustration 1 vous permettra de découvrir le point mort de votre œil droit. Renversez l'image pour l'œil gauche.

D'abord concentrez votre regard sur le nombre 10 situé à la gauche de l'échelle en tenant le livre à 15 cm environ de votre visage. Fermez l'œil gauche et remarquez le gros point noir à l'extrême droite de l'échelle, à l'extérieur de la vision périphérique de votre œil droit. Toujours en fixant les yeux sur le 10, éloignez lentement le livre de votre visage. Vous constaterez qu'à une distance de 38 cm environ, le point noir disparaît.

Illustration 1

Un autre exemple de confusion perceptive est le fait que votre façon de voir un concept vous amène souvent à le rejeter. Comparez les deux croquis de l'illustration 2. Quelle ligne est la plus longue, A ou B?

Illustration 2

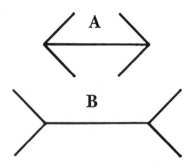

Il s'agit de la fameuse illusion Müller-Lyer, qui intrigue les chercheurs depuis des années. La ligne B semble plus longue que la ligne A et pourtant les deux sont absolument de la même longueur. La perception semble affectée par la façon dont les images sont organisées, comme dans ce cas où les flèches pointent vers l'intérieur ou vers l'extérieur.

Est-il possible que la façon dont vous vous représentez votre image personnelle, en y ajoutant des éléments insignifiants, puisse changer votre façon de vous voir? Tout ce qu'ont pu dire vos parents, vos enseignants ou vos employeurs a-t-il vraiment un lien avec ce que vous êtes et ce que vous pouvez réaliser? Bien sûr que non. La majeure partie de tout cela est sans importance et doit simplement être rejeté. En éliminant de votre passé les «flèches» inutiles, vous découvrirez que ce qui reste, c'est vous-même. C'est à tout le moins une vue plus réaliste de vous-même que vous pouvez étudier et évaluer selon ses propres mérites.

Examinez un moment l'illustration 3. Que voyez-vous?

Illustration 3

Certains voient la silhouette d'une table romaine classique. Fermez rapidement les yeux une ou deux fois et rouvrez-les, et vous verrez peut-être le profil de deux personnes se faisant face. Refermez les yeux et rouvrez-les à nouveau, et vous verrez peut-être un entonnoir dans le goulot d'une bouteille. D'autres y verront une inversion de la gravitation: en retournant l'image, on peut voir un liquide s'échappant d'une bouteille.

Les deux lignes de l'illustration 4 vous semblent-elles parallèles? Regardez-les maintenant en tournant la page de 90 degrés pour confirmer votre impression.

Illustration 4

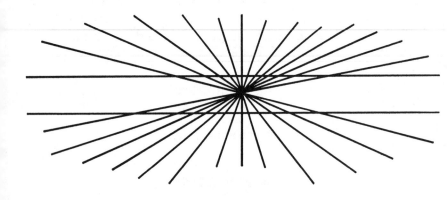

Comme dernier exemple, voyons comment votre perception peut limiter ce que vous «voyez» en comptant les carrés de l'illustration 5. Présumez que chacun des carrés représente une occasion de réussite excitante et que vous pouvez exploiter:

Certains y verront 16 carrés. D'autres en verront 26. Avez-vous beaucoup de persistance, vous verrez qu'il y a 30 carrés en tout. Mais vous devrez faire un effort pour en voir autant. Peu de gens perçoivent tout ce qu'ils ont sous

Illustration 5

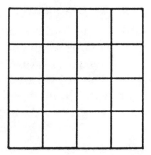

les yeux. N'est-il pas intéressant de constater que beaucoup de ce que nous devons «voir» pour réussir dans la vie n'est pas visible à l'œil?

Le but de cet exercice est celui-ci: *Vous avez le pouvoir de créer votre propre réalité, une conviction indispensable si vous voulez transformer votre vie.* Vous pouvez regarder dans un miroir et avoir une image flatteuse ou peu engageante de vous-même. Ces deux reflets existent, mais vous devez voir celui que vous voulez, et, ce faisant, activer le subconscient pour qu'il l'accepte. Lorsque vous êtes capable d'entrer en contact avec votre moi supérieur, vous atteignez des sommets correspondant à vos possibilités. C'est comme le verre d'eau qui, selon une personne, est à moitié vide, et selon une autre à moitié plein. Bien sûr, les deux affirmations sont correctes, mais l'une d'elles a une connotation plus positive.

Vous devez créer votre propre réalité. Rappelez-vous que dans chacun des exercices mentionnés plus haut, votre perception vous a trompé. Par conséquent, puisque vous ne connaissez pas la vraie nature des choses, n'est-il pas souhaitable de vous les représenter d'une manière qui vous permette de progresser dans la vie avec plus d'assurance, plus d'énergie et plus de détermination?

Comme le disait le philosophe jésuite, Pierre Teilhard de Chardin (1881-1955): «C'est notre devoir d'hommes et de femmes de vivre comme si nos capacités étaient sans limites. Nous collaborons à la création.»

Les convictions erronées à votre propre sujet peuvent être fatales. Elles conduisent à tout le moins à la médiocrité. Les convictions erronées vous enlèvent vos énergies, vos désirs et votre avenir. Vous devez croire en vous-même, en votre capacité de réussir avant de pouvoir réussir. Lorsqu'on croit en soi, on a une bonne estime de soi et des attentes élevées, les deux pierres de touche des grandes réalisations.

Prenez l'exemple de l'éléphant, l'un des animaux les plus puissants au monde. Lorsqu'un jeune éléphant sauvage est capturé, on lui met un bracelet de fer autour de la patte puis on attache l'éléphant à un arbre à l'aide d'une chaîne. Naturellement, l'éléphant multiplie les tentatives pour se libérer. Mais malgré sa force considérable, il ne réussit pas. Ce n'est qu'après plusieurs jours d'une lutte douloureuse qu'il constate la futilité de ses efforts et abandonne enfin. À partir de ce moment, l'éléphant n'essaie plus jamais de se libérer, même lorsqu'il est attaché à l'aide d'une petite chaîne et d'un pieu de bois. Pendant le reste de sa vie adulte, l'éléphant sera victime d'une conviction erronée et s'imposera lui-même des limites quant à ses capacités dans ce secteur particulier. En d'autres mots, il accepte une représentation intérieure de lui-même comme étant un animal captif, incapable de se libérer. Naturellement, cette conviction se reflète dans le comportement de l'animal.

Les chercheurs ont découvert une tendance similaire à adopter un comportement rigide chez une espèce de poisson connu sous le nom de brochet. En général, le brochet s'attaque à tout vairon passant à sa portée. Les chercheurs se sont livrés à une expérience: ils ont descendu une cloche dépourvue de fond dans un aquarium contenant un brochet; la cloche contenait plusieurs vairons. Le brochet s'est aussitôt empressé d'attaquer les vairons et, à plusieurs reprises, s'est douloureusement buté à la cloche.

Après plusieurs tentatives laborieuses, le brochet a finalement abandonné, ne faisant plus aucun cas de la présence des vairons. La cloche a alors été retirée de l'aquarium et les vairons délivrés pour nager librement. Mais, même lorsqu'ils passaient près du brochet, celui-ci n'en faisait plus aucun cas. Si on le laissait faire, le brochet mourrait de faim, même s'il est entouré de nourriture, et ce, juste parce qu'il entretient une conviction erronée.

Combien de ces fixations vous empêchent-elles de progresser? Quelle «réalité» entretenez-vous à propos de vous-même? Y a-t-il une chaîne imaginaire qui vous emprisonne la jambe ou une cloche invisible vous isolant de votre ultime objectif dans la vie? Quelle abondance avez-vous sous le nez, alors que vous n'en faites aucun cas?

Le cerveau humain et le système nerveux peuvent être comparés à une ampoule vissée dans une lampe. La lampe est liée par un fil à une source de puissance infinie: le réseau électrique d'Amérique du Nord. L'intensité de la lampe est directement proportionnelle à la puissance de l'ampoule utilisée, soit 15, 60, 100 ou 200 watts. Chacune de ces ampoules donne de la lumière. Une ampoule ne tire du réseau électrique que la puissance dont elle a besoin pour donner le rendement prévu.

Combien de puissance tirez-vous de votre réseau personnel? Votre système de réussite utilise-t-il une ampoule de 15 watts ou une ampoule de 200 watts? Rappelez-vous que les résultats que vous obtenez sont ceux auxquels vous vous attendez.

Êtes-vous perceptif?

À cause d'une perception fautive, il est possible que vous vous retrouviez avec beaucoup de détritus dans votre mémoire. Vous aurez alors tendance à les recycler pour leur redonner leur forme originale.

Voyons un exemple de perception sélective. Elle a permis à une certaine information de pénétrer dans votre conscience et d'y être enregistrée, tout en ne faisant absolument aucun cas d'un autre type d'informations.

Selon les experts, nous consultons notre montre environ 100 fois par jour. Si l'on suppose que vous possédez votre montre depuis un an au moins, cela veut dire que vous l'avez consultée environ 36 500 fois. C'est beaucoup, si l'on considère que le cadran d'une montre n'a qu'une surface totale de moins de 3 cm^2, en général.

Voici un test qui montre comment fonctionne la perception sélective. Veuillez éviter de consulter votre montre en répondant aux questions suivantes. En supposant que votre montre n'est pas numérique:

1. Possède-t-elle des chiffres arabes ou romains, des traits ou des points pour indiquer les heures?

2. L'affichage est-il le même pour les 12 chiffres ou y a-t-il des symboles différents pour marquer le 3, le 6, le 9 et le 12?

3. De quelle couleur est le cadran?

Accordez-vous une minute pour répondre. Et maintenant, examinez soigneusement votre montre et voyez combien de bonnes réponses vous avez obtenues.

La vaste majorité des gens ne parviennent pas à répondre correctement aux trois questions. Il est étonnant de voir combien on se concentre sur une information spécifique, tout en éliminant 90 % de toute l'information disponible?

Examinons les termes conscient et subconscient en fonction des deux hémisphères du cerveau. Chez 95 % de la population environ, l'hémisphère gauche est la partie consciente du cerveau, et l'hémisphère droit sa partie subconsciente. Jusqu'à récemment, l'hémisphère gauche a été qualifié de dominant, mais en fait il n'est dominant que pour certaines tâches précises.

L'hémisphère gauche du cerveau est généralement la partie logique et analytique qui contrôle les fonctions du langage, telles que la lecture et l'écriture, la mémorisation des noms, des dates et de divers faits. Elle évalue les choses de manière rationnelle et logique, interprète littéralement les mots et les concepts et traite les données de manière séquentielle. Elle effectue des calculs analytiques, comprend la notion de temps et contrôle les mouvements du côté droit du corps.

L'hémisphère droit est généralement la partie intuitive et artistique d'où proviennent les rêves et la fantaisie. Il est dominant dans son approche holistique des problèmes (approche physique, mentale et émotionnelle), c'est-à-dire d'un point de vue global. Il s'occupe d'images et de concepts, peut traiter simultanément plusieurs informations et perçoit les rapports spatiaux. Il est responsable des créations artistiques, musicales et imaginatives et contrôle tous les mouvements du côté gauche du corps.

Nous vivons dans une société dans laquelle la pensée consciente de l'hémisphère gauche domine, est plus valorisé et reçoit le plus d'attention. L'étudiant qui soustrait et additionne correctement, se rappelle les noms et travaille de manière logique et organisée est le plus apprécié. La personne qui rêve éveillée en classe et qui a une imagination fertile est considérée moins intelligente, moins productive et reçoit habituellement de moins bonnes notes. Il n'est pas étonnant que la plupart des enfants grandissent en croyant que la mémoire et le conformisme sont plus valables que les habiletés artistiques ou créatrices.

Lorsque les deux hémisphères sont bien utilisés, ils fonctionnent en harmonie et se complètent totalement. Chacun appuie l'autre, contribuant au processus de la pensée avec ce qu'il fait de mieux.

Par exemple, un auteur de fiction se servira de son hémisphère droit pour l'imagerie et la création liées à l'intrigue et aux personnages, mais l'hémisphère gauche lui trouvera les mots et les expressions justes pour décrire ce qu'il veut dire.

De la même manière, un ingénieur se servira de son hémisphère droit pour concevoir les rapports spatiaux et la complexité structurelle d'un grand pont, mais son hémisphère gauche lui permettra de faire tous les calculs mathématiques concernant le poids, les dimensions et les tensions.

Les hémisphères travaillent de concert dans presque toutes les activités, même si l'importance de la participation de chacun dépend de la nature spécifique de la tâche. Il y a peu d'activités importantes où les idées intuitives et créatrices ne peuvent ajouter de manière significative à la pensée analytique et logique.

La spécialisation fonctionnelle des deux hémisphères semble ne s'appliquer qu'aux gens de plus d'un certain âge. Les autres primates et les enfants de moins de cinq ans ne semblent pas tributaires de la spécialisation hémisphérique. Étonnamment, comme le rapporte Marilee Zdenek dans *The Right-Brain Experience*, un jeune enfant qui a perdu un hémisphère entier à la suite d'une maladie peut acquérir une intelligence normale, chaque hémisphère semblant posséder la capacité de s'acquitter des activités des deux hémisphères. Cela ne fait que confirmer les incroyables possibilités que recèle le cerveau humain. Lorsque sollicitée, la moitié du cerveau peut faire ce dont le cerveau tout entier se charge habituellement!

Comme nous l'avons vu, la partie consciente et directrice du cerveau contrôle la pensée analytique et logique. Elle tire des conclusions précises de diverses données qu'elle absorbe, ce qui entraîne des décisions du genre bon-mauvais, oui-non, honnête-faux, etc. La pensée consciente et rationnelle s'effectue en temps réel et ne peut se concentrer efficacement que sur une chose à la fois. Elle s'occupe «d'expérimentation». Elle traite l'information, la compare aux expériences passées, évalue et décide. Elle sélectionne aussi les objectifs et confie au subconscient des problèmes qu'il devra résoudre.

Vous avez besoin de l'expérience de la réussite.

Cela nous amène à parler d'un rôle très important que la partie consciente de l'esprit peut jouer. Par un effort conscient, vous pouvez de façon créative imaginer un événement mentalement, dans les moindres détails, et il fait automatiquement partie de votre mémoire. Les expériences véritables quotidiennes ne peuvent toujours vous offrir ce dont vous avez le plus besoin: l'expérience de la réussite. Vous pouvez plus facilement connaître le succès en imagination en faisant appel à des expériences artificielles. Des études scientifiques démontrent que le cerveau ne peut faire la différence entre l'expérience véritable de la vie réelle et l'expérience simulée imaginée de manière vive et détaillée. Dans les deux cas, vous ajoutez de nouveaux éléments à votre banque de données. C'est un peu comme si vous exécutiez un faux programme et que votre ordinateur en acceptait les données comme étant réelles. L'imagination créatrice est un outil primordial de remaniement que vous devez utiliser pour progresser dans la vie.

Examinez l'expérience rapportée dans Research Quarterly portant sur l'utilisation de l'imagination pour améliorer le décompte des points du lancer du ballon de basket. On a divisé en trois groupes-témoins une classe d'étudiants de niveau collégial.

- On a demandé au premier groupe de s'exercer au lancer du ballon dans un gymnase, et ce, 20 minutes par jour pendant 20 jours.

- On a demandé au deuxième groupe de ne pas lancer le ballon pendant 20 jours.

- Les membres du troisième groupe ont dû pratiquer le lancer du ballon en imagination pendant 20 jours, à raison de 20 minutes par jour. Ils devaient imaginer chaque fois des lancers parfaits.

Des tests menés le premier et le dernier jour révélèrent une amélioration de 24 % de la performance du premier groupe, comparativement à une absence d'amélioration pour le deuxième groupe et une amélioration de 23 % pour le troisième groupe.

Cette très importante découverte démontre qu'il est possible de faire appel à l'expérimentation artificielle pour transformer des convictions fondamentales à propos de soi, convictions fermement ancrées dans le subconscient. Plus tard, vous verrez comment cet outil peut améliorer radicalement votre performance dans n'importe quelle activité, qu'il s'agisse de prendre la parole en public, d'apprendre à mieux communiquer avec les gens ou de jouer au tennis. Pour améliorer leur concentration et leurs performances, les athlètes, les astronautes et les champions de tous les secteurs d'activité pratiquent mentalement leurs routines avant de la réaliser, qu'il s'agisse de frapper un coup de circuit ou de se poser en douceur sur la Lune. On peut comparer cela à une répétition générale imaginaire avant la première pour accroître l'assurance et la coordination.

Des études démontrent qu'il existe un lien physiologique direct entre l'expérimentation artificielle et le fait véritable. Lorsqu'une personne se voit en imagination exécuter une activité donnée, comme le saut à la perche ou la course à obstacles, on décèle une activité nerveuse peu importante, mais réelle dans l'organisme. En d'autres mots, le fait d'imaginer un événement donné a le même impact neurologique que le fait de vivre l'événement réel!

Cette capacité d'imaginer d'une façon créatrice votre avenir comme vous le voulez précisément est la deuxième grande merveille de l'esprit. Beaucoup des expériences vécues au cours de votre enfance n'étaient peut-être pas idéales. Vous avez probablement connu plus d'échecs que de réussites dans votre vie, et maintenant cela risque de vous empêcher de progresser. Mais tout cela n'est pas vraiment important. Grâce à cet outil, vous pouvez ajouter de nouvelles réussites au répertoire de vos expériences, réussites dans lesquelles vous pourrez puiser et qui vous aideront à atténuer les effets de votre programmation négative. L'expérimentation artificielle vous redonne le contrôle, car lorsque vous avez la responsabilité de vos pensées, vous contrôlez votre comportement. Cela vous permet de combler le fossé existant entre vos performances actuelles et vos possibilités. **Henry David Thoreau** (1817-1862), le naturaliste, philosophe et écrivain américain, décrivait ainsi ce phénomène: «Si l'on progresse avec assurance en direction de ses rêves et l'on s'efforce de vivre la vie que l'on a imaginée, on obtient un succès inespéré.»

Les images mentales

Comme nous l'avons vu, les images mentales que vous vous formez constituent le facteur clé de votre façon de penser. Pour cette raison, cette activité mentale suscite un intérêt renouvelé, et les recherches récentes nous aident à mieux comprendre comment notre cerveau s'en acquitte.

Dans son livre intitulé *Human Abilities*, Stephen Kosslyn décrit plusieurs expériences intéressantes qui démontrent que:

1. Le processus de la visualisation, la formation d'images abstraites dans l'imagination, et le processus de la perception visuelle d'un événement véritable, sont des éléments identiques pour le cerveau. En d'autres mots, l'image mentale d'un objet crée les mêmes représentations dans le cerveau que la perception physique véritable du même objet. De plus, les recherches indiquent que les images produisent les mêmes émotions que les sensations. Par exemple, le fait d'imaginer une expérience triste ou heureuse évoque les mêmes émotions que l'expérience véritable. Cela devient évident lorsque vous vous rendez compte comment vous avez réagi émotionnellement à des films comme *Une histoire d'amour*, même en sachant que l'intrigue était basée sur de la pure fiction et que les acteurs jouaient simplement les rôles qui leur avaient été confiés.

2. Les objets représentés par des images mentales ont le même effet que s'ils avaient une forme physique et occupaient une place dans l'espace, et pouvaient être regardés, manipulés et touchés comme des objets réels.

3. L'écran de votre cerveau est en quelque sorte en mesure de reproduire les propriétés d'un espace tridimen-

sionnel. C'est comme si les cellules du cerveau se rassemblaient pour former un ensemble rappelant un ordinateur, même si les cellules qui composent les éléments de l'image mentale sont situées physiquement dans diverses parties du cerveau.

4. Votre écran mental ressemble beaucoup à l'écran de votre téléviseur: il donne aux images des dimensions physiques et une texture qui rendent les petits détails plus difficiles à voir mentalement que les détails plus importants.

5. L'imagerie peut effectivement remplacer l'activité réelle lorsqu'il s'agit d'apprendre, jusqu'à un certain point, une nouvelle activité motrice. Plusieurs expériences dans divers sports ont démontré que le fait d'imaginer un exercice donné est toujours plus productif que l'absence de tout exercice mental, même si l'imagination n'est pas aussi productive que la pratique réelle du sport. L'imagination d'une activité donnée ne peut simplement pas être une expérience aussi détaillée que la pratique physique de l'activité.

Les processus de la pensée subconsciente

Même s'il y a littéralement des milliers d'activités qui se déroulent de manière prédominante au niveau subconscient, nous n'aborderons que trois des plus importantes. En général, toutes les trois se produisent automatiquement, sans que vous en ayez connaissance bien qu'il soit possible d'influer sur elles et sur d'autres types de pensées subconscientes par un effort conscient et délibéré.

La première activité au niveau subconscient est la gestion totale de vos mécanismes physiques immensément complexes. La respiration, la circulation du sang et la digestion des aliments sont les principaux exemples des activités de survie dont se charge votre subconscient. Vous pouvez influer sur chacune d'elles, jusqu'à un certain point, par un effort conscient; vous pouvez par exemple ralentir votre rythme cardiaque ou votre respiration.

Le maintien de toutes vos fonctions physiques n'a rien de simple. En fait, il est si complexe que nous ne comprenons pas la majeure partie de ce qui se passe. Par exemple, en 1970, les experts croyaient que 20 hormones réglaient le système humain. Aujourd'hui, 20 ans plus tard seulement, nous savons qu'il y en a plus de 200. Le cerveau dirige tout cela un peu à la manière d'un chef d'orchestre qui contrôle les sons d'une foule d'instruments.

Voici quelques faits que nous connaissons. Toutes les 24 h, sans aucun effort réel de votre part, votre subconscient:

- vous fait respirer 23 000 fois, vous amenant à inspirer et à expirer 12,41m^3 d'air;

- fait battre votre cœur 100 000 fois (environ deux milliards et demi de fois en 70 ans);

- commande à votre cœur de pomper 19 548 l de sang (suffisamment pour remplir 13 millions de barils en une vie);

- fait parcourir à votre sang 1 450 fois 9 654 408 km de vaisseaux capillaires.

Gardez à l'esprit ces statistiques alors que nous poursuivons notre exploration de la puissance de votre système intégré de réussite et de l'étendue de toutes vos possibilités.

La seconde activité de la pensée subconsciente est celle de la mise en mémoire et de l'extraction de toutes les données liées à toutes vos expériences au niveau conscient, qu'elles soient réelles ou imaginaires. Toutes les pensées et les sentiments liés à de tels événements sont traités de la même façon. Ils sont notés, accumulés et emmagasinés pour former la base de votre système personnel de convictions. Cela influe sur votre mode de pensée et votre comportement de tous les jours. C'est cette activité qui soutient votre système de succès intégré, votre mécanisme psychocybernétique ou de poursuite des objectifs qui transforme les images mentales que vous concevez en leur contrepartie physique. Chaque image mentale sur laquelle vous vous concentrez laisse une empreinte photographique ou une trace dans votre mémoire, et vous pouvez retrouver ces traces chaque fois que vous pensez en termes similaires.

William Shakespeare qualifiait la mémoire de «gardienne du cerveau.» La mémoire est de la plus haute importance. Sans l'enregistrement de données que vous pourrez consulter par la suite, il n'y a aucune base de connaissances accumulées, aucun point de référence historique.

Que savons-nous à propos de l'enregistrement d'informations dans nos archives mentales? Nous savons qu'il n'existe pas une entité unique appelée mémoire. Alors que les noms, les événements et les images sont emmagasinés dans certaines sections du cerveau, le souvenir de la façon de faire les choses appartient à d'autres parties du cerveau. En réponse à l'information rendue pour une bonne part grâce aux organes des sens, les cellules du cerveau se dotent de prolongements appelés axones qui sont liés entre eux pour permettre la transmission de messages électriques et chimiques. Le nerf optique est par exemple une extension du cerveau. Ces prolongements forment un vaste réseau de connexions qui varie selon les personnes.

Les chercheurs travaillent encore à la description de l'anatomie de la mémoire et s'efforcent de voir l'endroit où le cerveau forme et entrepose les souvenirs. Les structures participantes sont l'hippocampe, une structure en forme de S située profondément dans les deux hémisphères du cerveau; le cortex, l'enveloppe ridée du cerveau, siège de la pensée profonde; et le cervelet situé derrière le crâne, qui ressemble à un chou-fleur. La formation des souvenirs provoque en quelque sorte des changements chez les 100 000 000 000 de neurones du cerveau, plus nombreuses encore que les étoiles de la galaxie.

Bien qu'il existe plusieurs théories sur la façon dont l'information est enregistrée, l'une d'elles suppose qu'un stimulus entre dans le cortex et poursuit sa route vers l'hippocampe où son contenu émotionnel est évalué. Finalement, il pénètre dans les profondeurs du cerveau, où une transformation chimique produit un empreinte dans la mémoire. Cette empreinte ou trace dans la mémoire est une chaîne de cellules nerveuses reliées par des synapses, où les impulsions nerveuses passent d'une cellule à l'autre. Selon une théorie, les synapses sont les germes de la mémoire. Une autre présume que le tissu cérébral enregistre les données sensorielles sous une forme semblable à celle d'un hologramme, cette photographie tridimensionnelle produite par des rayons laser.

La troisième activité subconsciente a trait à la résolution des problèmes ou des conflits. Si vous vous efforcez consciemment de résoudre un problème personnel ou professionnel, ou de créer quelque chose de nouveau ou d'original, les processus de votre subconscient se mettront à l'œuvre pour vous aider à résoudre le conflit. Une recherche sera effectuée dans les dossiers de votre mémoire pour y trouver une réponse possible. Si aucune réponse satisfaisante n'est disponible, le cerveau transcendera ses connaissances accumulées et se tournera vers l'extérieur à la recherche d'idées, de concepts ou d'inspiration.

Ce secteur de la métaphysique, la parapsychologie, peut mettre à contribution la télépathie ou un sixième sens. Bien que les phénomènes psychiques ne soient pas très bien compris encore aujourd'hui, leur présence et leur valeur sont largement reconnues à la fois des utilisateurs pratiques comme les artistes et les écrivains, et les chercheurs qui ont étudié la clairvoyance et la perception extra-sensorielle. Ralph Waldo Emerson affirmait qu'il lisait ses essais avec beaucoup d'intérêt et de fascination parce qu'ils «contenaient toujours des concepts étrangers à ma pensée.» Même Wolfgang Amadeus Mozart (1756-1791), le compositeur autrichien de renom, affirmait que beaucoup de sa musique lui arrivait toute composée et qu'il n'avait qu'à l'écrire. Il disait: «Lorsque je suis (...) tout à fait moi-même, tout seul (...) ou pendant la nuit lorsque je ne peux pas dormir, c'est dans de telles occasions que mes idées sont les plus claires et les plus abondantes. Je ne sais pas comment ces idées me viennent et je ne peux les provoquer (...) Je n'entends pas les parties à la suite les unes des autres dans mon imagination, mais je les entends toutes ensemble et en même temps.»

Vous avez probablement connu de semblables expériences dans votre vie lorsque, après n'avoir pas réussi à trouver le lien manquant à un problème, la solution vous est tout bonnement venue à l'esprit. Cela se produit souvent lorsque l'on s'y attend le moins et que l'on s'adonne à une activité tout à fait étrangère au problème. Chez plusieurs, cela se produit à 3h ou 4h du matin; la réponse complète «frappe à la porte» de leur esprit, comme à la recherche d'un gîte. Nul ne sait comment elle a trouvé l'adresse!

Cette capacité de trouver de l'information d'une source dont on n'a pas conscience constitue la troisième merveille de l'esprit. Il ne fait aucun doute qu'elle nous aidera à continuer à créer et à découvrir, à transformer notre vie pour le meilleur. Les scientifiques qui cherchent des remèdes au cancer et au sida savent que des solutions à ces terribles maux existent quelque part. Il ne reste qu'à une personne intéressée à découvrir où elles se cachent!

Certains croient que les éclairs de génie ou les découvertes fantastiques sont le résultat d'habiletés extra-sensorielles. Selon ces personnes, des idées nouvelles flottent dans l'atmosphère comme des particules de poussière et nous n'avons qu'à avoir accès à leur fréquence pour les déceler. Cette théorie des «rayons cosmiques» de la créativité soutient que les idées nouvelles proviennent de l'espace. Une explication plus logique serait qu'elles se forment dans le cerveau à la suite de la superposition de deux images mentales ou plus, déjà emmagasinées dans la mémoire, pour former une troisième image qui, elle, n'existait pas. Cette technique de «combinaison de deux images» est souvent utilisée dans l'industrie du cinéma, où l'on super-pose une image à un fond pour donner l'illusion d'une image unique.

Mais la façon dont nous pouvons produire de telles pensées originales dans notre subconscient n'est pas aussi importante que le fait de le pouvoir, comme chaque fois que nous nous efforçons de réfléchir à quelque chose de nouveau.

La clé de la stimulation de la pensée créatrice consiste à apprendre à détendre son esprit, pour permettre aux idées et aux concepts créateurs de remonter au niveau conscient. Il s'agit d'une tâche relativement facile et la technique peut être développée par des exercices réguliers et utilisée à des fins spécifiques.

Un des principaux effets inhibiteurs est le fait que notre système d'enseignement — en fait, notre culture occidentale — a eu pour résultat la domination de l'activité de la pensée par la pensée consciente. La pensée consciente est orientée vers le langage, la logique et le travail. Nous lui permettons d'occuper la majorité des heures où nous sommes éveillés, de monopoliser notre cerveau pour passer à travers nos jours d'intense activité.

Il existe des méthodes éprouvées pour puiser à même le réservoir interne de l'esprit, et chacune d'elles requiert que nous pénétrions dans ce qui est connu sous le nom d'état des ondes alpha du cerveau. La technique consiste à décroître l'activité consciente du cerveau. La pensée sub-consciente comptant un plus large éventail de fréquences de fonctionnement normal, elle continuera à fonctionner lorsque l'activité consciente de la pensée sera en état de sommeil. Ce niveau de conscience moins élevé de l'état alpha permet à la créativité s'apparentant au rêve du sub-conscient de s'élever au niveau conscient. Des techniques de relaxation incluant la formation d'images et la médita-tion peuvent être utilisées pour produire cet incroyable effet.

119

Benjamin Franklin avait mis au point sa propre méthode pour abaisser le niveau de conscience de ses hémisphères. Pour parvenir à un état d'esprit créateur, il s'installait dans son fauteuil favori et se détendait jusqu'à la somnolence. Pendant ce temps, il tenait une boule de métal ou une petite pierre au-dessus d'une assiette placée sur le plancher pour s'assurer de ne pas s'endormir. De cette façon, il a découvert qu'il existait une réalité allant au-delà de celle qu'il connaissait, et qu'elle se situait au niveau subconscient. Il a appris à puiser dans ce que l'on appelle la sagesse universelle, et a appliqué cela à ses nombreuses entreprises littéraires et scientifiques qui l'ont préoccupé tout au long de sa longue vie.

Bien qu'il soit clair que votre subconscient possède d'immenses pouvoirs, il ne peut se soumettre un problème à lui-même. Il n'a pas d'imagination et dépend totalement de l'expérience consciente pour l'information qu'il met en mémoire. Il est cependant la principale source d'idées créatrices et de solutions aux problèmes, et cela n'est pas réalisable par un effort conscient ou par la force de la volonté.

Il y a un élément que nous devons expliquer plus à fond. Le subconscient doit être stimulé par la partie consciente du cerveau pour pouvoir réagir de façon créatrice. Si vous réfléchissez à certaines de vos possibilités de réalisations exceptionnelles, par exemple, vous commencerez à obtenir certaines réponses. Le fait de réfléchir activement et consciemment à vos possibilités pousse le subconscient à envisager une variété de solutions. Le fait de vous lancer volontairement un défi est la façon la plus constructive de tirer le maximum de votre mécanisme interne de réussite.

À quoi cela sert-il? Votre esprit, comme tout ce qui existe dans la nature, a naturellement tendance à maintenir le statu quo. Les objets immobiles tendent à demeurer immobiles, et les objets qui bougent tendent à continuer de bouger. Votre subconscient restera aussi inactif jusqu'à ce qu'il soit stimulé par une source «extérieure», la partie consciente de votre cerveau. Une fois stimulé par un but ou une aspiration, il réagira pour satisfaire la demande et il continuera à travailler sur la solution avant de reprendre son état d'inactivité.

En d'autres mots, le conscient et le subconscient recherchent toujours un équilibre interne. Votre esprit conscient détermine le niveau, et le subconscient suit automatiquement ses directives. Le subconscient s'efforcera de résoudre tous les problèmes qui lui sont soumis, jusqu'à ce qu'il ne soit plus sollicité.

Cette capacité d'activer volontairement les pouvoirs créateurs du subconscient est donnée à quiconque choisit de s'en prévaloir. Bien sûr, cela nécessite un grand désir, une volonté de progresser et un élément de confiance et de foi. Vous ne pouvez craindre d'échouer et vous limiter à espérer que, d'une manière ou d'une autre, vous allez réussir. Le fait de vous borner à espérer démontre un manque de confiance et de sérieux, et indique que vous n'avez pas le désir et la détermination nécessaires pour que les processus de la pensée travaillent en harmonie.

Le pouvoir de la suggestion

Pour mieux comprendre comment vous avez été programmé, il est important de connaître le rôle majeur que la suggestion joue dans votre vie. Des éléments suggestifs sont présents dans tous les aspects de la vie quotidienne. Vous êtes influencé par tout ce que vous voyez, entendez et lisez, et par toutes les expériences que vous vivez. Vous êtes littéralement entouré d'éléments suggestifs — amis, famille, foyer, milieu de travail, télévision, radio, journaux et magazines — qui affectent de façon significative ce que vous pensez et l'idée que vous vous faites de vous-même.

C'est ce pouvoir de suggestion, l'impact de tous ces facteurs persuasifs externes, qui ont eu le plus d'influence pour déterminer la personne que vous êtes devenue. La suggestion peut être définie comme étant:

1. L'introduction ou la tentative d'introduction d'une idée, d'une conviction, d'une décision ou d'un acte par un agent ou un autre par le biais de la stimulation, verbale ou autre, mais dénuée de tout argument;

2. Le stimulus, généralement de nature verbale ou visuelle, par lequel un agent cherche à susciter l'action chez un autre en se dérobant aux fonctions de critique et d'intégration.

Vous recevez constamment des suggestions de votre environnement extérieur, et dans la plupart des cas, vous acceptez la validité de ces directives. Malheureusement, nul n'a le temps ou la capacité d'évaluer de manière critique et d'analyser en profondeur tout ce qui lui arrive dans la vie. Si vous tentiez l'expérience, vous réinventeriez toutes les découvertes de l'histoire avant de pouvoir vivre votre propre vie. C'est pourquoi vous êtes forcé d'accepter «sans discussion» bien des choses à propos de vous-même et de votre univers avec une confiance et une foi aveugle, et en agissant ainsi vous donnez de la crédibilité et du pouvoir aux influences suggestives de votre vie.

Vous vous faites vos suggestions de deux manières différentes. Elles peuvent passer du conscient au subconscient, ce qui fait partie du processus d'apprentissage, ou passer du subconscient au conscient, ce qui représente les pensées habituelles résultant d'un apprentissage préalable. Quel que soit le cas, l'autosuggestion a un effet profond sur les attitudes individuelles, et un impact radical sur le comportement et le rendement individuels.

Voyez, à la lecture du poème suivant, l'immense pouvoir qu'a sur vous l'autosuggestion, et comment elle détermine la façon dont vous continuez à agir aujourd'hui:

Oui, je peux!

Si vous vous pensez battu, vous l'êtes,
Si vous pensez ne pas oser, vous n'osez pas.

Si vous aimeriez gagner, mais vous pensez ne pas pouvoir,
Il est presque certain que vous ne gagnerez pas.

Si vous pensez que vous perdrez, vous êtes perdu,
Car dans le monde, on découvre,
Que le succès commence par la volonté,
C'est une question d'état d'esprit.

Si vous vous pensez dépassé, vous l'êtes,
Vous devez penser grand pour croître.
Vous devez être sûr de vous-même avant
De pouvoir jamais remporter un prix.

Les luttes de la vie ne sont pas toujours remportées
Par le plus fort ou le plus rapide,
Mais tôt ou tard, celui qui gagne,
Est celui qui pense pouvoir gagner!

Anonyme

Chapitre 5

Le système de succès humain

«*La plus grande découverte de ma génération est le fait que les êtres humains peuvent transformer leur vie en modifiant leurs attitudes.*»

William James

La plupart d'entre nous comprenons tous un peu le fonctionnement d'un ordinateur personnel. Même s'il accomplit beaucoup de choses merveilleuses, nous savons qu'il ne peut fournir ses propres données. Cela demeure la responsabilité d'un opérateur humain de l'extérieur. Les données doivent être procurées par l'intermédiaire d'un clavier et tenir compte de la conception initiale de la machine.

Examinez les fonctions de traitement de textes. Vous tapez d'abord le texte de la lettre à imprimer conformément à un procédé préétabli ou à un programme de traitement de textes. Après que les données de base sont mises en mémoire et automatiquement formatées, vous appuyez sur la touche PRINT et immédiatement l'imprimante commence à taper le texte. Un phénomène intéressant se produit alors: la qualité du texte imprimé est directement liée à la qualité des données originalement fournies.

En d'autres mots, si vous dactylographiez des erreurs orthographiques, de ponctuation ou de mise en page, la machine reproduira ces mêmes erreurs. La qualité du produit fini est proportionnelle à la qualité des données fournies. Si vous modifiez la qualité des données, vous changerez nécessairement la qualité du résultat.

Dans le cas de l'ordinateur humain, qui se compose d'un système nerveux, c'est beaucoup plus complexe, mais le fonctionnement est essentiellement le même. Contrairement à l'ordinateur électronique, il produit ses propres données. Pas de câbles extérieurs reliés à votre cerveau. Vos détecteurs sont internes, intégrés à votre machine. La validité de leurs données, comme pour le traitement de textes, affecte directement la qualité du résultat. La perception sensorielle et les processus de la pensée qui s'ensuivent se déroulent surtout au niveau conscient, et votre façon de penser et de voir le monde déterminent ce que vous «voyez». Ainsi, il est vrai que les pensées ou les images mentales sont toujours les premières données que vous fournissez à votre système de succès intégré, et que les résultats, par le biais de votre performance, en sont toujours les conséquences premières.

Examinons de plus près l'effet des images mentales sur votre performance.

Votre système de succès intégré

Jusqu'au milieu des années quarante, les psychologues ne possédaient aucune connaissance approfondie du fonctionnement des relations entre le cerveau humain et le système nerveux dans la poursuite volontaire d'un objectif. Des scientifiques qui s'efforçaient de mettre au point un ordinateur électronique pour appuyer l'effort de guerre durent découvrir les lois et les principes fondamentaux s'appliquant aux mécanismes de poursuite d'objectifs. Ayant découvert ces lois, ils se demandèrent si le cerveau humain fonctionnait de la même façon. Selon l'opinion des premiers chercheurs devant concevoir des dispositifs destinés à poursuivre des objectifs, la réponse était un «oui» comportant plusieurs importantes distinctions.

Dans son remarquable ouvrage intitulé *La psychocybernétique**, le regretté docteur Maxwell Maltz, chirurgien

---

*   Paru aux éditions Un monde différent ltée sous format de cassette audio.

plastique et auteur de renom, comparait le système de guidage automatique d'un ordinateur mécanique au cerveau humain et au système nerveux. Il décrivait de manière quelque peu détaillée le fonctionnement d'un ordinateur électronique à bord d'un missile guidé dont l'objectif est de détruire les avions ennemis qui se présentent. Pour fonctionner, l'ordinateur doit être en mesure de détecter ses cibles, de les poursuivre et de les intercepter.

Une variété de détecteurs fournissent tous les renseignements nécessaires pour permettre à l'ordinateur du missile d'effectuer les calculs appropriés. Il doit comparer la vitesse et la direction de la cible à sa vitesse et à sa direction pour procéder à l'interception finale. Les données positives obtenues pendant le vol indiquent au missile que tout va bien, alors que des données négatives lui signifient qu'il doit apporter des correctifs. L'ordinateur réagit en ajustant la poussée du moteur ou les ailerons pour apporter les changements de vitesse ou de direction nécessaires. Le missile atteint donc son but en avançant continuellement, en enregistrant les erreurs et en effectuant de petits ajustements. Il «sent» littéralement sa cible et apporte une série de correctifs selon les données négatives qu'il reçoit, jusqu'au contact final.

Bien que l'on s'émerveille facilement de la vitesse et de l'efficacité des ordinateurs modernes, on oublie souvent qu'il est aussi complexe pour un joueur de football de tenter d'attraper une longue passe de toucher. À la mise en jeu, assourdi par les cris de la foule, le joueur entre en action. Pour être en mesure d'attraper le ballon juste au moment où il se rapproche du sol, il doit d'abord évaluer la vitesse initiale et la direction du ballon, calculer le vent et tenir compte de l'arc changeant qu'effectue le ballon, tout cela par rapport à sa vitesse et à sa direction propres. Tout en avançant, il évalue continuellement la position du ballon et corrige sa propre trajectoire, de manière à se trouver au bon endroit au bon moment pour effectuer le contact final.

Le joueur de football ne passe pas beaucoup de temps à penser consciemment à tout cela, mais son cerveau fonctionne à plein rendement au niveau subconscient. Son mécanisme de succès intégré accepte et traite toutes les données qui lui sont fournies par ses capteurs sonores et auditifs, les compare aux souvenirs concernant ses tentatives antécédentes et donne des instructions à ses bras, ses jambes et les autres muscles de son corps pour qu'ils réagissent comme la situation l'exige. Et, comme il vient de le visualiser, il attrape le ballon!

Des différences significatives existent dans la façon dont ces deux systèmes de succès fonctionnent, dans la poursuite de leur objectif. L'une d'elles est le fait que la machine conçue par l'homme reçoit simplement des données positives et négatives destinées à l'aider pendant son vol. Elle ne peut comparer son expérience présente à des expériences antérieures. Par ailleurs, la machine humaine reçoit des données et possède des données historiques portant sur ses réussites et ses échecs passés en la matière. Ces données historiques comprennent des idées, des convictions, des opinions et des interprétations d'expériences personnelles passées, tout cela, doté d'une forte composante émotionnelle. Si l'information fournie au mécanisme de succès du joueur lui dit qu'il est sans valeur, inférieur et incapable (par exemple, s'il a une image négative de lui-même), c'est cette information qui sera traitée et fournie à son système nerveux. Et, comme il s'y attendra, il échappera le ballon!

Une autre différence majeure est le fait que l'ordinateur mécanique, contrairement à l'être humain, peut «vouloir» ou «ne pas vouloir» intercepter un avion, ou prévoir de réussir ou d'échouer. Il est absolument insensible aux émotions positives ou négatives qui, si elles étaient présentes, affecteraient sa performance.

Enfin, l'ordinateur ne peut «apprendre» à faire quelque chose à force d'efforts répétés. À chaque fois, nous devons lui dire précisément ce qu'il doit faire. Il ne peut non plus faire preuve de créativité en décidant d'exécuter différemment une tâche donnée. Il ne peut prendre de lui-même aucune décision si elle n'a pas été programmée dans ses circuits. En un mot, l'ordinateur mécanique ne possède pas un «cerveau» qui lui est propre. Il ne possède qu'un système de succès qui exécute les instructions spécifiques qu'on lui confie.

Votre système de succès intégré «réussit» à tous les coups, que vous attrapiez le ballon ou non.

Remarquez que le système de succès intégré du joueur de football, contrairement à l'ordinateur du missile, «réussit» à tous les coups, que le ballon soit attrapé ou non. Quelle que soit l'image-objectif dominante sur laquelle on se concentre et que l'on garde fermement à l'esprit, qu'elle soit positive ou négative, elle se concrétise toujours. Vous pouvez choisir entre ce que vous désirez et ce que vous craignez. Dans tous les cas, vous obtenez ce dont vous entretenez constamment votre esprit. Étant donné que c'est toujours une réussite, il ne se produit aucun jugement et aucun remords lié aux résultats obtenus.

Ainsi, nous voyons que le système de guidage automatique en vous fonctionne comme un mécanisme de succès en ce qui concerne tous les résultats que vous obtenez, compte tenu de l'image mentale que vous entretenez fermement dans votre esprit. La pensée positive vous donne des résultats positifs quand l'image-objectif que vous avez en tête est positive et conforme à votre image de vous-même. Mais vous ne pouvez obtenir un résultat positif du système par la seule force de votre volonté. Vous ne pouvez consciemment exécuter une tâche en espérant réussir, tout en imaginant et en craignant que quelque chose puisse aller mal. L'esprit ne peut non plus se concentrer sur le contraire d'une idée donnée. Vous ne pouvez dire «Je ne veux pas échapper le ballon» si vous voulez l'attraper, car l'esprit ne se concentrera que sur l'aspect négatif (échapper le ballon) du concept. La pensée doit être positive et espérer le succès; par exemple: «Je me vois attraper le ballon, je l'ai fait plusieurs fois déjà, et je sais que je le peux encore une fois.»

Votre système de succès est infaillible

Nous voyons que le système de succès en vous est destiné à concrétiser toute image que vous acceptez et projetez sur l'écran de votre esprit. Le rôle de la partie consciente de votre esprit dans ce processus est toujours de produire l'image. Le rôle du subconscient est toujours de s'assurer que tous vos gestes, vos sentiments et vos comportements tiendront compte de cette image, votre image de vous-même. Ce que vous dites constamment vouloir à votre esprit, ce sur quoi vous vous concentrez, ce à quoi vous pensez continuellement est ce qui se concrétisera. Tout ce que vous imaginez est un aperçu de ce qui se produira.

Le subconscient est toujours le serviteur obéissant, l'esclave obligeant du processus de perception consciente, et il est activé par des images mentales. Mais une fois qu'il a reçu ses instructions, il devient l'influence la plus puissante qui soit dans votre vie. Il accepte toutes vos instructions sans discuter, les enregistre de façon détaillée et s'y reporte lorsque l'occasion l'exige. Le subconscient devient «intelligent» avec lui-même de la façon précise dont il a été programmé à penser, et il donne une forme physique à ce qu'on lui a dit de faire. «LE PATRON VEUT CETTE IMAGE ET IL L'AURA»: voilà son credo.

Ainsi vous êtes destiné à reproduire de façon habituelle certains modes de comportement jusqu'à ce que vous décidiez consciemment de changer l'image. En d'autres mots, vous devez fournir à votre subconscient une nouvelle image-objectif si vous voulez effectuer des changements; sinon, il se reportera automatiquement à sa programmation pour recevoir ses instructions. Vous jouez toujours le rôle, inconsciemment, de la personne que vous croyez être. Vous dansez toujours au son de la musique enregistrée sur votre magnétophone mental.

Comme système de succès, votre subconscient ne peut mal fonctionner. Il n'a pas son pareil, travaille nuit et jour — sans jamais se plaindre et en vous donnant toujours précisément ce que vous demandez constamment à votre esprit. Si jamais vous éprouvez des ennuis, c'est à la partie consciente de votre esprit que vous le devez, et non à sa partie subconsciente. C'est sur le processus de perception consciente que vous comptez pour refléter précisément la réalité et sélectionner votre image-objectif. Tout échec peut être imputé à la faculté objective de l'esprit, à vos processus de pensée consciente.

Le concept de soi

Cela nous amène à la percée psychologique majeure du vingtième siècle: la compréhension du rôle du concept de soi et de son influence sur la personnalité humaine.

L'expression concept de soi fait référence aux convictions que vous avez acquises et qui se rapportent directement à vous et à vos rapports avec le monde extérieur. Votre système personnel de convictions inclut toutes les convictions que vous entretenez dans la vie. Tout ce que vous croyez, l'ensemble des moindres petites croyances que vous avez concernant tous les aspects de votre personne, tout cela constitue votre concept de soi. Il détermine votre façon de penser, votre comportement et votre façon d'exécuter toutes vos activités. Il est le résultat de la moyenne de centaines de concepts de soi qui répondent à la question: «Qui croyez-vous être?»

- Quelle sorte de mère êtes-vous?
- Quelle sorte de père faites-vous?
- Quelle sorte d'employeur êtes-vous?
- Quelle sorte d'employé faites-vous?

- Quelle sorte de conteur êtes-vous?
- Quelle sorte de conducteur faites-vous?
- Quelle sorte de jardinier êtes-vous?
- Quelle sorte de cuisinier faites-vous?
- Êtes-vous très séduisant pour le sexe opposé?
- Êtes-vous un bon lecteur?
- Êtes-vous un bon rédacteur?
- Êtes-vous un bon chanteur?
- Êtes-vous un bon danseur?
- Êtes-vous un bon peintre?
- Vous habillez-vous bien?
- Avez-vous de la facilité avec les langues?
- Êtes-vous bon en mathématiques?
- Êtes-vous bon en dessin?
- Êtes-vous bon en mécanique?
- Vous rappelez-vous facilement les noms?

Dans tous les cas, le concept de soi agit comme un mécanisme de réglage ou de contrôle qui détermine la qualité de votre performance. N'oubliez pas que vous êtes celui que vous croyez être. Rappelez-vous que nous pensons tous de façon tridimensionnelle. Le concept de soi représente la conscience ou la composante «idée» de ce système de convictions, l'image de soi représente la composante conceptuelle et l'estime de soi représente la composante émotionnelle, celle des sentiments. L'image de soi est donc ce sur quoi votre esprit se concentre, et l'estime de soi est la façon dont vous vous sentez par rapport à cette image. Les sentiments font référence au timbre émotionnel que vous apposez sur chacun des éléments de la connaissance. Par exemple, votre concept de soi affiche le terme «PERSONNEL». Il constitue donc l'une des convictions les plus difficiles à modifier.

La composante la plus importante de «ce que vous pensez être» est celle de l'image. C'est aussi la seule composante sur laquelle vous pouvez exercer un contrôle. La composante du sentiment est automatique, elle est le résultat direct de l'image que vous entretenez dans votre esprit. Mais elle est aussi le facteur principal qui vous vaut des émotions négatives comme la crainte, la colère, la culpabilité, la jalousie, le désespoir ou le découragement.

L'image de soi

Toute une école de pensée a résulté de la découverte du concept de soi. Et cela a donné naissance à ce que l'on a appelé la psychologie de l'image de soi. Votre image de vous-même est simplement le système de convictions que vous avez adopté à propos de vous-même et les pensées-images correspondantes qui en sont le résultat.

On dit de l'éducateur Prescott Lecky qu'il a été l'un des premiers à suggérer l'amélioration de l'image de soi pour augmenter la performance personnelle. Dans son livre, *Self-Consistency: A Theory of Personality*, il affirme que les gens ne réussissent pas à cause d'une image de soi orientée vers l'échec, et non pas à cause d'un manque d'habiletés. Monsieur Lecky montre comment les convictions négatives et préconçues érigent des «obstacles mentaux», persuadant les gens à l'avance qu'il leur serait impossible de réussir à cause de leurs limites.

Par exemple, si une femme croit qu'il lui serait impossible de prendre la parole devant un vaste auditoire, l'image qu'elle a d'elle-même luttera jusqu'à la fin pour assurer son «succès». Dès son entrée dans l'auditorium, elle recherche tous les signes extérieurs pouvant lui faire perdre sa concentration, diminuer son assurance et accroître sa nervosité, tout cela pour s'assurer d'échouer. Alors elle se met à «réussir»: elle échoue à tous les coups! Elle devient si préoccupée par les échecs et par l'embarras et l'humiliation que cela suppose qu'elle concrétise ses craintes.

Prescott Lecky explique comment l'image de soi rejette d'abord toute nouvelle vue de soi: «Le centre du noyau de l'esprit est l'idée ou la conception que l'individu se fait de lui-même. Si une nouvelle idée semble concorder avec les idées déjà présentes dans le système, et surtout avec la conception qu'a l'individu de lui-même, elle est facilement acceptée et assimilée. Cependant, si elle ne semble pas conforme, elle fait face à de la résistance et sera sans doute rejetée.»

La théorie de Prescott Lecky de la conformité avec soi a reçu l'aval de chercheurs en éducation qui ont découvert que l'image qu'une personne a d'elle-même est un indicateur de performance plus précis que son quotient intellectuel. Cette fascinante découverte n'est pas encore tout à fait reconnue et exploitée par les gens qui tentent d'améliorer le rendement d'autres personnes, qu'il s'agisse des parents à la maison, d'enseignants dans une école ou de cadres dans un milieu de travail.

L'importance de l'image de soi a aussi été largement révélée au public par Maxwell Maltz dans *La psychocybernétique**. Il décrit les changements de personnalité qui se sont produits chez ses patients après qu'il leur eut enlevé leurs cicatrices et leurs difformités physiques grâce à la chirurgie plastique. La plupart des gens qui avaient perdu leur assurance et le respect d'eux-mêmes à cause de la façon dont ils considéraient leur anomalie physique sont devenus des êtres humains normaux et bien adaptés à la suite de la chirurgie corrective. Mais certains de ses patients n'ont pas changé et ont continué à se sentir inférieur et sans valeur comme auparavant. Il écrit: «Le changement de leur image physique ne voulait rien dire pour eux, tant était faible leur concept d'eux-mêmes, leur image d'eux-mêmes.»

La découverte de Maxwell Maltz démontre que la clé du changement de la personnalité et du rendement ne consiste pas à transformer le visage physique d'une per-

---

*   Publié aux éditions Un monde différent ltée sous format de cassette audio.

sonne, mais à changer son visage «mental», son miroir intérieur ou la façon dont elle se «voit».

«L'image de soi est la clé de la personnalité humaine et du comportement humain, écrit Maxwell Maltz, mais plus encore, l'image de soi détermine les frontières des réalisations individuelles. Elle définit ce que vous pouvez et ne pouvez pas être. Améliorez l'image de soi et vous reculerez les frontières du possible. L'acquisition d'une image de soi adéquate et réaliste semblera donner à l'individu de nouvelles capacités, de nouveaux talents et transformer littéralement l'échec en réussite.»

Une autre facette de l'image de soi est la question du «soi-idéal». Nous avons tous un tas d'idées, d'images et de sentiments qui représentent notre idéal, la personne que nous aimerions le plus être, avec les qualités et les habiletés que nous aimerions le plus posséder. Il s'agit généralement d'un assemblage de tous les gens que nous avons connus au cours de notre enfance et que nous en sommes venus à admirer le plus.

Chacun de nous est un produit des premiers modèles de sa vie. Nous avons été façonnés par la façon dont nos parents, d'autres membres de la famille, nos enseignants et nos amis agissaient et réagissaient avec nous. Plusieurs des qualités et des traits de personnalité que nous avons adoptés — nos intérêts, nos objectifs, nos valeurs et nos convictions — sont loin de notre idéal, mais ils sont caractéristiques des gens importants dans notre vie.

Tout le monde aspire à réussir, quel que soit le sens du mot «réussite» pour chacun. Le succès est synonyme de haut degré d'acceptation et d'approbation par la société en général, et contribue grandement à l'estime de soi. Nous voulons tous posséder des attributs gagnants qui nous apporteront plus de bonheur et de prospérité.

Examinez l'exercice suivant, qui vous donnera une nouvelle image de vous-même et une personnalité gagnante grâce à des techniques positives. Il fait appel à ce que l'on pourrait qualifier de processus de «minimalisation-maximisation», et démontre comment vous pouvez effectivement diriger vos processus de pensée là où vous le désirez. Vous pouvez accroître la quantité de messages positifs et désirables dans votre cerveau, et réduire la quantité de vos messages négatifs et indésirables. Votre corps réagira alors en conséquence.

Dans cet exemple, nous présumons que vous êtes droitier. Si vous êtes gaucher inversez les mains dans l'exercice.

La programmation neuro-linguistique
Exercice de remaniement #2
«Pour modifier l'image de soi»

Placez les deux mains à environ 38 cm devant votre visage, les paumes tournées vers vous. Imaginez votre personne de toujours, la façon dont vous êtes aujourd'hui. Encadrez cette image indésirable et placez-la au centre de la paume de votre main la moins dominante (la gauche). Assurez-vous que l'on y voit toutes vos verrues, vos cicatrices et vos failles, tant physiques que mentales.

Maintenant imaginez votre nouvelle personne, celle que vous voulez être, dans une scène typique. Encadrez aussi cette image et placez-la dans la paume de votre main la plus dominante (la droite). Assurez-vous qu'elle comporte tous les attributs et toutes les caractéristiques que vous désirez.Passez à votre «nouvelle personne». Voyez cette image en couleurs vives, comblée, avec une bande sonore et de l'animation pour agrémenter le tout. Imaginez que cette scène est tout à fait agréable et désirable, et qu'elle prend de l'importance.

Concentrez un moment votre pensée sur votre «ancienne personne». Voyez l'image en noir et blanc, en floue et peu animée. Imaginez que la scène est en nuyeuse et ndésirable, et qu'elle diminue à vue d'œil.

Passez à votre «nouvelle personne». Voyez cette image en couleurs vives, comblée, avec une bande sonore et de l'animation pour agrémenter le tout. Imaginez que cette scène est tout à fait agréable et désirable, et qu'elle prend de l'importance.

Passez à votre «nouvelle personne». Voyez cette image en couleurs vives, comblée, avec une bande sonore et de l'animation pour agrémenter le tout. Imaginez que cette scène est tout à fait agréable et désirable, et qu'elle prend de l'importance.

Et maintenant substituez la nouvelle image à l'ancienne comme suit. En vous concentrant sur votre main gauche, placez rapidement la main droite devant, à la hauteur de votre visage et dites «change!» d'une voix forte, confiante et ferme. Remplacez littéralement la vieille image indésirable par la nouvelle. Répétez l'exercice, en disant chaque fois: «Vois cela (main gauche), fais cela... change! (main droite). Vois cela (main gauche), fais cela... change! (main droite)» jusqu'à ce que la vieille image affiche instantanément la nouvelle avec tous les sentiments positifs qui y sont associés.

Répétez cet exercice à 10 reprises et successivement chaque jour pendant une semaine. Vous verrez que vous penserez à cette nouvelle image chaque fois que vous penserez à la personne que vous êtes vraiment. Et bientôt vous remarquerez que les autres commenceront aussi à vous voir de la même façon que vous vous voyez vous-même!

Le monde se forme l'opinion qu'il a de vous surtout à partir de l'opinion que vous avez de vous-même.

En fait, vous êtes le principal responsable de la façon dont les autres vous acceptent. La plupart des gens se préoccupent à tort de ce que les autres pensent d'eux, ne se rendant pas compte que les autres se forment surtout une opinion de vous à partir de l'opinion que vous avez de vous-même. En effet, les autres voient précisément en vous ce que vous voyez vous-même.

Le processus de la transformation de l'image au comportement se déroule entièrement au niveau subconscient. Il suppose ce que nous appelons le miroir intérieur. Le processus est le suivant. L'image que vous avez de vous-même se reflète sur l'écran de votre esprit, qui active alors votre système nerveux, pour que vous agissiez en conséquence. Vous ne pouvez consciemment voir cette image de vous-même, même si vous la portez comme un manteau. Mais tous les autres la voient. En d'autres mots, votre miroir intérieur est transparent, car les autres voient votre comportement et votre performance, qui représentent la manifestation physique de l'image de soi. À partir de cela, ils se forment une opinion de la personne que vous croyez être. Sept pour cent seulement de ce que vous communiquez aux autres l'est sous la forme de mots. Trente-huit pour cent proviennent du timbre de votre voix, alors que les cinquante-cinq pour cent restants sont représentés par votre langage corporel, qui inclut l'expression de votre visage, votre posture générale et divers mouvements de votre corps. Vous n'êtes généralement conscient que de vos paroles.

Bien que l'image de soi ne soit pas clairement évidente pour la partie consciente de votre esprit, vous pouvez comprendre une partie des images que vous y entretenez en vous écoutant parler, en observant la façon dont les gens réagissent face à vous et en comparant votre performance à des performances antérieures. Vous devez assumer l'entière responsabilité de l'image de vous-même que vous possédez maintenant.

L'estime de soi

L'estime de soi est la composante émotionnelle du concept de soi, et elle représente le cœur véritable de la personnalité humaine. Il est généralement admis par toutes les écoles de la psychologie moderne que l'estime de soi est l'élément le plus critique parmi ceux qui affectent toute performance humaine. La meilleure définition de l'estime de soi est «comment on s'aime soi-même» ou «comment on se sent à propos de soi.» L'image de soi peut être positive ou négative, et elle peut être conforme ou non à la réalité. Mais l'estime de soi est toujours conforme à l'image de soi que l'on a en tête, à la personne que l'on croit constamment être. Ainsi l'amour que vous avez pour vous-même dépend totalement de la personne que vous croyez être. Il peut s'agir de votre catalyseur interne ou de votre frein. Elle vous propulse vers l'avant ou vous empêche d'avancer. Elle est l'affirmation la plus importante que vous puissiez faire à propos de vous-même en tant que personne.

Dorothy Corkille Briggs nous livre les commentaires suivants dans son livre intitulé *Your Child's Self-Esteem*:

> «Qu'est-ce que l'estime de soi? C'est la façon dont une personne se sent vis-à-vis d'elle-même. C'est son jugement global à son sujet, l'amour qu'elle éprouve pour sa personne. Le jugement d'une personne à propos d'elle-même influe sur le type d'amis qu'elle choisit, sur les rapports qu'elle entretient avec les gens, sur le type de personne qu'elle marie et sur son degré de productivité. Cela influe sur sa créativité, son intégrité, sa stabilité et même sur sa situation de leader ou de disciple. Ses sentiments, quant à sa propre valeur, forment le cœur de sa personnalité et déterminent l'utilisation qu'il fera de ses aptitudes et de ses habiletés. Son attitude envers elle-même a un impact direct sur la façon dont elle aborde toutes les facettes de sa vie. En fait, l'estime de soi est l'élément primordial qui nous destine à la réussite ou à l'échec en tant qu'êtres humains.»

Les gens qui s'aiment et s'acceptent vraiment eux-mêmes comme des êtres humains de valeur découvrent qu'ils peuvent élargir leurs horizons, accepter de nouveaux défis comme faisant partie du processus normal de la croissance, et connaître une plus grande efficacité dans toutes leurs entreprises.

La plupart des gens ont peur de s'aimer, de trop s'aimer, du moins. Nous avons tous connu de ces personnes arrogantes et méprisantes qui agissent comme si elles étaient mieux que tout le monde. Peu d'entre nous souhaitent s'associer à des gens prétentieux, présomptueux. En réalité, les gens qui souffrent de ce que nous appelons un complexe de supériorité, qui sont agressifs et trop exigeants, et ceux qui souffrent d'un complexe d'infériorité, qui souffrent d'insécurité et sont toujours sur la défensive, souffrent de deux excès opposés d'un même mal: une piètre estime de soi. Les uns et les autres ont un complexe «d'image personnelle» car ils ne s'aiment pas beaucoup.

Les gens qui ont une image positive d'eux-mêmes, qui s'aiment et s'acceptent vraiment, manifestent toujours cette estime de soi sous la forme d'interactions positives et constructives avec les autres. Ils ne peuvent simplement pas dissimuler leur amour de la vie. Au contraire, les gens qui s'estiment peu tentent toujours de compenser leur sentiment par des gestes de supériorité ou d'infériorité. Tout le monde — le pauvre, le prisonnier ou le professionnel — peut bénéficier d'un niveau accru d'estime de soi.

Un autre aspect de l'estime de soi et de l'amour de soi a trait aux relations interpersonnelles. Vos rapports avec les gens sont directement influencés par la façon dont vous vous sentez à propos de vous-même. Vous êtes incapable d'aimer quiconque plus que vous vous aimez. Cela n'est que logique, car vous ne pouvez donner à d'autres ce que vous n'avez pas.

De plus, vous ne pouvez permettre à personne de vous aimer plus que vous vous aimez. En d'autres mots, vous ne pouvez accepter d'un autre une opinion à votre sujet qui soit meilleure que celle à laquelle vous croyez vous-même. Cela aussi est logique puisque l'on accorde généralement plus de valeur à ses opinions qu'à celles des autres.

Par conséquent, votre mesure d'estime de soi, l'amour que vous avez pour vous-même détermine à la fois la qualité et l'importance de vos relations interpersonnelles.

Ce n'est que dans la mesure où vous vous aimez que vous êtes capable d'avoir de bons rapports avec les gens et de leur permettre d'avoir de bons rapports avec vous.

Une piètre estime de soi a un effet négatif profond sur la personnalité et le comportement humain. La plupart des psychologues croient qu'une piètre estime de soi, plus que tout autre facteur, est la cause principale de la majorité des affections psychologiques, la raison principale des épidémies d'échecs chez l'être humain et de la misère que connaît la société de nos jours. On n'a qu'à penser à l'augmentation constante de la consommation de drogue et d'alcool, de la criminalité violente, des grossesses chez les adolescentes, de la violence au foyer, des viols, de la promiscuité et des agressions sexuelles chez les enfants. Les gens qui ne s'acceptent pas comme étant des êtres humains valables, qui ont une piètre opinion d'eux-mêmes, manifestent toujours leurs frustrations et leurs insécurités dans leurs rapports avec les autres. Quelque chose de très fondamental manque au cœur et à l'esprit de notre société moderne. C'est une question de piètre estime de soi.

Voyez, dans l'exemple suivant, comment une piètre estime de soi peut être une chaîne ou une prison.

Supposez que vous traversiez l'expérience perturbatrice suivante. Analysez la relation naturelle de cause à effet qui se produit comme suit:

- L'événement, qui est et ne dépend pas de votre volonté, mène à
- La perception, que vous pouvez contrôler, mène
- Au fait de se parler à soi-même, que vous pouvez contrôler, mène à
- Des sentiments, que vous ne pouvez contrôler directement, mènent à
- Un comportement, que vous ne pouvez contrôler directement.

L'événement: Une promotion vous est passée sous le nez une fois de plus. Même si vous avez plus d'ancienneté et une meilleure formation, un plus jeune a été nommé directeur du développement du marché des produits.

La perception: D'autres sont plus chanceux que vous. Le système d'évaluation accorde la préférence à des personnes plus jeunes. L'organisation apprécie d'autres personnes plus que vous.

Le fait de se parler à soi-même: «Je ne le mérite pas; je ne suis pas un employé productif; je ne suis pas aussi bon que la personne qui a été promue.»

Les sentiments: Le rejet, l'insécurité, le malheur, les déceptions, la colère et la dépression.

Le comportement: Moins d'intérêt, moins d'enthousiasme et moins d'efforts dans votre travail actuel, tout cela menant à un rendement moindre.

Résultat: Vous vous efforcez de prouver que votre fausse interprétation est correcte, comme en font foi vos perceptions et les propos que vous vous tenez! Dans le processus, vous vous créez un problème qui n'existe pas dans la réalité. Notez qu'en changeant simplement votre perception de l'événement et les propos que vous vous tenez, vous changeriez totalement vos sentiments et votre comportement.

Par exemple, il vous suffit de modifier quelque peu vos propos et de dire: «J'ai du mérite; je suis un employé productif; je suis aussi bon que celui qui a été promu.»

De temps à autre dans la vie, vous devez prendre du recul et tenter de voir le monde tel qu'il existe dans un contexte différent. Une bonne façon de commencer consiste à vous rendre compte que le bonheur existe partout. Il existe sur les traits de vos amis et de vos êtres chers, dans le rire des enfants, dans les vagues de l'océan et dans les nuages. Il est dans la pelouse, les fleurs et les arbres du parc. Il est tout autour de vous. Mais pour l'avoir, vous devez d'abord le «voir» en tout cela!

Frazier Hunt nous fait part de sa façon de voir cela en racontant une expérience émouvante qu'elle a vécue avec

Helen Keller. Son bref article a paru dans Redbook Magazine sous le titre *Our Unseeing Eyes*:

> «Par un après-midi de juillet à notre ranch des Rocheuses canadiennes, je me dirigeai vers la cabane de Helen Keller. Le long du sentier qui courait à travers une très belle forêt nous avions tendu un fil pour guider Helen lorsqu'elle s'y promenait seule, et soudain à un tournant je l'aperçus qui venait.
>
> Je m'assis, immobile, regardant cette femme condamnée à vivre à jamais dans une prison noire et silencieuse avancer d'un bon pas le long du sentier, radieuse. Elle sortit du couvert des arbres dans un espace ensoleillé directement en face de moi et s'arrêta près d'un groupe de saules. S'emparant d'une poignée de feuilles, elle en huma l'étrange fragrance; ses yeux aveugles étaient dirigés vers le soleil, et ses lèvres, si magiquement formées, prononcèrent le mot «beau!» Puis, souriant toujours, elle poursuivit sa promenade.
>
> J'essuyai des larmes de mes propres yeux qui n'exprimaient pas cette reconnaissance: pour moi, ce merveilleux paysage ne m'avait pas semblé beau; je n'avais ressenti que du découragement et de l'amertume parce qu'un de mes textes avait été rejeté. J'avais des yeux pour voir toutes les merveilles de la forêt, du ciel et des montagnes, des oreilles pour entendre le ruisseau et le chant du vent dans la cime des arbres. Il avait fallu les yeux aveugles et les oreilles sourdes de cette extraordinaire femme pour me montrer la beauté et le courage.»

Livrez-vous au simple test suivant qui vous indiquera le degré de contrôle que vous avez sur vos pensées et vos sentiments. Fermez les yeux pendant une minute, prenez quelques inspirations lentes et profondes, et essayez d'être heureux. Rappelez-vous une expérience heureuse du passé, ou imaginez-en une. Revêtez un sourire radieux. Faites une pause et appréciez les sentiments positifs que cela génère.

Maintenant, pendant une minute, essayez de vous sentir triste. Rappelez-vous une expérience triste ou imaginez-en une. Froncez les sourcils. Faites une pause et voyez les sentiments négatifs que cela génère.

Notez que rien ne modifie l'environnement externe pendant que vous générez ces nouveaux sentiments et ces nouvelles sensations. Le seul changement qui s'est produit est que vous avez communiqué avec vous-même, de la façon dont vous avez choisi de percevoir votre univers.

Soyez plus conscient de vos communications inté-rieures, de ce que vous voyez et de ce que vous vous dites à la suite des événements quotidiens, et apprenez à contrô-ler tout cela. Adoptez la conviction selon laquelle il y a du bien à tirer de toute adversité, que toute expérience vous assagira.

À titre d'expérience, écoutez les propos que vous vous tenez pendant une journée entière. Soyez attentif à toutes les pensées que vous générez et à tout ce que vous vous dites à la suite de tous les événements qui surviennent. Notez tout sur un bloc pour une évaluation à la fin de la journée. Vous serez très étonné par votre tendance à voir bien des choses de façon négative et improductive. En prenant conscience de ce fait, modifiez vos perceptions et les propos que vous vous tenez afin d'interpréter de façon plus positive ce qui vous arrive.

Si vous ne contrôlez pas votre perception et vos réac-tions à tout ce qui vous arrive dans la vie, vous lâchez la bride à vos sentiments et à votre comportement. Vous finissez par tirer des messages négatifs d'événements qui n'ont aucun fondement dans la réalité. Vous devenez vic-time des circonstances et vous perdez toute maîtrise de votre vie. Votre façon de vous voir détermine la façon dont vous vous sentez à propos de vous-même. Votre compor-tement tout entier est façonné par la personne que vous croyez être.

C'est cela qui est tellement important. Tout dans la vie est en effet une question d'attitude. Car ce sont les convic-tions à propos de soi qui déterminent l'image de soi, et

144

cette image de soi détermine le degré d'estime de soi. Le degré d'estime de soi détermine tout le reste.

Vous ne pouvez porter un jugement plus significatif que celui que vous portez sur vous-même; c'est cela qui détermine la voie que prendra votre vie. L'acceptation de soi est le fondement de toute croissance personnelle et de tout changement important. Elle donne le courage et la détermination de se tenir devant la foule, d'être quelqu'un, d'être tout ce que vous avez toujours voulu être.

Chapitre 6

Le fonctionnement de l'esprit

«L'étape la plus élevée qui soit dans la culture morale est le fait de reconnaître que nous devons contrôler nos pensées.»

Charles Darwin (1809-1882)
Naturaliste anglais

Tout comme des lois et des principes fondamentaux régissent votre univers physique, des lois et des principes fondamentaux contrôlent votre univers mental. Avant de pouvoir utiliser de manière appropriée votre système de succès humain, vous devez connaître les lois fondamentales qui déterminent votre comportement et influent sur votre être.

À cet égard, vous n'avez pas le choix. Vous ne pouvez pas décider de contourner ces lois pour éviter de les appliquer. Elles sont présentes dans toutes les activités mentales et vous donnent toujours les résultats que vous demandez constamment à votre esprit.

Nous avons vu que le cerveau humain ressemble beaucoup à un ordinateur électronique perfectionné. Lorsque vous faites l'acquisition d'un appareil perfectionné, vous prenez généralement le temps de lire attentivement le mode d'emploi avant de vous en servir. Le mode d'emploi est important. Il vous indique comment tirer le maximum de l'appareil, en tenant compte des tâches spécifiques qu'il est censé exécuter. Il doit en être de même concernant l'opération de votre miraculeuse machine intégrée.

Depuis votre naissance, vous êtes l'un des organismes vivants les plus évolués au monde, mais il vous manque les connaissances précises vous permettant de tirer le maximum de votre système interne de succès. Bien sûr, votre mécanisme automatique de poursuite des objectifs réussit toujours. Mais il réussit sans doute mieux à vous donner ce que vous ne voulez pas dans la vie qu'à vous donner ce que vous voulez. La compréhension des lois mentales vous aidera à obtenir ce que vous voulez plus souvent.

Cinq lois mentales

Une loi primordiale et quatre lois fondamentales régissent l'opération du système de succès humain. Vous devez connaître ces lois mentales qui régissent votre comportement, car ce n'est qu'en comprenant les causes que vous pouvez apprendre à contrôler les effets pour obtenir les résultats que vous désirez vraiment.

La première loi mentale est la loi de cause à effet. La loi de cause à effet est une loi fondamentale de l'univers. Selon cette loi, pour toute action, tout événement dans votre vie, il existe une cause préalable. C'est la raison pour laquelle tout se produit dans le monde. Comme vous l'avez appris en physique, toute action entraîne une réaction opposée.

De la même manière, tout effet comporte une cause. Dans le système humain, les pensées sont la cause, et les circonstances, l'effet. Votre mode de pensée particulier sera toujours la cause première de votre situation dans la vie, des effets ou des résultats que vous connaissez déjà. Si vous voulez que votre vie change, vous devrez changer votre façon de penser. Vous changez et vous croissez continuellement, évoluant toujours en direction de ce que vous voulez.

Les lois mentales suivantes sont toutes des conséquences de cette loi primordiale de cause à effet. Ensemble, elles démontrent le lien naturel qui existe entre le fait de contrôler ses pensées à tous les instants, jour après jour, et la performance qui en résulte en fin de compte. Le degré de bonheur et de prospérité de votre vie est à la mesure des succès remportés grâce à vos efforts constants.

La seconde loi mentale est la loi du contrôle. Selon la loi du contrôle, aussitôt que vous acceptez d'assumer la responsabilité de quelque chose, vous êtes en mesure de le contrôler. Comme le pilote d'un avion ou le conducteur d'un autobus, la personne assise derrière le volant a la responsabilité de l'opération du véhicule. Et il sait qu'il doit accepter l'entière responsabilité des conséquences de ses actes. Il apprécie et accueille la responsabilité qu'il a entre les mains, en constatant qu'en n'opérant pas correctement la machine qu'il contrôle, il peut provoquer la mort et la destruction de tout ce qu'elle contient. En n'acceptant pas l'entière responsabilité de votre machine à penser, du volant de votre vie, vous vous exposez à des déceptions et au malheur. Car vous ne pouvez garder une bonne opinion de vous-même à moins de savoir que vous méritez et obtenez de bonnes choses dans la vie grâce à des efforts systématiques et volontaires et à un comportement responsable.

Il se produit toujours dans votre vie des événements inattendus sur lesquels vous n'exercez aucun contrôle. Il arrive chaque jour des accidents sérieux et des décès. Mais même dans de tels cas, vous avez la capacité et la responsabilité de gérer et de contrôler vos réactions face à des événements aussi imprévisibles et, par conséquent, de contrôler leurs effets sur votre vie. Gérer ses pensées, puis ses actes et son comportement, c'est contrôler son destin.

Pour contrôler votre vie, vous devez accepter 100 % de la responsabilité de toutes vos pensées et de tous vos actes. Vous ne pouvez contrôler vos pensées et vos actes sans en accepter l'entière responsabilité. En ce sens, le contrôle et la responsabilité sont des compagnons nécessaires sur la voie de la pensée positive et de la vie positive. La loi du contrôle est essentielle au maintien d'un haut degré d'énergie, de paix d'esprit, d'assurance et d'émotions positives. Le contrôle commence par la pensée, qui détermine la performance, de même que la qualité et la somme de bonheur que l'on connaît dans la vie.

La troisième loi est la loi de la conviction. Selon la loi de la conviction, ce que nous choisissons de croire et d'accepter d'abord devient la réalité. Bien des gens ne comprennent pas que nous choisissons ce que nous croyons. Chacune de vos convictions est un choix — un choix fondamental si vous espérez progresser dans la vie. Vous êtes le résultat direct de toutes vos convictions. Elles forment un écran de logique ou de préjugés qui constitue votre univers. Vous n'y admettez que les données qui sont conformes à vos convictions les plus profondes, que ces convictions soient ou non conformes à la réalité.

Les convictions sont les forces les plus puissantes pour apporter des changements positifs dans la vie. Car même si vous entretenez des convictions fondées sur de l'information insuffisante, imprécise ou irrationnelle, ces convictions ont une influence directe sur votre façon de penser et d'agir. Les convictions envoient des commandes ou des signaux directs à votre cerveau, ce qui peut vous aider à accéder aux ressources les plus riches que vous possédez. John Stuart Mills (1806-1873), philosophe et économiste politique anglais, a dit un jour: «La personne qui a une conviction a la force de 99 personnes qui n'ont que de l'intérêt.»

L'effet le plus dommageable que votre performance et vous pouvez subir provient des fausses convictions que vous entretenez à votre sujet, car les convictions qui tendent à nous limiter donnent lieu à un comportement destructeur. Fondées sur la réalité ou la fiction, les convictions qui tendent à nous limiter se concrétisent dans la mesure où l'on y croit honnêtement. Vos actes sont alors à la mesure de vos convictions, et non à la mesure de vos possibilités. Comme le dit la Bible: «Si vous pouvez croire, tout vous est possible.»

Vous le voyez, ces lois mentales ne sont pas une création récente. Elles sont connues depuis des siècles. Malheureusement, seules quelques personnes les ont comprises et mises en pratique dans leur vie quotidienne. Il existe un excellent livre sur la loi de la conviction: *La magie de croire*[*] de Claude M. Bristol. Publié pour la première fois en 1948 et best-seller encore aujourd'hui, il démontre, par le biais d'anecdotes pittoresques et d'expériences vécues, l'immense pouvoir suggestif qu'ont les convictions sur la personne qui les possède. Ce pouvoir peut vous permettre de progresser ou constituer un frein dans tout ce que vous dites ou faites.

Les convictions acquises influent nécessairement sur les attentes individuelles, surtout celles portant sur le rendement personnel et ses conséquences futures. Si vous vous attendez à obtenir des résultats positifs, vous avez tendance à produire des résultats positifs; si vous vous attendez à des résultats négatifs, vous avez tendance à produire des résultats négatifs. C'est comme si vos attentes se réalisaient invariablement, car vous contribuez à les concrétiser. Les gens exceptionnels se convainquent toujours et convainquent les autres qu'ils s'attendent à ce que tout aille bien, qu'ils sont certains de réussir dans leurs entreprises.

Pour illustrer ce point, examinez l'exemple suivant. Des chercheurs étudiant la performance de pointe ont découvert que la perception d'une personne de son succès éventuel est un facteur primordial de son succès effectif. Dans le cadre d'une expérience, on a demandé à des volontaires de résoudre 10 puzzles identiques. Mais on leur a donné des résultats fictifs. On a dit à la moitié des sujets qu'ils avaient bien réussi, avec une marque de 7 sur 10, et à l'autre moitié que leurs résultats étaient médiocres, avec 7 échecs sur 10. On leur a remis une autre série de puzzles à faire, et les gens à qui on avait dit qu'ils avaient bien

---

[*] Publié aux éditions Un monde différent ltée sous format de livre et de cassette audio.

réussi firent mieux que les autres, alors que ceux à qui on avait dit qu'ils avaient échoué ont fait pire.

Il semble que l'association avec des succès passés et les attentes positives de succès futurs qui en résultèrent, ont été un facteur de motivation primordial. Notez que les attentes individuelles n'étaient fondées sur rien de réel. Ce sont les convictions, et non leur véracité ou leur fausseté, qui ont fait la différence.

La quatrième loi mentale est la loi de la concentration. Selon la loi de la concentration, ce sur quoi l'on se concentre d'abord, pour y penser constamment par la suite, fait partie de son expérience. Vous pouvez contrôler ce sur quoi vous vous concentrez. Vous pouvez acquérir une conscience du succès en vous concentrant sur des résultats positifs; vous pouvez aussi acquérir une conscience de l'échec en vous concentrant sur des résultats négatifs. Vous devez d'abord créer mentalement ce que vous souhaitez concrétiser physiquement, car en adoptant un point de vue mental, vous êtes à mi-chemin de votre objectif.

Nous savons que l'esprit conscient ne peut entretenir qu'une seule pensée à la fois, qu'elle soit négative ou positive; il ne peut jamais entretenir deux pensées simultanément. Si vous vous retrouvez avec une pensée négative, improductive à l'esprit, surtout si elle a atteint des proportions frôlant la phobie, vous devez trouver un moyen efficace de l'effacer. Vous pouvez par exemple la faire apparaître à l'écran de votre esprit, appuyer fermement sur la commande EFFACER et la voir disparaître. Une autre façon consiste à vous répéter le mot «stop», mentalement ou à voix haute, à plusieurs reprises. Ces deux techniques doivent être suivies d'une pensée positive, en vous concentrant volontairement sur le résultat désiré.

La troisième façon, la plus efficace, est l'exercice suivant qui fait appel à la technique de «minimisation-maximisation» dont nous avons parlé dans le cinquième chapitre.

La programmation neuro-linguistique
Exercice de remaniement #3
«Pour transformer ses pensées»

Les yeux fermés, fabriquez-vous une image de format moyen, en noir et blanc, du comportement que vous désirez changer. Voyez-la comme une photo encadrée, et placez-la mentalement devant vous, à une distance de 30 cm environ. Ensuite, fabriquez-vous une image colorée et vive du comportement que vous désirez adopter, et placez-la entre les tiges d'une fronde plantée dans le sol à quelques mètres devant vous. Mentalement, voyez cette scène s'éloigner davantage de vous, la bande élastique étant étirée de plus en plus. À la limite absolue de l'étirement, lâchez tout. Voyez la nouvelle image exploser littéralement devant vous et pénétrer votre cerveau. Répétez le mot «Change» à mesure que l'image intègre votre esprit conscient.

Deux éléments sont essentiels à la réussite de cet exercice: la vitesse et la répétition. S'il est correctement exécuté, vous sentirez votre tête faire un brusque mouvement vers l'arrière lorsque la nouvelle image vous frappera. Après chaque étape, ouvrez les yeux quelques secondes. Répétez l'exercice. Voyez-le, faites-le, faites une pause et absorbez l'impact. Ouvrez les yeux.

Arrêtez-vous un moment et réfléchissez à une pensée ou à un comportement qui vous empêche d'avancer. Faites appel à l'exercice de la fronde pour apporter le changement voulu. Maintenant, tout ce que vous voudriez voir devant vous, c'est une image colorée, vive, plus grande que nature du comportement que vous désirez.

Les techniques de ce genre démontrent qu'il est possible de contrôler consciemment sa pensée. Vous devez trouver une technique qui puisse vous garder sur la bonne voie et vous permettre d'éviter les pensées négatives et indésirables.

La cinquième loi mentale est la loi de l'attraction. Selon la loi de l'attraction, tout ce qui croît dans votre esprit conscient, est attiré dans votre vie. Vous attirerez toujours les gens et les situations qui s'harmonisent avec vos pensées dominantes du moment. C'est comme si vous gériez un important centre de communication qui transmet et reçoit l'énergie de la pensée. Vos pensées dégagent toutes une certaine intensité et une certaine fréquence qui communiquent à ceux qui entrent en contact avec vous. Les gens qui passent leurs journées en s'attendant à quelque chose de bon font preuve d'assurance, d'enthousiasme et ils savent où ils vont. Ils attirent à eux des gens et des situations conformes à leur état d'âme et repoussent les gens et les situations qui diffèrent.

Vous serez étonné de voir tous les événements et les situations souhaitables que vous vous attirerez si vous êtes positif et vous vous sentez bien à propos de vous-même et de votre vie. Mais cela fonctionne dans les deux sens. Vous serez aussi étonné de voir tout ce que vous pourrez vous attirer de négatif, si vous êtes pessimiste et vous vous sentez mal à propos de vous-même et de votre vie.

Voici ce qui se produit. Vous verrez plus de choses positives que vous verriez normalement dans votre vie, et vous ferez plus de choses positives que vous en verriez normalement si vous adoptez une attitude positive. Au contraire, vous verrez plus de choses négatives que vous en verriez normalement et vous ferez plus de choses négatives que vous en feriez normalement si vous adoptez une attitude négative. Ce que vous voyez et ce que vous faites crée le monde dans lequel vous vivez.

Vous concrétiserez toujours physiquement ce que vous créez d'abord mentalement..

Combinons maintenant les cinq lois mentales pour démontrer leur relation naturelle de cause à effet. Prenons d'abord la loi de la conviction.

Quoi que vous décidiez de croire, vous en adoptez la valeur, comme si vous consommiez des aliments. Cela assimile à votre esprit conscient, et fait partie du tissu de votre esprit. La conviction exerce alors un impact sur votre façon de voir, vos attentes quant à un résultat donné. Vous pensez à ce qui, à votre avis, se produira, et cela devient plus grand que nature. C'est la loi de la concentration qui vous le dit. Finalement, la loi de l'attraction ajoutera au processus, et rendra les gens et les situations conformes au résultat attendu. Vous matérialiserez toujours, dans la réalité physique, ce que vous créez d'abord mentalement — la conviction originale de départ que vous contrôlez.

L'image que vous avez à l'esprit tend à se matérialiser telle quelle physiquement. Vous pouvez agir sur ce processus de cause à effet grâce à la loi du contrôle, car chaque fois que vous contrôlez vos pensées, vous contrôlez votre comportement. Les pensées que vous entretenez constituent le facteur déterminant dans votre vie, la force dominante de votre existence.

Les exemples suivants illustrent ce dont nous venons de discuter. Ils appuient l'affirmation de Andrew Carnegie (1835-1919), l'industriel et philanthrope américain d'origine écossaise, selon laquelle «toute idée crainte ou très désirée adopte sans attendre la forme physique la plus pratique et la plus appropriée qui soit disponible.»

On raconte l'histoire d'un homme qui, pendant sa jeunesse, pensa à cambrioler une banque. Un jour, la pensée lui traversa l'esprit, mais il la rejeta rapidement, car il savait qu'il ne devait pas penser à cela.

Pendant plusieurs années, l'expérience se répéta, et chaque fois qu'il voyait une banque, il conservait à l'esprit cette pensée négative et destructrice qui venait hanter son esprit pendant quelques secondes. Avec le temps, il en vint à penser à cela pendant une minute durant. À la fin, chaque fois qu'il voyait une banque, il pensait pendant plusieurs minutes à ce que serait l'expérience du cambriolage.

Quelques années plus tard, son fantasme devint réalité. Tous ceux qui le connaissaient furent estomaqués. Comment un membre respecté de la collectivité pouvait-il commettre un crime de cette sorte?

On raconte aussi l'histoire d'une femme qui, enfant, pensait explorer l'espace comme astronaute. Un jour, la pensée lui traversa l'esprit, mais elle la rejeta bien vite parce qu'elle savait que cela n'arriverait sans doute jamais.

Pendant plusieurs années, cette pensée revenait insidieuse et, chaque fois, elle conservait quelques secondes cette pensée constructive et positive. Avec le temps, elle se mit à y penser une minute à la fois, puis en fin de compte, à chaque fois qu'elle levait la tête, elle passait plusieurs minutes à penser à ce que serait cette expérience.

Quelques années plus tard, son rêve devint réalité. Tous ceux qui la connaissaient furent très impressionnés. Comment une femme avec de si modestes origines pouvait-elle accomplir un exploit aussi fantastique?

Ces gens ont entretenu une pensée particulière pendant très longtemps, et ils ont nourri l'image qui y était rattachée. Réfléchissez un moment aux pensées et aux images qui occupent vos rêves. Pensez-vous à la crainte, à l'échec, à ce qui risque de vous manquer? Ou alors voyez-vous des occasions de réussite, des défis à relever et de l'abondance tout autour de vous?

Pensez à l'exemple du gland. Même si, extérieurement, il ressemble à un objet solide, comme tout ce qui existe dans le monde, il est une masse de molécules qui vibrent à de très hautes vitesses. La nature a déterminé le taux de ces vibrations, et elle a prévu dans sa composition moléculaire un plan précis qui déterminera son expansion et sa croissance.

Nous savons que tous les processus de la nature sont destinés à réussir. Aussitôt que le gland est planté en terre, ses vibrations déclenchent une force d'attraction qui lui apporte des minéraux, de l'eau et d'autres nutriments en vibration harmonieuse avec la nature. Il y a littéralement tout un défilé de particules qui sont attirées vers la graine, alors que d'autres particules, dont les vibrations ne s'harmonisent pas aux siennes, sont repoussées.

Bientôt de petites pousses surgissent du dessus et du dessous de la graine pour devenir des branches, des feuilles et des racines. Des particules de la terre et d'autres de l'atmosphère se combinent en une association continue et progressive, qui conduira finalement à la création d'un grand et majestueux chêne. La composition ultime de l'arbre est le produit du plan original ou du système de succès programmé dans la petite graine.

Mais contrairement à celui du gland, votre destin n'a rien de spécifique. Vous êtes l'un des créateurs de votre existence. Vous pouvez transformer votre programmation actuelle selon votre choix. La façon dont vous vous «voyez» dans diverses situations réelles devient le plan selon lequel vous vous développerez en définitive.

L'attitude mentale

Nous en venons maintenant au sujet de l'attitude mentale. Votre attitude mentale se définit comme étant votre manière habituelle d'agir, de ressentir et de penser qui indique votre disposition, vos opinions et vos convictions dans la vie. Les trois mots clés sont habituelle, pensée et convictions. Nous savons que vous êtes une fonction de ce que vous pensez la plupart du temps. La caractéristique la plus visible de ce que vous pensez est votre attitude. Votre personnalité, la personne que vous dites être est simplement l'expression de vos attitudes intérieures et de vos sentiments; votre comportement peut être comparé à votre attitude dans l'action. Votre attitude est donc un reflet de l'univers de toutes vos convictions et de la qualité de votre mode de pensée.

Des recherches approfondies sur les raisons qui font que les gens réussissent démontrent qu'un facteur essentiel est présent dans tous les cas: une attitude mentale positive. Avec d'autres facteurs clés de succès dont nous parlerons plus tard, il s'agit d'une condition préalable essentielle pour progresser dans la vie. W. Clement Stone, auteur de plusieurs livres de psychologie populaire, appelle l'attitude mentale positive «AMP et affirme: «L'AMP est le catalyseur qui rend fructueuse toute combinaison de principes de succès.»

Les recruteurs de cadres de l'université Harvard ont découvert dans le cadre d'une étude que 85 % de tout ce qu'une personne accomplit après ses études universitaires en ce qui concerne la fortune, le travail et la situation sociale est le résultat de son attitude; 15 % seulement relève des aptitudes et des habiletés. Des recherches similaires démontrent qu'il n'y a aucune corrélation entre les revenus et les résultats scolaires. Dans 85 % des cas au moins, c'est l'attitude qui détermine le rendement et le progrès d'une personne.

Allan Cox, auteur de l'ouvrage très populaire intitulé *The Cox Report on the American Corporation*, a mené une étude auprès des cadres supérieurs d'entreprises «Fortune 500» en 1982. Quatre-vingt-quatorze pour cent des personnes interrogées attribuent davantage leurs succès dans la vie à leur attitude plus qu'à tout autre facteur.

Si tout cela vient appuyer le besoin d'une attitude mentale positive, pourquoi tellement de gens en sont-ils dépourvus? Nous sommes à coup sûr assez intelligents pour reconnaître une bonne chose lorsque nous la voyons. Mais cela suffit-il à nous permettre de changer d'attitude? Il est clair que non.

Nous avons vu que notre attitude est une fonction de nos convictions — nos convictions fondamentales concernant notre personne, nos habiletés et notre univers. Nous savons aussi que nos convictions déterminent nos attentes quant aux résultats que nous obtiendrons. Si vous avez une attitude positive, vous espérez des résultats favorables; si vous avez une attitude négative, vous vous attendez à des résultats défavorables. Pour paraphraser Denis Waitley dans son livre *Attitude d'un gagnant**, les gens qui réussissent ont l'habitude de fabriquer leurs propres attentes positives. Ils ont acquis une attitude positive, même s'ils ne peuvent être certains que tout ira selon leurs prévisions. Une attitude positive conduit à des attentes positives, enthousiastes, avec un impact positif sur les gens et qui mènent à des résultats positifs et productifs. Les attitudes positives constituent une puissante force suggestive qui contribue à créer sa propre réalité.

Samuel Johnson écrivait, il y a longtemps, le commentaire suivant concernant l'attitude mentale: «Celui qui connaît si peu la nature humaine pour chercher le bonheur autrement qu'en modifiant ses tendances perdra sa vie en efforts infructueux et multipliera les malheurs qu'il souhaite effacer.»

Jugez vous-même de l'effet de l'attitude dans l'interview suivant. En lisant les échanges verbaux, comparez les attitudes aux faits présentés à l'intervieweur par le candidat, et voyez ce qui importe le plus.

Question: Intervieweur: Bonjour, monsieur. Comment allez-vous aujourd'hui?

Réponse: Candidat à l'emploi: Comme hier, je suppose. Ni mieux ni pire. Je survis.

Question: Pourriez-vous me donner des renseignements sur vous, s'il vous plaît? D'abord, votre nom?

---

* Publié aux éditions Un monde différent ltée.

Réponse: Shelley Clarke. Mais ce n'est pas ma faute. Mes parents l'ont rêvé. Imaginez! Shelley Clarke! Quel nom à porter toute sa vie!

Question: Et votre adresse, s'il vous plaît?

Réponse: Douze, rue Backwater. C'est tout près du dépotoir du comté. Ça sent bon la nuit.

Question: Et quelles sortes de notes avez-vous obtenu dans vos études, Shelley?

Réponse: Des «D», continuellement. Mais c'est l'école que je fréquente. Piètre instruction et piètres moyens. Vous ne pouvez vous attendre à des réussites quand tout le monde s'en fout. Si seulement j'avais pu fréquenter cette nouvelle école à l'autre bout de la ville...

Question: Pouvez-vous me dire pourquoi vous voulez travailler pour la compagnie ABC?

Réponse: Eh bien, parce que vous embauchez, je suppose. Et puis, j'ai entendu dire que vous offriez de bons avantages médicaux et un bon régime de retraite. Je suis souvent malade et j'ai toujours pensé à prendre ma retraite jeune.

Question: Je vois. mais quelles compétences pouvez-vous offrir à notre compagnie?

Réponse: Compétences? Je n'y ai jamais pensé. Je n'aime pas le travail de bureau et les gens m'énervent. Ils m'imposent toujours des choses que je ne veux pas faire.

Question: Quelle expérience et quelles qualifications avez vous pour ce poste, Shelley?

Réponse: Euh, je n'ai pas d'expérience. J'attends encore que l'on me donne ma chance. Je ne suis pas prêt à faire n'importe quoi, vous savez.

Question: Shelley, êtes-vous certain de vouloir travailler à la compagnie ABC?

Réponse: Eh bien, mes parents m'ont dit que je devrais arrêter de compter sur eux et que je devrais profiter de quelqu'un d'autre pour faire changement.

Question: D'accord, Shelley. Quelle est votre ambition dans la vie? Où aimeriez-vous être dans cinq ou dix ans?

Réponse: Eh bien, j'aimerais être loin d'ici, c'est certain. Il n'y a pas d'avenir pour moi dans cette ville. Et puis, il y a mon nom. Comment quelqu'un qui s'appelle Shelley Clarke peut-il s'attendre à s'en sortir? J'ai l'impression d'aller nulle part, et de m'y rendre très vite!

À partir de ses remarques, réfléchissez un moment à certaines des images mentales qu'entretient Shelley. À quel point sont-elles productives? Sont-elles un reflet réaliste de ce qui existe vraiment? Ou crée-t-il simplement une réalité négative de son choix? Ne pourrait-il pas changer cela en une image plus positive? Bien d'autres personnes portant des noms simples tels que George Bush, Paul Newman et Steve Jobs réussissent très bien.

Il est clair que les attitudes sont plus importantes que les faits dans la vie. Les attitudes sont contrôlables, alors que la plupart des faits, comme notre nom et notre lieu de naissance, ne le sont pas. C'est la façon dont nous réagissons aux situations qui importe le plus.

Le processus de l'apprentissage

Tout adulte est le produit de l'apprentissage social qu'il reçoit pendant son enfance. Le processus de l'apprentissage comporte quatre étapes précises: l'énergie, le signal, la réponse et le renforcement.

1. *L'énergie* porte sur le motif de tout acte, quel qu'il soit. Ce motif peut être inhérent ou appris. Les motifs inhérents incluent les besoins fondamentaux comme la nourriture, l'eau, l'air, le sommeil, la sécurité, l'approbation et l'amour. Les motifs appris incluent notamment l'obéissance, le conformisme et l'acceptation sociale qui conduisent à l'acquisition de divers traits liés à l'attitude comme la patience, l'honnêteté, l'intégrité et la débrouillardise. Il y a beaucoup plus de motifs acquis que de motifs inhérents ou innés.

2. *Le signal* est le stimulus perçu qui déclenche la pensée les sentiments et les gestes physiques. Il vous indique quand et où commencer à réagir à un motif.

3. *La réponse* est la réaction à un stimulus, bien souvent simplement déclenchée par des pensées ou des sentiments. La réponse est liée à vos réactions à des signaux spécifiques, aux pensées positives et négatives habituelles que vous avez acquises au cours de votre jeunesse. Une façon de penser habituelle est simplement une réaction acquise par le biais d'une image mentale fermement enracinée dans la réalité subconsciente.

4. *Le renforcement* a trait à la récompense ou au châtiment que vous recevez à la suite d'un acte donné. Lorsque vous réussissez, vous obtenez un résultat positif qui vous encourage à poser à nouveau le même acte à d'autres occasions. Lorsque l'acte ne réussit pas, vous obtenez un résultat négatif qui vous encourage à ne pas le répéter.

Reportez-vous à l'exercice de remaniement sur l'assurance au début du livre pour comprendre l'importance de la réaction à un stimulus. Lorsque vous percevez un stimulus qui vous rend anxieux, par exemple, c'est que ce signe particulier déclenche par habitude cette réponse acquise. Pour contrer cet effet indésirable, il est nécessaire de lui substituer une autre réaction, elle aussi fermement ancrée à force de répétition. L'ancre ou le déclencheur utilisé peut être créé par vous, ou il peut s'agir du signal original qui, au départ, a provoqué votre anxiété. Par exemple, si la pensée de prendre la parole en public vous rend nerveux, faites appel à l'image d'un micro et d'un podium pour déclencher la réaction positive et désirable que vous souhaitez.

Tout apprentissage est un processus graduel et répétitif qui suppose quatre niveaux de compétence. Le premier est le niveau «d'incompétence inconsciente» où vous êtes totalement inconscient qu'il vous manque une compétence ou une habileté particulière. Le deuxième niveau est celui de «l'incompétence consciente» où il vous manque une compétence ou une habileté particulière, mais vous le savez parce que quelqu'un vous a informé de ce fait. Le niveau suivant est celui de la «compétence consciente» où vous êtes conscient de bien savoir faire une chose particulière. Le dernier niveau d'apprentissage est celui de la «compétence inconsciente» où vous faites automatiquement ce que vous faites bien, sans jamais y penser. À ce niveau, votre comportement est habituel et se déroule totalement au niveau subconscient.

Prenez l'exemple d'une mère qui apprend à son fils comment nouer ses lacets. Au début, l'enfant ne sait même pas qu'il a des lacets à nouer (incompétence inconsciente), mais il le sait dès que sa mère le lui explique (incompétence consciente). Après avoir appris cette nouvelle habileté, l'enfant noue ses lacets au niveau de la compétence consciente. Après beaucoup de pratique, il passe au niveau de la compétence inconsciente, ou l'expérience d'apprentissage est tout à fait enracinée et automatique.

Les pulsions inhérentes et les pulsions acquises

Procédons à une description des pulsions fondamentales et inhérentes chez l'être humain. Même si les pulsions inhérentes sont fondamentales au caractère humain, elles diffèrent souvent d'importance d'une personne à l'autre. Dans son livre classique intitulé *Motivation and Personality*, Abraham Maslow (1908-1970), un psychologue américain, propose la hiérarchie suivante des besoins et des désirs humains comme fondement à la compréhension du comportement humain et de sa motivation:

Heureusement, nous n'avons pas à apprendre à respirer, à nous protéger ou à chercher les relations intimes et amoureuses, ces pulsions et bien d'autres étant inhérentes. Mais la recherche de plus hauts niveaux de satisfaction est plus compliquée. C'est programmé en vous après la naissance. En imitant les autres dans leur environnement, les gens apprennent à être honnêtes ou malhonnêtes, gentils ou prétentieux, ou débrouillards ou paresseux dans la poursuite de leurs objectifs. Ils apprennent à rechercher les récompenses à court terme ou à être patients dans leurs quêtes, devenant opportunistes ou dévoués à la réalisation d'objectifs à long terme. Les pulsions acquises sont donc primordiales pour la formation du caractère et le développement de la personnalité, car elles déterminent dans une large mesure comment les gens réaliseront leurs buts à tous les niveaux de l'éventail des besoins et des désirs.

Qu'est-ce qui fait de vous la personne que vous êtes aujourd'hui? Lorsque vous êtes venu au monde, vous étiez presque un potentiel pur, dénué du moindre concept de soi. Vous avez bien sûr hérité de la conformation génétique de vos parents. Il est clair que cela a eu un impact significatif sur vous, mais ce n'est là qu'une des influences ayant déterminé votre personne actuelle.

La plupart des idées, convictions, valeurs, attitudes et sentiments que vous avez actuellement n'existaient pas au moment de votre naissance. Vous avez acquis ces caractéristiques au cours de votre jeunesse par le biais du processus de l'apprentissage. Les dossiers de votre mémoire étaient d'abord constitués de pages blanches. La manière dont elles ont été remplies et leur contenu ont déterminé la direction qu'a prise votre vie.

Les éléments essentiels d'aujourd'hui forment la base de votre personnalité adulte et ont été acquis durant les premières années de votre vie. Pendant ces années, vous avez dû faire l'expérience de l'amour de vos parents et des

Illustration 6

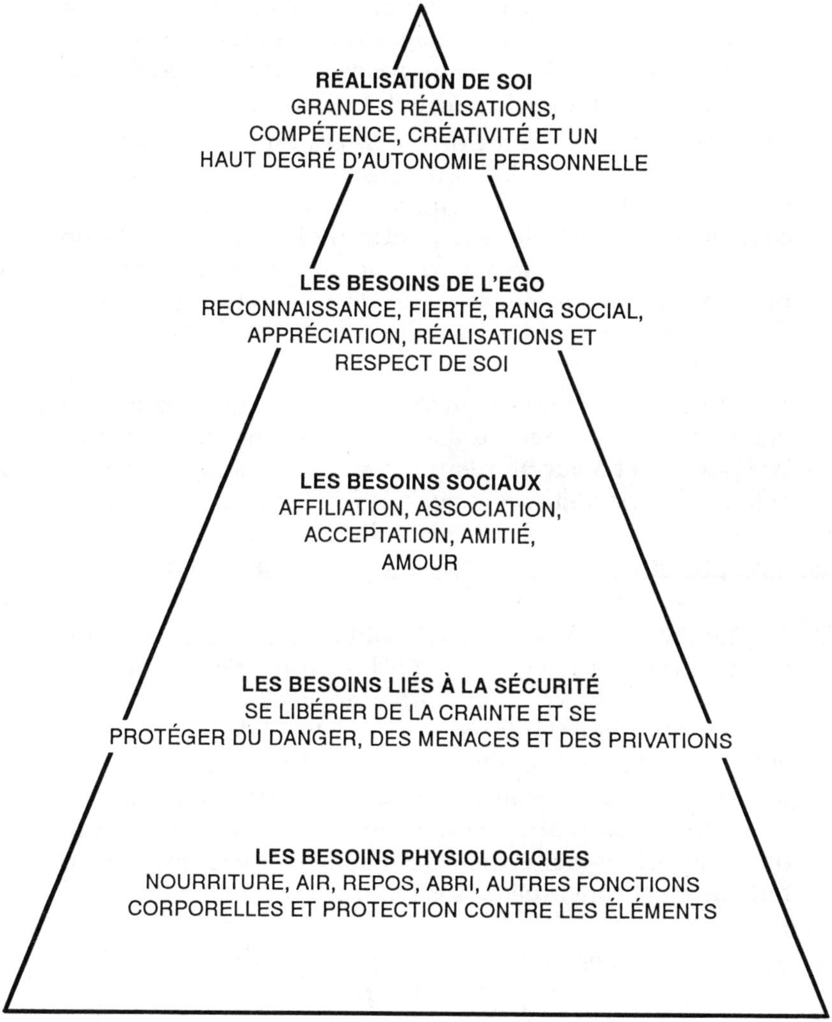

RÉALISATION DE SOI
GRANDES RÉALISATIONS,
COMPÉTENCE, CRÉATIVITÉ ET UN
HAUT DEGRÉ D'AUTONOMIE PERSONNELLE

LES BESOINS DE L'EGO
RECONNAISSANCE, FIERTÉ, RANG SOCIAL,
APPRÉCIATION, RÉALISATIONS ET
RESPECT DE SOI

LES BESOINS SOCIAUX
AFFILIATION, ASSOCIATION,
ACCEPTATION, AMITIÉ,
AMOUR

LES BESOINS LIÉS À LA SÉCURITÉ
SE LIBÉRER DE LA CRAINTE ET SE
PROTÉGER DU DANGER, DES MENACES ET DES PRIVATIONS

LES BESOINS PHYSIOLOGIQUES
NOURRITURE, AIR, REPOS, ABRI, AUTRES FONCTIONS
CORPORELLES ET PROTECTION CONTRE LES ÉLÉMENTS

**PULSIONS INHÉRENTES PROPOSÉES PAR
ABRAHAM MASLOW**

autres membres de votre famille, et apprendre à quel point vous êtes aimable, acceptable et valeureux. La qualité des soins et des traitements que vous avez reçus vous a marqué pour la vie. Ainsi, par le biais du comportement et des réactions des autres à votre présence, vous avez développé le sentiment, l'impression de votre personne, de votre être.

Vous êtes né presque dénué de crainte. La plupart des enfants n'ont que deux craintes à la naissance: la crainte de tomber et celle des bruits puissants. Mais ils ont peut-être acquis ces craintes dans le ventre de leur mère. Presque toutes les autres craintes sont acquises par le biais du processus de l'apprentissage et de la répétition. Si vous voulez vous débarrasser de telles craintes, vous devez faire appel au même processus.

Il y a deux façons principales dont vous avez acquis vos habitudes de pensée. La première consistait à imiter vos parents et à adopter leurs convictions, leurs manières et leurs comportements. Vous passiez la majeure partie de votre temps avec eux, vous attachiez une grande valeur à leur présence, et vous avez été amené à les considérer comme des modèles à imiter.

Le second processus consistait à réagir au comportement de vos parents à votre égard, surtout concernant leur façon de vous exprimer leur amour et leur affection. Comme tous les enfants, vous aviez besoin de tout l'amour et de toute l'attention que vous pouviez obtenir au cours de votre jeunesse. Tout le monde a un insatiable appétit d'amour, d'acceptation et d'approbation. Cela est encore plus important pour un enfant dont le seul groupe de référence est constitué de ses parents.

Les deux craintes principales:
L'échec et le rejet

Les deux craintes principales dont souffrent les gens sont la crainte d'échouer et celle d'être rejeté. Elles sont toutes deux le résultat d'une piètre estime de soi provoquée par des expériences négatives ou traumatisantes vécues au cours de l'enfance. Ces deux craintes, qui représentent des réactions émotives acquises, empêchent plus de gens de réaliser entièrement leurs possibilités que tout autre aspect de la personnalité humaine.

Les parents commettent très souvent l'erreur de formuler des critiques destructrices et d'imposer des punitions de manière arbitraire à leurs enfants. Cela indique à l'enfant que sa valeur personnelle et son comportement sont une seule et même chose. L'enfant commence alors à associer sa personne et sa valeur personnelle à l'opinion qu'ont ses parents de sa conduite. Lorsque les critiques destructrices ou les châtiments arbitraires sont courants, l'enfant souffre de problèmes psychiques et même de traumatismes, qui risquent de le handicaper pour la vie. Ce traitement prive invariablement l'enfant de son individualité et de sa force intérieure, et il lui enlève ses chances de réaliser toutes ses possibilités.

Les craintes que vous avez acquises se traduisent toujours par des messages verbaux que vous vous répétez constamment. La crainte de l'échec est caractérisée par des expressions du genre: «Ça ne sert à rien» ou «Je ne peux pas.» Cela se produit après que l'on se soit fait dire sans cesse pendant l'enfance: «Non», «Ne fais pas ça,» «Ne va pas là,» ou «Ne touche pas à ça.» Les enfants sont naturellement curieux et inquisiteurs. Ils ne comprennent pas pourquoi les parents réagissent de cette façon. Tout ce qu'ils comprennent, c'est que chaque fois qu'ils tentent de faire quelque chose, leurs parents réagissent de façon négative. Ils critiquent, ils menacent et ils punissent. L'enfant ne comprend qu'une chose: il n'est ni capable, ni digne d'éloges.

Les enfants ne peuvent faire la distinction entre une critique valable et une autre qui ne l'est pas lorsqu'ils sont très jeunes, et ils grandissent avec une habitude de la pensée négative bien enracinée en eux. Chaque fois qu'un nouveau défi ou une nouvelle occasion se présente par la suite dans la vie, ils se répètent: «Je ne peux pas,» «Je vais échouer,» «C'est trop risqué» ou «On va me critiquer et je serai embarrassé.» Cette crainte de l'échec conduit à ce que l'on appelle une façon de penser négative et inhibitive, et il s'agit de l'un des plus grands obstacles à la réussite auxquels les adultes doivent faire face dans la vie.

La critique destructrice et les châtiments arbitraires sont toujours une atteinte à l'estime de soi et à la confiance en soi des enfants. Ils nuisent à la capacité de se débrouiller dans tous les aspects de la vie. Les enfants qui ont été régulièrement soumis à la critique destructrice deviennent des adultes extrêmement sensibles, incapables d'accepter quelque critique que ce soit, constructive ou destructrice.

Dans son livre intitulé *Language in Thought and Action*, le linguiste américain et ex-sénateur S.I. Hayakawa fait état d'une expérience pratiquée sur des rats de laboratoire qui démontre à quel point les châtiments arbitraires, qui sont un type de critique destructrice, les immobilisent en permanence et les empêchent de faire des choix.

> «Le professeur N.R.F. Maier de l'Université du Michigan a effectué une série d'expériences intéressantes au cours desquelles on provoque une «névrose» chez des rats. Les rats sont d'abord entraînés à sauter d'une plate-forme à travers l'une de deux portes. Si le rat saute à droite, la porte ne s'ouvre pas, il se heurte le museau et tombe dans un filet; s'il saute à gauche, la porte s'ouvre et il trouve un plat de nourriture. Lorsque les rats ont tous la bonne réaction, on change la situation. La nourriture est placée derrière l'autre porte, et pour obtenir leur récompense les rats doivent sauter à droite plutôt qu'à gauche. (D'autres changements, comme le marquage des deux portes de façons différentes, peuvent aussi être effectués par le chercheur). Si le rat ne découvre pas le nouveau système et que chaque fois qu'il saute il ne sait jamais s'il obtiendra de la nourriture ou se heurtera le museau, il abandonne et refuse de sauter. À cette étape, précise monsieur Maier, «plusieurs rats préfèrent mourir de faim plutôt que de faire un choix.»

Une autre erreur que commettent beaucoup de parents est d'accorder un amour conditionnel à leurs enfants.

Cela suppose la privation d'amour ou des menaces en ce sens dans le but de contrôler la conduite de l'enfant. Souvent les parents ne se rendent pas compte qu'ils peuvent causer des problèmes psychologiques à leurs enfants, parfois de façon irrémédiable, en exigeant l'obéissance et le conformisme en échange de l'expression d'amour et d'affection. Les enfants éprouvent un tel besoin d'amour qu'ils feront presque n'importe quoi pour en avoir. S'il ne reçoit qu'un amour conditionnel, un enfant perd rapidement son innocence, sa spontanéité naturelle et son courage. Même si cette technique de manipulation est très efficace, elle peut être très destructrice. Elle laisse souvent de profondes cicatrices psychologiques qui resteront toute la vie, et crée de graves problèmes psychologiques qu'un enfant ne comprend pas et sera incapable de surmonter à l'âge adulte.

La crainte d'être rejeté est caractérisée par les expressions «Je dois» ou «Je suis obligé de.» Elle est le fait de l'enfant qui ne reçoit qu'une acceptation et un amour conditionnels. Elle est causée par des parents qui indiquent à leurs enfants qu'on ne les aime pas pour eux-mêmes, mais seulement lorsqu'ils ont une conduite acceptable pour les parents. Lorsque l'on répète sans cesse aux enfants: «Fais ce que je dis, sinon...» «Je t'ai dit de faire cela» ou«Tu vas voir ce qui va t'arriver», ils ne comprennent pas pourquoi on les traite de cette façon. Ils sont forcés de penser qu'ils n'ont pas de valeur, qu'on ne les aime pas pour eux-mêmes et qu'ils ne sont pas en sécurité. Ils se mettent à croire que leurs parents ne les aimeront que s'ils font exactement ce qu'on leur dit et ce qu'on approuve. Ils savent qu'ils doivent faire ce que leurs parents leur disent, et ce, quoi qu'ils aient envie de faire.

Cette crainte d'être rejeté conduit à ce que l'on appelle un comportement habituel négatif compulsif. Les enfants soumis à une acceptation et à un amour conditionnels routiniers sont préoccupés à l'âge adulte par ce que les gens pensent d'eux et de ce qu'ils font, et c'est cela qui régit leur vie.

Ces deux modes de pensée négatifs et habituels, l'inhibitif et le compulsif, peuvent vous empêcher d'avancer toute votre vie durant. La pire des situations est celle où les deux modes de pensée s'uniraient contre vous: «Je ne peux pas, mais je sais que j'y suis obligé» ou «Je suis obligé, mais je sais que je ne peux pas.» Vous vous sentez obligé d'agir, mais vous avez peur d'essayer. Vous faites face à ce que vous percevez comme une situation impossible. Ces deux craintes ne peuvent que nuire au sens personnel de la valeur d'une personne. Nous savons que le manque d'impression positive à propos de soi constitue la cause première de tout le malheur et de tous les échecs que connaissent les gens dans la vie. Plus d'adultes ne parviennent pas à réaliser toutes leurs possibilités à cause d'une image négative d'eux-mêmes que pour toute autre raison.

«Les difficultés mentales et émotionnelles démoralisantes qui affectent les gens normaux sont les contraintes les plus puissantes et les plus universelles,» si l'on en croit John W. Gardner, auteur du livre *Self-Renewal*.

Se libérer de ses craintes

Les modes de pensée négatifs habituels reflètent les nombreuses craintes que vous avez acquises très tôt dans la vie, surtout en ce qui a trait à celles qui ne sont pas naturelles psychologiquement. Toutes les pensées négatives conduisent nécessairement à des émotions négatives, qui nuisent à la santé mentale et contribuent à une piètre performance. La clé du bonheur et de la réussite consiste à ressentir le plus grand nombre possible d'émotions positives à la suite de ses efforts. Comme le notait Helen Keller, tous les bonheurs et les plaisirs de la vie sont invisibles et inaudibles: ils sont ressentis.

Nous avons vu comment les modes de pensée négatifs habituels peuvent être éliminés de la vie. La présence d'émotions négatives n'a pas à être permanente. Vous pouvez apprendre à remplacer le vieux par du neuf, les émotions négatives de la crainte et du doute de soi par les émotions positives qui permettent de dire: «Oui, je le peux!» par la répétition du processus d'apprentissage même qui a provoqué les émotions négatives au départ.

Cette capacité de bannir les pensées et les émotions négatives de votre vie est la quatrième merveille de l'esprit. Elle consiste à assumer la responsabilité, à prendre en charge et à répéter le processus d'apprentissage sans cesse, de manière à toujours choisir ses pensées en fonction des sentiments que l'on désire.

Grâce à la répétition, vous pouvez développer des modes de pensée plus positifs qui deviendront à la longue des habitudes. Votre cerveau fait appel à un grand nombre de ces routines de l'esprit ou séries de pensées programmées pour vous permettre de passer à travers vos journées. Elles ressemblent aux opérations qu'effectue un ordinateur pour traiter des données. Le fait de devenir plus conscient de vos modes de pensée habituels et de leurs effets vous aidera à identifier les secteurs qui présentent des difficultés pour vous. Il peut s'agir de simples erreurs d'interprétation perceptuelle d'événements quotidiens, ou encore de votre mode de vie en général. Vos rapports avec les autres sont particulièrement significatifs. Quelle facilité avez-vous à échanger avec les autres, à faire des compromis, à discuter? Avez-vous l'habitude d'aggraver ou d'apaiser les conflits personnels? Le genre et la qualité de vos rapports avec les autres constituent un aspect clé de votre vie.

Vous devez vous rendre compte que tous les événements extérieurs n'ont aucun contenu émotionnel. Tous les événements extérieurs sont neutres jusqu'à ce que vous y réagissiez pour leur attribuer un contexte émotionnel. Environ 90 % des craintes sont imaginaires. Elles sont le produit de votre esprit et n'ont pas vraiment d'existence réelle. Malheureusement, vous êtes souvent la victime de forces que vous créez vous-même. Comme le disait le poète, nouvelliste et romancier britannique Rudyard Kipling (1865-1936): «De toutes les menteuses du monde, les pires sont souvent nos propres craintes.»

Tous les événements extérieurs sont neutres jusqu'à ce que vous y réagissiez mentalement pour leur attribuer un contexte émotionnel.

La meilleure façon d'éliminer les craintes inutiles de votre vie consiste à créer et à entretenir fermement dans votre esprit une image positive au temps présent. La concentration sur le présent vous évite de penser à ce qui s'est produit dans le passé et d'imaginer que cela se répétera. Il est impossible de connaître la peur si vous demeurez dans le présent et vous vous concentrez sur ce qui est en train de se produire. Vous devez retourner dans le passé ou envisager l'avenir pour connaître la crainte.

Dans la vaste majorité des cas, il n'y a aucune raison d'avoir peur. Votre peur n'est réelle que dans la mesure où vous laissez votre esprit la créer et votre corps la ressentir. Vous ne faites que dévaluer le présent et condamner l'avenir lorsque vous vous concentrez sur vos échecs passés.

Deuxième partie

La mise en pratique de la théorie de l'espoir

Chapitre 7

La reprogrammation de votre esprit en vue de la réussite

«Il ne suffit pas d'avoir de grandes qualités. Il faut aussi bien les gérer.»

Duc François de La Rochefoucauld (1613-1680) Moraliste et auteur de maximes françaises

Vous êtes sans doute convaincu maintenant que le facteur le plus critique pour ce qui est de déterminer votre rendement dans tous les aspects de votre vie est votre estime de vous-même, et que la seule façon d'accroître l'estime de soi est de changer sa façon de se voir.

Quelles sont les techniques qui peuvent vous aider à changer l'image que vous avez de vous-même et la façon dont vous pensez et dont vous vous sentez à propos de vous-même? Pour répondre à cette question, nous devons d'abord mieux comprendre l'ampleur du problème. Commençons par une description de votre espace mental.

Votre espace mental

Imaginez votre subconscient comme une vaste pièce carrée dotée d'une seule porte. Cette entrée est protégée par un garde qui représente votre esprit conscient. Son travail consiste d'abord à ne permettre l'entrée de la pièce qu'en fonction de certains critères précis.

Lorsque vous êtes né, cette pièce était vide et le garde y laissait entrer quiconque le demandait. À mesure que vous vieillissiez et que vous viviez certains événements, votre pièce s'est remplie d'une variété de convictions et d'opinions à propos de vous et de votre univers. Ces convictions et opinions en sont venues à former une sorte de club exclusif, qui a finalement déterminé votre personnalité et s'est livré à une prise en charge. En fait, cette prise en charge a été telle que le club a commencé à dire au garde qui pouvait joindre le groupe et qui ne le pouvait pas. En d'autres mots, lorsque le subconscient ne se sentait pas à l'aise concernant les qualifications d'un candidat (une nouvelle conviction ou opinion), l'accès lui était refusé. Le club exerçait son droit de n'accueillir que les nouveaux membres qui étaient compatibles avec les anciens résidents. Si les résidents croyaient fermement que vous n'étiez pas un bon athlète par exemple, le groupe refusait l'accès à quiconque croyait le contraire.

Le contenu de votre espace mental représente la programmation totale à laquelle votre cerveau a été soumis jusqu'ici. L'occupant le plus puissant de la pièce est la «clique» de l'image que vous avez de vous-même, qui forme un consensus de ce que vous êtes et de ce que vous pouvez réaliser. Collectivement, il contrôle ce que vous pensez de vous-même, ce que vous ressentez et, surtout, vos agissements dans tout ce que vous dites et faites.

Rappelez-vous la comparaison que nous avons faite entre dossiers de votre mémoire subconsciente et les données emmagasinées dans un ordinateur. Si des rebuts y ont accès, ils sont aussi mis en mémoire. L'aspect le plus évident lorsqu'il y a des rebuts, c'est leur odeur. Si des rebuts ont été emmagasinés dans votre esprit, et il y en a beaucoup chez chacun d'entre nous, le malheureux garde, à la porte d'entrée, acquiert la même caractéristique: il commence aussi à sentir. Il ne peut y échapper car il garde la seule porte d'où l'odeur peut s'échapper.

Cela vous donne une bonne idée du sérieux problème auquel font face de nombreuses personnes: une pile de rebuts dans leur esprit, protégée par un garde obéissant et bien entraîné auquel on a clairement signifié de laisser entrer d'autres rebuts! Pouvez-vous imaginer la réception que reçoit une pensée positive ou un compliment à la porte d'une pièce remplie de rebuts en décomposition? Cette pensée, ce compliment suffoque à cause de l'odeur plus puissante de ses adversaires, les pensées négatives bien enracinées beaucoup plus nombreuses, donc plus fortes?

Comment avez-vous été programmé?

Vous êtes venu au monde dans un état de pureté, sans guides pour penser ou agir d'une façon donnée. À mesure que de nouvelles expériences sont entrées dans votre subconscient, elles se sont mises à définir pour vous le monde qui vous entourait. Par exemple, un nouveau-né forme chaque seconde dans son cerveau un million de nouvelles connexions nerveuses, et ce, pendant les deux premières années de sa vie. Chaque détail de vos moindres expériences est stocké en mémoire pour une consultation future.

Cette programmation a d'abord été le fait d'autres personnes qui utilisaient le clavier de votre ordinateur — votre vue, votre ouïe, votre odorat, votre goût et votre toucher. Par exemple, à 18 ans, on vous avait déjà dit: «Non!» à peu près 150 000 fois. Entre 85 et 95 % de toute la programmation que vous avez reçue de sources extérieures était négative, alors que le reste était neutre en majeure partie. Les quelques centaines de «oui» que vous avez reçus n'ont pratiquement eu aucun impact. Vous avez donc été nourri de force et conditionné à percevoir et à croire conformément aux expériences que vous avez vécues et aux gens avec lesquels vous avez été en contact. Vous avez fini par adopter les opinions et les convictions que vos premiers groupes de références avaient acquises pendant leur propre jeunesse. Maintenant, en tant qu'adulte, la majeure partie de votre programmation se produit dans l'autre sens. Plutôt que d'être à l'écoute de suggestions provenant de l'extérieur, vous avez tendance à compter sur vos propres suggestions pour décider qui vous êtes et ce que vous pouvez faire du reste de votre vie. Vous ne pouvez pas faire taire cette petite voix en vous et prétendre que vous n'entendez pas ses messages.

Nous avons déjà examiné le processus de l'apprentissage en le comparant avec le fait de traverser simplement la rue. Examinons un autre exemple de la façon dont vous vous êtes formé un mode de pensée habituel en apprenant la table des multiplications à l'école élémentaire.

Lorsque vous avez appris pour la première fois la réponse à la question «9 x 9», cela s'est produit entièrement au niveau conscient. On vous a révélé la réponse et vous vous êtes mis à entraîner votre esprit et votre système nerveux à l'accepter. À force de répétition et de pratique, la réponse vous est venue de manière de plus en plus habituelle, et vous êtes passé du mode conscient au mode subconscient. Lorsque la réponse est devenue totalement enracinée en vous, vous n'y pensiez plus du tout. Vous avez laissé le subconscient s'en charger.

Ainsi, un mode de pensée habituel devient bon ou mauvais, ou positif ou négatif, selon ce qui entre d'abord dans votre subconscient. Si l'on vous a dit et vous avez cru que «9 x 9» donnait 84, c'est ce que vous répéterez, même s'il ne s'agit pas d'une réponse correcte. De la même manière, vous avez développé des réponses conditionnées à toute une variété de stimuli externes. Ils ont nécessité une répétition constante, parfois des centaines ou même des milliers de fois avant de s'enraciner complètement. Ils ne peuvent être changés que par le même processus.

Rappelez-vous que lorsque vous changez votre façon de penser, vous changez vos convictions; lorsque vous changez vos convictions, vous changez vos attentes; lorsque vous changez vos attentes, vous changez votre attitude; lorsque vous changez votre attitude, vous changez votre comportement; lorsque vous changez votre comportement, vous changez votre performance; et lorsque vous changez votre performance, vous changez votre vie.

Telles sont les causes et les effets de la pensée humaine et du comportement humain. Tout commence par la pensée, représentant les convictions que vous adoptez et que vous acceptez dans votre subconscient.

Vos commutateurs mentaux

Imaginez les 100 000 000 de neurones de votre cerveau comme autant de petits commutateurs sous tension ou hors tension, comme autant d'indicateurs «oui» ou «non» concernant les convictions que vous avez à propos de chacune de vos habiletés. Si vous croyez par exemple être un parent moyen, un piètre communicateur, un expert de la conduite automobile ou un athlète médiocre, chacun des commutateurs de votre esprit est allumé en conséquence. Il peut être sous tension, hors tension, ou être réglé à une intensité basse, moyenne ou haute. La façon dont vous vous parlez est la façon dont vous vous voyez, et cela contrôle les régulateurs de tous ces commutateurs. Une fois le niveau réglé, les régulateurs deviennent extrêmement difficiles à changer.

Ce que vous en êtes venu à croire à votre propos détermine ce que vous vous dites. Cela devient alors l'élément qui régit votre rendement.

Vous rappelez-vous vous être dit l'une des phrases suivantes?

«J'aimerais le faire, mais je n'ai pas assez d'éducation.»

«J'aimerais le faire, mais je n'ai pas assez d'expérience.»

«J'aimerais le faire, mais je ne connais pas les personnes appropriées.»

«J'aimerais le faire, mais je n'ai pas le temps, la capacité, l'énergie, et ainsi de suite.»

À partir de toutes ces affirmations, vous remarquerez que la seule chose qui vous empêche de réaliser de grandes choses, c'est vous-même! Vous oubliez que le passé est derrière vous et que vous ne devez regarder que vers l'avenir. C'est en regardant vers l'avenir, et non vers le passé, que vous irez là où vous voulez aller!

Vous avez sans doute déjà entendu des gens en excellente santé expliquer un problème occasionnel en disant: «Je dois vieillir. J'ai du mal à me rappeler les noms, et je n'ai plus la concentration et l'énergie de ma jeunesse.»

Que pensez-vous que de tels propos font à leurs commutateurs mentaux?

Vous avez raison. Cela réduit leur intensité. Dans l'exemple précédent, les ampoules «mémoire», «concentration» et «énergie» sont toutes pour le moins tamisées. Une fois plantée dans l'esprit, une idée devient comme une semence que l'on jette en terre. Elle s'enracine rapidement et se met à croître. Les sentiments et le comportement, esclaves de la conviction, se conforment automatiquement à la pensée. De telles personnes se mettent à se sentir plus vieilles et elles ressentent effectivement une baisse de la mémoire, de la concentration et de l'énergie afin de se conformer à la notion perçue. La règle dans ce cas est de ne jamais envisager ou verbaliser ce que vous ne voulez pas voir se réaliser.

Si ces gens parlaient positivement et croyaient vieillir en beauté avec une énergie et des pouvoirs intellectuels renouvelés, ils auraient trouvé des façons de concrétiser ces caractéristiques. À partir de ce que l'on perçoit et de ce que l'on croit, le corps manifeste les pensées selon leur intensité. Se résigner à la défaite est la façon la plus sûre d'échouer. Vous êtes votre pire ennemi lorsque vous vous dites que vous ne pouvez réussir. Vous devez apprendre à devenir votre meilleur ami en amenant votre mécanisme interne de succès à travailler à votre avantage.

Vous devez trouver une façon de contourner le garde, votre esprit conscient, tel qu'il existe présentement avec tous ses préjugés, surtout en ce qui vous concerne! Rappelez-vous qu'il protège fièrement toutes les convictions négatives et destructrices dont il a permis l'accès à votre subconscient. Il n'acceptera pas facilement une série de révisions, tout un ensemble d'idées et d'aspirations nouvelles contraires à vos expériences antérieures. Il interceptera et rejettera tout ce qui lui semblera nouveau ou différent comme étant contraire à tout ce qui est acceptable et compatible avec votre programmation antérieure.

Rappelez-vous le point de vue de Maxwell Maltz voulant que la psychologie de l'image de soi constitue la meilleure technique jamais découverte pour produire une amélioration et un changement radical de la personnalité. Il soutenait que le subconscient œuvre toujours selon des objectifs préétablis pour réaliser physiquement les buts contenus en mémoire. Il donne une image de soi négative, une donnée qui reflète votre conviction selon laquelle vous êtes inférieur, sans valeur et incapable, mais il peut aussi donner une image de soi positive. Il fonctionne de manière impersonnelle, sans malice ou favoritisme. C'est une machine — efficace, froide et calculatrice — mais elle peut être contrôlée par de nouveaux modes de pensée habituels qui donneront de nouvelles pensées-images.

Il ne suffit pas de constater que vous avez beaucoup de talent, d'habileté et d'intelligence. En soi, la pensée positive n'est pas la solution. La logique et la raison ne suffiront pas à apporter les changements dont vous avez besoin pour progresser, car elles sont extérieures à votre subconscient. Si des changements pouvaient être apportés de l'extérieur de votre mémoire subconsciente, comme votre vie serait différente! Vous pourriez vous débarrasser d'habitudes indésirables telles que l'alcoolisme, le tabagisme et la surconsommation d'aliments en y pensant simplement au niveau conscient et en vous disant: «Je vais arrêter.» La colère, l'inquiétude, la culpabilité est les sentiments d'échec et de rejet ne feraient plus partie de votre vie quotidienne. Une suprême assurance et un sentiment de totale maîtrise vous pousseraient progressivement vers une vie de prospérité et de réalisations personnelles sans cesse plus importantes.

Malheureusement, ce n'est pas comme cela que ça fonctionne. La volonté et la détermination ne suffisent pas. Il ne suffit pas de vous dire constamment: «Je suis aimable, capable, positif. Je suis sûr de moi, je peux faire tout ce que je déciderai de faire.» En fait, votre subconscient ne vous croit pas. Vous êtes habité par une multitude de doutes et de craintes. Votre programmation — tous les rebuts emmagasinés dans l'entrepôt mental de votre esprit — est le principal obstacle à votre réussite.

Existe-t-il un moyen de vous libérer du passé, de reprogrammer votre esprit pour chasser les idées et les notions négatives qui vous limitent et que vous avez ingérées au cours de votre vie?

Tout votre potentiel existe à un niveau inférieur de conscience.

La solution, Dieu merci, est un oui sans équivoque. Il y a une méthode éprouvée et efficace. Elle suppose une technique tridimensionnelle qui combine la relaxation progressive, les affirmations positives et la visualisation créatrice. Elle vous permet de puiser à même votre potentiel, qui existe à un niveau inférieur de conscience.

Le conditionnement autogène

La seule façon de reprogrammer votre esprit en vue de la réussite consiste à changer ce qui a été entré dans les dossiers de votre mémoire en faisant appel au conditionnement autogène.

Le terme autogène veut simplement dire «qui est fait par soi-même.» Le conditionnement autogène suppose que l'on répète une affirmation positive alors que l'on se trouve dans un état de profonde relaxation, et qu'on combine cela à une visualisation exacte de ce que l'on veut accomplir dans la vie. Cela nous amène à une explication de la technique de relaxation progressive et de l'état alpha.

Le cerveau humain génère continuellement une série d'impulsions électriques qui reflètent son niveau d'activité. La plupart du temps, ces impulsions sont plutôt rapides: entre 13 et 30 cycles à la seconde. Ces fréquences supérieures sont appelées ondes bêta, et ce sont ces ondes que vous générez actuellement en lisant ce texte. Les ondes bêta sont associées à l'éveil et à la vivacité d'esprit, et elles caractérisent des activités telles que la parole, l'écoute et la concentration.

Les fréquences plus lentes du cerveau, qui se situent entre 8 et 13 cycles à la seconde, sont appelées ondes alpha. Elles prédominent lorsque le cerveau est détendu et près du sommeil, dans un état de quasi-rêve. Les ondes alpha sont presque toujours présentes pendant les périodes d'intense créativité.

Un autre type d'ondes, les thêta, varient de 4 à 8 cycles à la seconde. Les ondes les plus lentes sont les ondes delta, qui sont associées au sommeil très profond.

Lorsque vous êtes bien éveillé, un mélange d'ondes fonctionnent généralement dans votre cerveau d'une manière sans cesse changeante. Les ondes bêta prédominent, avec des fluctuations occasionnelles d'ondes alpha. Pendant les rares occasions où les ondes alpha dominent, vous êtes plus susceptible d'avoir des éclairs de créativité et de nouvelles idées.

Dans l'état de relaxation appelé «alpha», vous bénéficiez d'un meilleur accès à votre subconscient, la base de puissance représentant votre véritable potentiel. La voie n'est pas obstruée par l'esprit conscient qui passe toujours des jugements et qui écarte toute pensée qui ne semble pas conforme à vos convictions du moment. Toutes les préoccupations et tous les problèmes de la vie quotidienne représentés par l'état des ondes bêta ne sont pas présents pour compliquer votre réflexion.

L'état alpha vous vient naturellement juste avant de vous endormir et juste après le réveil. Ce sont des moments idéaux pour conditionner votre esprit. Une autre option consiste à provoquer l'état alpha par un effort conscient à un moment propice de la journée par la simple pratique de la relaxation progressive. Il y a plusieurs façons de parvenir à cet état inférieur de conscience. Tous ont le même objet: la relaxation complète de l'esprit et du corps jusqu'à ce que vous vous trouviez dans un état de conscience transformé.

Le conditionnement autogène a été mis au point par le docteur Johannes H. Schultz, psychiatre et neurologue berlinois, qui pratiquait la technique au début de ce siècle en Allemagne et à travers l'Europe. Cela se compare à une méthode avancée de contrôle de l'esprit couramment utilisée de nos jours par les athlètes olympiques et professionnels dans le cadre de leurs rigoureux programmes d'entraînement. Les athlètes d'Allemagne de l'Est ont notamment démontré la valeur de la technique avec toutes les médailles olympiques qu'ils ont remportées au cours des années 1980.

Le conditionnement autogène est un simple processus en sept étapes:

1. Trouvez un endroit tranquille.

2. Créez une ambiance paisible afin de relaxer votre esprit et votre corps.

3. Répétez-vous le changement de comportement que vous voulez produire dans votre vie, en détaillant la nouvelle conviction que vous souhaitez adopter.

4. Visualisez ce comportement spécifique que vous recherchez, avec le plus de détails possible.

5. Acceptez cette image et le changement qu'elle représente comme faisant déjà partie de votre vie.

6. Imprégnez-vous des sentiments positifs que génère cette nouvelle réalisation.

7. Fermez le poing et répétez la phrase: «Oui, je le peux!» à plusieurs reprises d'une voix ferme et confiante.

Cette séquence comporte trois éléments. Vous devez verbaliser, visualiser, et ressentir. C'est la nouvelle conviction représentant la composante idée, la composante image et la composante émotion — les éléments tridimensionnels qui sous-tendent toute création de pensée.

Quel est le secret de cette technique? Nous avons tous en tête des idées et des images résultant de nos pensées et des expériences que nous avons vécues. Après tout, c'est cela qui compose la vie. Lorsque vous pensez à quelque chose, vous en faites aussi l'expérience; en d'autres mots, vous créez dans votre esprit une image qui sera emmagasinée dans votre mémoire. De même, lorsque vous vivez une expérience, vous y pensez aussi; en d'autres mots, vous réagissez au stimulus, que vous stockez avec votre réaction par le biais d'images dans la mémoire. Ce processus de réflexion et d'expérimentation, et la formation d'idées et d'images mentales, se transforment en un comportement physique précis de manière identique pour tous les êtres humains.

Bien que ce processus d'image au comportement soit le même pour tous les êtres humains, nous nous retrouvons tous avec de différentes images en mémoire. Cela est attribuable au fait que les gens sont exposés à différents stimuli, ont divers degrés d'habileté pour ce qui est de percevoir le monde extérieur avec précision et interprètent différemment les expériences, même identiques, à cause de leur programmation antérieure.

Ces différentes cibles de comportement qui finissent par être mis en mémoire représentent vos modèles actuels d'excellence. La qualité de ces modèles détermine à son tour la qualité de votre performance. Si les représentations internes que vous avez maintenant ne vous donnent pas les résultats que vous voulez, il est clair que vous avez besoin de trouver des modèles plus efficaces. Vous pouvez les trouver en découvrant ce qui a valu à d'autres personnes de réussir dans divers secteurs d'activité après des années de tentatives et d'erreurs, et en faisant vôtres leurs modèles. C'est cela que permet le conditionnement autogène. C'est un exercice fondé sur des modèles qui donne accès à des cibles de comportement améliorées à votre subconscient pour en faire vos nouveaux modèles d'excellence.

Tout ce que vous pouvez concevoir dans votre esprit et ce en quoi vous pouvez croire fermement, vous pouvez le réaliser. Et le fait de ressentir l'effet de la réalisation de votre objectif contribue à activer le subconscient qui trouvera une façon de le concrétiser. Lorsque vous ressentez quelque chose, vous avez tendance à agir en conséquence.

Ce sentiment est le mécanisme déclencheur qui fait pénétrer la nouvelle conviction, profondément dans votre subconscient. Votre état d'esprit détendu permet un accès plus facile. C'est VOUS qui êtes le programmeur, VOUS êtes le maître de votre destin, VOUS êtes la force dominante de votre existence. Vous pouvez vous répéter aussi souvent que vous voulez ce que vous attendez de la vie.

Rappelez-vous que vous obtenez toujours ce que vous dites constamment vouloir à votre esprit. Mais plusieurs des instructions que vous vous donnez sont maintenant négatives, stressantes et défaitistes. Si pendant votre jeunesse vous n'avez pas été programmé pour réussir, vous devez simplement entreprendre vous-même cette difficile tâche.

Si vous voulez cultiver un champ de blé nourrissant, vous devez d'abord semer du blé sain. Il en est de même avec le subconscient, le jardin fertile de votre esprit. Tout comme vous avez besoin de jeter en terre les semences de ce que vous souhaitez récolter, vous avez besoin de semer les pensées qui changeront votre manière de vous «voir.» Dans le cas contraire vous abandonnerez le sol à des mauvaises herbes qui se multiplieront par défaut.

Comme votre esprit fabuleux a été programmé par des convictions limitatives, il peut être reprogrammé par des convictions plus réalistes. Toutes les compétences, les habiletés, les habitudes, les traits de personnalité et les caractéristiques de performance peuvent être changés par l'emploi d'affirmations positives et de visualisation créatrice dans un état de profonde relaxation. Le conditionnement autogène vous aide à découvrir vos talents, vos compétences et vos habiletés profondément enfouis en vous, à les ramener à la surface et à les dévoiler.

Il y a une technique éprouvée de relaxation progressive qui suppose l'imagerie suivante:

«Assoyez-vous dans un fauteuil confortable dans une pièce tranquille. Laissez vos paupières s'abaisser doucement. Imaginez que vous êtes dans un ascenseur descendant lentement vers un lieu de paix et de tranquillité totales. Commencez à compter de un à dix, et pendant que vous le faites, soyez attentif à la sensation croissante de relaxation complète qui envahit votre corps. Un: Sentez la relaxation qui commence à s'étendre partout dans votre visage. Votre mâchoire, votre front et votre cuir chevelu sont totalement détendus. Deux: Vous descendez encore plus et vous vous sentez plus détendu. Trois: Votre cou, vos épaules et votre dos sont doux et souples. Quatre: Vos bras, vos mains et vos poignets sont plus détendus. Votre respiration est profonde, lente et facile. Cinq: L'ascenseur descend... vous ressentez une relaxation plus profonde. Vous vous sentez calme, à l'aise et en paix avec le monde. Six: Votre estomac, vos fesses et vos cuisses sont détendus. La tension s'évapore littéralement de toutes les parties et les extrémités de votre corps. Sept: Vos jambes et vos pieds, et même le bout de vos orteils, sont détendus. Huit: Vous descendez de plus en plus, et vous vous rapprochez de votre endroit spécial. Vous vous sentez tout à fait calme. Neuf: Vous y êtes presque. Vous sentez la liberté. Dix: Vous y êtes. Vous êtes dans votre endroit spécial. Appréciez la sensation de paix totale et de sérénité.»

Maintenant vous êtes très détendu et réceptif aux nouvelles idées. Énoncez clairement le but que vous désirez atteindre ou la performance que vous souhaitez réaliser. Dans cet état de détente, imaginez que vous possédez déjà les nouvelles qualités et les attributs que vous recherchez, que vous êtes la personne idéale que vous voulez être.

Une session typique de conditionnement est dirigée vers une nouvelle conviction et de nouvelles attentes, ce qui conduit à un changement d'attitude et de comportement. Une meilleure performance doit toujours être l'objectif, conduisant à des sentiments de plus grande confiance en soi et de meilleure estime de soi.

Considérez les affirmations suivantes comme un nouveau départ, la porte ouverte sur une nouvelle réalité. Dans chaque cas, «voyez-vous» agissant de la manière prescrite et obtenant les résultats désirés.

- Aujourd'hui, j'ai une attitude mentale positive. J'ai éliminé la critique et l'impatience de ma vie, et je les ai remplacées par de la louange et de la tolérance.

- Aujourd'hui, je crois tout à fait en moi-même. Je crois que je suis capable de grandes réalisations et que je le mérite.

- Aujourd'hui, je poursuis un objectif élevé. Il donne un sens et un rythme à ma vie.

- Aujourd'hui, j'assume l'entière responsabilité de tous mes actes. Quels que soient les résultats que j'obtiens, je sais qu'ils sont la conséquence de mes pensées.

- Aujourd'hui, je gère efficacement mon temps. Je sais que chaque minute est précieuse et irremplaçable, et doit être utilisée au maximum.

- Aujourd'hui, je suis un programme d'épanouissement personnel. Je consacre au moins une heure par jour à mon amélioration.

- Aujourd'hui, j'accorde de la valeur à ma santé physique, mentale et spirituelle. Je prends un très grand soin de ma personne.

- Aujourd'hui, je fais preuve de créativité pour ce qui est de me fixer des objectifs et de les atteindre. Les possibilités abondent dans chacune de mes pensées et dans chacun de mes actes.

- Aujourd'hui, je pense à rendre service sur le plan du travail et à aider mon prochain. J'en fais toujours plus que ce que l'on attend de moi, sachant que je recevrai plus en retour que ce que je veux.

- Aujourd'hui, je suis excellent dans ce que j'entreprends. Je crois que l'excellence me permettra de me trouver vraiment.

- Aujourd'hui, je suis efficace dans mes rapports interpersonnels. Je crois que les gens sont plus importants que les problèmes, et qu'ils méritent tout mon respect et toute mon attention.

Remarquez trois choses concernant ces affirmations: (1) elles sont à la première personne du singulier (je); (2) elles sont au présent, le subconscient ne se manifestant que dans le temps présent; (3) elles sont positives. Par exemple, vous ne dites jamais: «Je n'ai plus d'image négative de moi-même» ou «je ne suis pas nerveux en prenant la parole devant un auditoire important.» Vous dites: «J'ai une image positive de moi-même» et «Je parle avec confiance et autorité devant un auditoire important.»

Efforcez-vous aussi, dans vos visualisations, de vous concentrer sur l'environnement extérieur pour vous associer pleinement à l'expérience. Imaginez-vous, à travers votre propre regard, obtenant les résultats précis que vous désirez, et non à travers le regard de quelqu'un qui vous observerait de loin. Ainsi, les empreintes nerveuses appropriées sont enregistrées, et vous devenez le sujet de l'activité plutôt qu'un spectateur qui vous observerait.

Finalement, permettez-vous de ressentir dans tout votre corps les émotions positives associées avec la nouvelle conviction. Soyez emballé par le fait que vous êtes plus que tout ce que vous avez jamais pensé à votre sujet, par le fait que vous êtes maintenant ce que vous croyez et affirmez être.

Le livre de vos convictions

Voici une série d'étapes mentales qui vous sont suggérées une fois que vous pénétrez dans l'état alpha. Ces mêmes étapes peuvent être utilisées pour concrétiser toute réalité que vous recherchez dans votre vie.

La scène ou le scénario simple dont vous vous dotez qui symbolise le mieux ce que vous voulez vraiment est critique dans ce processus. Vous devez revenir à cette même image avec une grande intensité plusieurs fois par jour pendant plusieurs jours pour finalement l'enraciner dans votre subconscient. Elle doit vous devenir aussi familière que le visage de votre mère ou le lac dans lequel vous nagiez lorsque vous étiez enfant. Faites en sorte que cette image devienne votre talisman, le symbole qui représente le mieux votre succès pour ce qui est de concrétiser ce que vous désirez le plus dans la vie.

Par exemple, vous pouvez prendre l'image dans un magazine ou une brochure portant sur un orateur que vous admirez vraiment, découper la tête de la personne et y substituer la vôtre. Placez ensuite des copies de cette image dans des endroits bien en vue de votre maison, de votre bureau, et dans votre automobile pour vous rappeler qui vous êtes désormais. Chaque fois que vous regardez cette photo, «voyez-vous» obtenant les mêmes résultats positifs que cette personne lorsque vous prenez la parole devant un auditoire. Inscrivez l'affirmation appropriée sous la photo pour donner plus de force au message visuel:

«Je parle avec confiance et enthousiasme en présence de gens. L'auditoire réagit toujours positivement et appuie ce que j'ai à dire.»

Le pouvoir des affirmations

Il y a plus de 60 ans, Émile Coué (1857-1926) psychologue français et pionnier de l'autosuggestion, écrivait ces simples mots: «Chaque jour, de toutes les façons, je m'améliore sans cesse.» Il croyait qu'il pouvait être très bénéfique pour une personne de répéter tout bonnement cette simple phrase à voix haute cent fois par jour. La médecine moderne a confirmé depuis cette conviction. Des malades chroniques qui ont répété ces paroles à d'innombrables reprises, avec un puissant désir et une puissante conviction, ont été en mesure de vaincre leur maladie.

La programmation neuro-linguistique
Exercice de remaniement #4
«Pour changer ses convictions»

Imaginez-vous aussi clairement que possible marchant dans un long tunnel obscur et descendant un escalier pour arriver à une pièce souterraine vivement éclairée représentant votre subconscient. Au centre de cette pièce, sur un gros autel de pierre, se trouve un énorme manuscrit relié intitulé *Le livre de mes convictions*. Le livre est recouvert d'une épaisse couche de poussières et de fils de poussière que vous devez épousseter de la main.

Vous consultez la table des matières à la recherche du sujet à propos duquel vous souhaitez le plus un changement. Dans cet exemple, nous aborderons votre capacité de prendre la parole en public. Vous notez que les pages sont très épaisses et que chacune d'elles semble peser plusieurs kilos. Voyez-vous mentalement tourner chacune de ces grandes pages avec beaucoup de difficulté, la poussière et la saleté vous sautant à la figure à chaque tentative. Imaginez-vous vous disant combien ce livre semble vieux alors qu'en fait il a le même âge que vous. Finalement, vous arrivez à la page désirée et, sans grande surprise, vous trouvez les mots suivants brûlés dans le papier comme s'ils étaient gravés dans du marbre:

«JE NE RÉUSSIS JAMAIS À PRENDRE LA PAROLE EN PUBLIC».

Vous méditez sur cette découverte pendant un moment. Ne saviez-vous pas, au fond, que vous alliez trouver cette conviction? Après tout, des sondages démontrent que les gens ont plus peur de prendre la parole en public que de mourir. Combien de fois avez-vous tenté de nier l'existence de ce sentiment, sans pouvoir échapper à la réalité? Pouvez-vous reculer dans le temps et vous rappeler des événements précis de votre passé qui ont permis à cette conviction de se développer et de s'enraciner dans votre subconscient? Vous êtes très conscient du fait que vous créez votre propre réalité, qu'elle est le résultat de votre programmation passée.

Mais vous savez aussi que cela peut être changé. *Le livre de vos convictions* n'est qu'un livre avec des mots écrits sur du papier. Alors vous décidez d'agripper la page contenant la conviction indésirable et de la déchirer avec beaucoup de force. Vous vous dirigez ensuite vers l'un des nombreux flambeaux qui ornent les murs de la caverne et vous enflammez la page. Vous l'entendez crépiter et vous la voyez se tordre et tomber par terre dans les flammes. Bientôt il ne reste plus que des tisons rougeâtres et des cendres noires. Vous balayez du pied ces restes sur le plancher de pierre jusqu'à ce qu'il ne reste aucune trace de l'existence de la page. Vous venez effectivement de réduire l'influence de cette conviction négative.

Vous revenez au *Livre de vos convictions* et vous vous arrêtez à une page vierge. Vous vous emparez d'une plume dorée et vous écrivez solennellement, en lettres majuscules:

«JE RÉUSSIS TOUJOURS LORSQUE JE PRENDS LA PAROLE EN PUBLIC»

Vous vous répétez lentement la phrase à haute voix:

«JE RÉUSSIS TOUJOURS LORSQUE JE PRENDS LA PAROLE EN PUBLIC; JE RÉUSSIS TOUJOURS LORSQUE JE PRENDS LA PAROLE EN PUBLIC; JE RÉUSSIS TOUJOURS LORSQUE JE PRENDS LA PAROLE EN PUBLIC».

Ensuite, dotez-vous d'un scénario qui symbolisera le mieux possible ce que vous désirez le plus. Voyez-vous vivant ce scénario désirable en imagination, et concentrez-vous sur cet élément pendant 30 secondes.

Fixez votre regard sur chacun de ces précieux mots. Désirez ardemment ce résultat, avec toute l'émotion possible.

Maintenant laissez disparaître l'image et faites le vide dans votre esprit. Acceptez la scène que vous avez créée comme étant tout à fait valable. Ayez le sentiment profond que vous le méritez, que cela peut faire partie de votre réalité. Et attendez-vous à ce que cette scène fasse partie de votre avenir chaque fois que l'occasion l'exigera.

Vous fermez doucement le livre. C'est fait! Vous avez commencé à créer une nouvelle conviction. Fêtez cela intérieurement! Réjouissez-vous de réaliser que vous avez désormais le contrôle, qu'une nouvelle réalité suit toujours une nouvelle conviction une fois qu'elle a été pleinement acceptée. En fait, vous avez tiré le maximum de cette conviction positive.

Le conditionnement autogène est fondé sur le fait qu'une performance améliorée résultera toujours de modèles d'excellence améliorés. Aucun slogan simple ne transformera votre personnalité du jour au lendemain. Vous ne pouvez espérer tout changer d'un seul coup. Mais vous pouvez devenir plus patient, plus compréhensif et plus confiant si vous vous concentrez sur un aspect de votre comportement à la fois en faisant appel à une affirmation positive avec une visualisation qui y est associée. Vous pouvez acquérir un nouveau mode de pensée habituel en cinq ou sept jours si vous le pratiquez régulièrement en imagination. Cela s'accomplit à condition de penser, de parler et d'agir à la manière de la personne que vous voulez le plus être, avec les qualités et les caractéristiques que vous désirez le plus.

Supposez que vous vouliez améliorer la qualité de vos rapports interpersonnels à la maison. Répétez l'affirmation suivante:

«Je bénéficie de rapports heureux et harmonieux avec mon conjoint et mes enfants. Nous faisons montre de respect et d'amour les uns envers les autres par nos échanges verbaux et notre comportement sympathique.»

Lorsque vous vous «voyez» assez souvent réaliser un objectif en imagination, vous en venez à croire que vous pouvez le réaliser dans la réalité.

En répétant simultanément cette affirmation à voix haute et en vous «voyant» obtenant les résultats désirés en imagination, vous vous rapprocherez grandement de l'objectif. Lorsque vous vous «voyez» assez souvent réaliser un objectif en imagination, vous en venez à croire que vous pouvez le réaliser dans la réalité.

Rappelez-vous que vous ne pouvez pas toujours distinguer clairement une expérience artificielle imaginée vivement et dans les moindres détails d'une expérience réelle. Lorsque vous vous voyez réaliser un objectif en imagination, votre cerveau accepte l'expérience comme étant réelle, si réelle en fait que vous ressentez les mêmes émotions et les mêmes sensations que celles qui se manifestent lorsque l'objectif est vraiment réalisé. Dans le processus, vous vous dotez d'un modèle de comportement axé sur la réussite dans votre subconscient, une sorte de conscience du succès.

Il est clair qu'il y a de l'espoir pour tout le monde. Il vous suffit de programmer votre subconscient avec des expériences artificielles de succès identiques à des expériences réelles. Vous pouvez faire appel à vos propres ressources, à votre savoir et à votre imagination de cette manière positive et volontaire, plutôt que d'attendre que vos situations et votre environnement vous viennent en aide.

La recherche démontre que l'on oublie plus de 90 % de tout ce que l'on entend en 24 heures environ. Mais si vous entendez la même chose répétée 50 ou 100 fois en une courte période, vous avez tendance à vous la rappeler. Ce type d'expérience d'apprentissage repose sur ce que l'on appelle la «répétition espacée», et il s'agit du type représenté par le conditionnement autogène.

Chaque jour, pendant 15 ou 20 minutes, répétez vos affirmations de la semaine à voix haute dans un état de profonde relaxation. Vous pouvez utiliser une série de fiches de 7,62 cm x 12,70 cm ou une cassette audio préenregistrée. Choisissez une conviction ou une caractéristique précise que vous souhaitez changer. Répétez-vous-la sans cesse et imaginez-vous agissant de la manière souhaitée et obtenant les résultats désirés, tout cela avec tous les détails possibles.

Les résultats d'efforts persistants et concentrés vous estomaqueront. Cette simple technique, ajoutée à une profonde conviction et à un désir sincère, vous permettra d'apporter tous les changements que vous souhaitez dans votre vie.

L'avantage principal du conditionnement autogène est qu'il vous permet d'agir en confiance, conformément à un comportement nouveau et imaginé qui est plus désirable que votre vieux comportement habituel. Vous changez en jouant le rôle. Lorsque vous saurez ce que c'est que de vous sentir confiant, compétent et prospère en imagination, vous serez plus capable de reproduire le même comportement et de vivre les mêmes émotions dans la vraie vie. Vous jouerez simplement le rôle de la personne que vous voulez être, avec les qualités et les caractéristiques que vous voulez avoir. Comme le conseillait William Shakespeare: «Assumez une vertu et elle est vôtre.»

Ce concept a permis à l'auteure, Dorothea Brande, d'atteindre de nouveaux sommets en écriture et en art oratoire. Ainsi qu'elle le rapporte dans son merveilleux livre, *Wake Up and Live*, elle a été témoin de ce qui, à son avis, était une étonnante démonstration d'habileté par une personne ordinaire, sous hypnose. Plus tard elle a lu que de tels exploits étaient possibles de la part de sujets sous hypnose parce que les échecs et les erreurs du passé étaient complètement effacés de la mémoire de ces sujets. Elle s'est dit que des résultats similaires pouvaient être obtenus par des gens ordinaires éveillés à condition qu'ils oublient simplement leurs échecs passés et qu'ils agissent comme s'ils ne pouvaient pas échouer. Alors elle se mit à agir en présumant qu'elle possédait les qualités et les habiletés dont elle avait désespérément besoin et elle alla fermement de l'avant, pour atteindre en un an un degré de réussite et de réalisations jamais imaginé.

Cette capacité de jouer le rôle de la personne que vous voulez le plus devenir est la cinquième merveille de l'esprit. Elle reconnaît le fait que toute causalité est mentale, que tous les événements de la vie passée, présente et future sont déterminés par le contenu de l'esprit. Vous êtes et vous deviendrez la personne que vous êtes le plus longtemps chaque jour.

Vous devez vous rappeler un élément critique à cet égard. Vous n'êtes capable de concrétiser un geste ou un événement que dans la mesure où vous pouvez le voir d'abord en imagination, clairement et de façon très détaillée. En d'autres mots, si vous ne pouvez le croire et le voir en imagination, vous ne pourrez le concrétiser dans votre expérience. Vous errerez et vous échouerez, sans savoir précisément ce que vous essayez de faire.

Ainsi que l'écrit le révérend Robert Schuller, le pessimiste dit: «Je le croirai quand je le verrai,» alors que l'optimiste dit: «Je le verrai lorsque je le croirai.» Ce que vous voyez est ce que vous obtenez.

Prenez n'importe quel objectif désirable — prononcer un grand discours, effectuer un argumentaire de vente réussi ou faire montre d'assurance au cours d'une interview en vue d'un emploi — et vous découvrirez que vous ne pourrez atteindre cet objectif que dans la mesure où vous pourrez vous «voir» obtenant les résultats désirés en imagination. Le premier effort critique est d'ordre mental. Vous devez croire et être capable de voir les possibilités mentalement avant de pouvoir espérer les réaliser dans votre vie.

Pour prouver cela, pensez à quelque chose que vous essayez d'accomplir actuellement. Croyez-vous fermement en votre objectif et êtes-vous capable de vous voir le réaliser? Sinon, vous ne réussirez pas.

Pour passer à travers la crainte

Si une crainte majeure ou une phobie vous empêche de progresser, vous trouverez peut-être l'exercice suivant utile. Mais notez que certaines craintes et phobies sont trop complexes pour être abordées aussi simplement. Dans de tels cas, consultez un médecin.

La programmation neuro-linguistique
Exercice de remaniement #5
«Pour se débarrasser de ses phobies»

Supposez que vous êtes extrêmement nerveux à propos de quelque chose, prendre la parole en public par exemple, au point où il s'agit presque d'une phobie qui vous consume. La crainte ou phobie particulière que vous ressentez n'a aucune importance par rapport au présent exercice.

Donnez-vous le plus d'assurance possible en vous reportant à l'exercice de remaniement #1: «Pour avoir plus d'assurance.» Rappelez-vous que vous devez «penser en gagnant», ce qui vous donnera plus de force et de confiance. Soyez convaincu de pouvoir surmonter toute difficulté ou obstacle parce que vous portez une armure que les forces extérieures ne peuvent pénétrer. Fermez le poing pour appuyer ce sentiment.

Dans cet état d'esprit, imaginez-vous assis au milieu d'une grande salle de cinéma. Imaginez-vous maintenant sortant de votre corps et flottant jusqu'à la salle de projection située à l'arrière. Dans cette position, regardez vers le bas et voyez-vous les yeux fixés sur l'écran. Votre «alter ego» observe une grande image en noir et blanc de vous-même tel que vous êtes juste avant votre réaction phobique habituelle.

Tout en concentrant votre regard sur votre alter ego, voyez l'image originale projetée à l'écran se transformer en un film en noir et blanc se déroulant à très grande vitesse du début à la fin de votre expérience phobique. Alors que vous regardez cela, imaginez la musique d'un carrousel jouant en fond sonore. Maintenant revoyez le même scénario en marche arrière, toujours à très grande vitesse, comme s'il s'agissait d'un film d'amateur que l'on rebobine. Vous ne sentez rien pendant que tout cela se produit, car vous êtes étranger à l'expérience. Observez le comique de la situation. Faites un arrêt sur image au tout début. Chacune de ces projections ne dure qu'une seconde ou deux. Fermez le poing.

Ensuite, flottez jusqu'à votre corps assis dans le fauteuil et réintégrez-le. Avec plus de confiance que vous n'en avez jamais eu, levez-vous, marchez jusqu'à l'écran et sautez dans le film. En vous servant de vos propres yeux, projetez le même film avec vos couleurs favorites à une vitesse normale et revivez la même expérience, mais cette fois en voyant, en entendant et en ressentant que tout va parfaitement bien. Reprenez le film à plusieurs reprises en imagination, en ne ressentant chaque fois que des sensations positives. Reconnaissez le fait que vous maîtrisez tout à fait la situation. Fermez le poing. Faites une pause et essayez de vous rappeler le sujet de votre phobie...

Dans cet exercice, votre esprit est passé d'une vision tout à fait dissociée de la scène indésirable à une vision tout à fait associée à la scène désirable. Vous avez substitué à la vieille expérience que vous ne vouliez pas la nouvelle expérience que vous vouliez, et vous avez fermement enraciné celle-ci dans votre réalité subconsciente. Maintenant, chaque fois que vous penserez à votre crainte ou à votre phobie, ce stimulus déclenchera en vous de nouveaux sentiments de confiance et de plus grande maîtrise. Vous avez fourni à votre subconscient une option plus acceptable et désirable que son ancienne réaction.

Une variation de cette visualisation consiste à changer la personne que vous voyez sur l'écran, vous en l'occurrence, en une grenouille. Imaginez aussi l'auditoire composé de grenouilles. Imaginez-vous coassant d'une voix forte et ferme un message précis, avec toutes les grenouilles vous coassant leur approbation. Cet étang de nénuphars est tout à fait excitant! L'objet est de rendre l'expérience légère et comique, afin de vous mettre à l'aise. Après tout, il n'est pas très difficile de faire coasser des grenouilles! Si vous pouvez réussir cette expérience, il ne vous sera pas beaucoup plus difficile d'imaginer un auditoire vous applaudissant debout à la fin de votre allocution.

Cette méthode n'est pas aussi absurde que vous le croyez. Dale Carnegie (1888-1955) raconte, dans *Comment se faire des amis et influencer les gens*, comment, pendant sa jeunesse, il s'exerçait à parler aux animaux sur la ferme où il vivait pour acquérir plus de confiance et d'assurance. Bien sûr, les animaux étaient tous fascinés par ses propos! Il finit pourtant par enseigner l'art oratoire à des milliers de gens à travers le monde.

On raconte que plusieurs orateurs d'expérience répètent leurs allocutions plusieurs fois en imagination avant de les prononcer. Ils imaginent leur auditoire réagissant et étant réceptif à leurs remarques exactement comme ils le veulent. Lorsqu'ils sont finalement présentés et qu'ils se tiennent devant le microphone, ils ne font que répéter une fois de plus leur allocution. Leur système de succès leur permet d'influencer précisément leur auditoire comme ils l'avaient prévu. Dans la mesure où ils ont pu croire et se voir influencer leur auditoire de la manière voulue, ils obtiendront les résultats recherchés. Leur système nerveux retrace simplement les empreintes nerveuses gravées dans leur carte mentale. La qualité de leur performance — la réaction de leur comportement — est totalement prévisible. Leur «voyage» est aussi réussi que la carte ou le plan qu'ils s'étaient tracé.

Vous pouvez voir que, en utilisant ainsi le conditionnement autogène, votre avenir est virtuellement illimité. Vous pouvez être, avoir ou faire tout ce que représente l'image que vous créez et gardez à l'esprit de manière continuelle. Il vous suffit de décider qui vous voulez être et ce que vous voulez faire. Vous devenez votre idéal en vous imaginant idéal. Pratiquez d'abord le rôle en imagination, puis jouez-le dans la vie réelle. Jouez le jeu des suppositions, une sorte d'état mental progressif. Apprenez à pencher dans la direction où vous voulez aller. Le conseil est le suivant: Si vous continuez à pratiquer et à jouer le rôle, vous le concrétiserez au bout du compte, car vous obtenez toujours ce que vous dites constamment vouloir à votre esprit.

La technologie moderne peut aujourd'hui nous aider à bénéficier de ce nouveau processus d'apprentissage. Les équipements et les cours de biofeed-back sont disponibles pour aider les gens à se détendre par un effort conscient. Les gens peuvent apprendre en quelques heures, auprès d'un professionnel, comment maîtriser leur système nerveux.

Un autre outil pratique est le magnétophone à cassettes. Plusieurs le considèrent comme le plus important outil pour s'aider et apprendre soi-même depuis l'invention de l'imprimerie. Vous pouvez aujourd'hui enregistrer vos objectifs majeurs sur cassettes, en les accompagnant d'affirmations qui viennent les appuyer et qui vous permettront de progresser plus rapidement que toute autre méthode connue. Vous pouvez écouter votre programme d'objectifs partout où vous allez: sur la plage, à vélo ou en avion.

Finalement, une percée en haute technologie a permis la mise au point de cassettes subliminales qui contournent complètement l'état d'esprit conscient. La programmation subliminale a d'abord été utilisée publiquement en 1956 dans le film Picnic, mettant en vedette Kim Novak et William Holden. Des messages encourageant la consommation de maïs soufflé et de Coca-Cola apparaissaient sur l'écran à des intervalles de quelques millisecondes. Même s'ils n'étaient pas perceptibles à l'œil, les messages subliminaux ont eu une influence radicale sur le subconscient des gens. Ils ont entraîné une hausse des ventes de maïs soufflé et de Coca-Cola de l'ordre de 56 %. Lorsque la pratique a par la suite été révélée dans la presse, le public a naturellement réagi avec force, étant d'avis que la technique était trop insidieuse. On a par la suite interdit la publicité subliminale.

Les cassettes subliminales que l'on trouve sur le marché de nos jours comportent une série d'affirmations positives et volontaires enregistrées à de très hautes fréquences. Bien que les messages ne soient pas perceptibles à l'oreille humaine, le subconscient peut les percevoir. Souvent plusieurs milliers d'affirmations sont enregistrées sur une cassette d'une durée d'une heure sur laquelle on peut entendre l'océan, des chants d'oiseaux ou de la musique classique. La technique recèle de grandes possibilités, car elle contourne les organes des sens et l'état conscient et programme ses messages directement dans la réalité subconsciente.

Cette technique d'apprentissage est un autre exemple du fantastique pouvoir de suggestion qui existe dans votre vie. En fait, vous êtes déjà «hypnotisé» dans une large mesure par la grande variété des messages et des idées que vous avez reçus de votre environnement — information que vous avez acceptée sans discussions et dont vous êtes convaincu de la véracité et de la réalité. Mais très souvent, tel n'est pas le cas.

Vous avez sans doute pris connaissance, par le biais de la télévision ou de livres, des nombreux exploits que peut accomplir un hypnotiseur professionnel. Il peut facilement convaincre une personne qu'elle ne peut se lever debout, soulever un crayon ou se rappeler son nom, simplement en implantant directement ces suggestions dans son subconscient. Bien sûr la personne est capable d'exécuter chacune de ces tâches dans des circonstances normales. Mais la connaissance consciente de ces capacités est affectée lorsque le subconscient est persuadé du contraire.

Vous devez réfléchir un moment aux divers talents et habiletés que vous possédez, mais qui ne peuvent se manifester à cause de convictions limitatives. En vous débarrassant de ces convictions, vous vous «déshypnotisez» tout bonnement. Il n'y a pas de secrets ou de magie à l'œuvre. Vous permettez simplement à diverses compétences et habiletés de se manifester, de voir la lumière du jour et de se mettre à l'œuvre pour vous.

En utilisant les techniques que nous décrivons ici, vous pouvez reprogrammer votre esprit en vue de la réussite. Vous pouvez changer vos convictions les plus intimes à votre propos et arrêter votre choix sur n'importe quel objectif. Vous avez actuellement à votre disposition tout ce dont vous avez besoin pour être heureux et réussir. Vous avez les compétences et les habiletés vous permettant de faire tout ce que vous voulez, mais n'avez jamais cru possible.

Toute cette puissance vous est disponible lorsque vous prenez le temps de vous libérer de vos convictions limitatives.

Chapitre 8

La préparation de votre avenir

«Nous possédons naturellement les facteurs qui peuvent former la personnalité; et leur organisation en une vie personnelle efficace est la responsabilité première de tout homme.»

Harry Emerson Fosdick
(1878-1969)
Auteur et prédicateur
américain

Cette épigramme est une bonne façon d'entreprendre une discussion portant sur les divers facteurs clés de réussite, facteurs essentiels à de grandes réalisations et à une performance exceptionnelle. Chacun des facteurs est une pierre qui supporte une structure plus importante, une étape vers la réussite. Votre connaissance et votre capacité d'utiliser des principes de réussite détermineront votre degré relatif de performance dans tout ce que vous tenterez.

Dans les chapitres 8 à 12, nous aborderons en détails 12 facteurs clés de réussite, collectivement représentés par les lettres FCR dans notre équation de la performance. Ils constituent divers modèles d'excellence applicables à votre vie personnelle et professionnelle. Ils représentent des convictions précises qui amènent les gens qui réussissent à voir le monde d'une certaine manière et qui leur permet d'agir efficacement.

Une attitude mentale positive

Le premier facteur clé de réussite (FCR) est une attitude mentale positive. Vous devez penser attitude si vous voulez penser en gagnant! C'est par l'attitude que commence tout changement et toute réussite. Elle est le filtre à travers lequel vous voyez le monde entier et elle détermine les messages que vous recevez de tout ce que vous vivez. Votre attitude décide de ce que vous êtes et si vous réagissez aux événements en les contrôlant ou non. Vous ne pouvez transformer ou améliorer votre attitude qu'en analysant et en changeant votre système de convictions personnelles. Cela nécessite des efforts. Comme le disait le philosophe et poète américain d'origine espagnole, George Santayana (1863-1952): «Les gens sont en général fermement convaincus que leurs opinions sont précieuses bien plus qu'elles ne sont justes.»

Votre système actuel de convictions ne vous permet sans doute pas une performance maximale. À bien des égards, il n'est tout bonnement pas fiable, car il se fonde souvent sur de l'information qui n'est ni précise, ni suffisante, ni rationnelle. Voyons comment cela s'applique à un talent particulier tel que l'art oratoire.

Rappelez-vous comment, enfant, vous avez communiqué avec les gens pour la première fois. Probablement que chaque fois que vous tentiez de prononcer un nouveau mot, vous vous sentiez approuvé et encouragé de vos parents et de votre entourage. Ces encouragements vous donnaient sans doute des sentiments positifs à propos de chacun de vos succès. Certains de ces messages d'encouragements incluaient peut-être:

«C'est merveilleux, David. Tu as réussi!»

«Il a dit «maman», il a dit «maman»! As-tu entendu? Il est si drôle!»

Ainsi, vous receviez une réaction immédiate et positive qui renforçait toutes vos réalisations de manière régulière. En plus des paroles encourageantes et des louanges, vous aviez droit aux sourires, aux touchers, aux embrassades et aux baisers. Si vous étiez très chanceux, vous receviez beaucoup d'amour et d'affection, ce qui a laissé une empreinte durable dans votre mémoire.

Avec le temps, vous avez appris plusieurs nouveaux mots et expressions pour communiquer vos idées et vos souhaits aux gens. Vous exprimer a dû être très excitant pour vous, pour servir vos besoins et vos désirs dans un environnement limité et protégé.

Par la suite, vous avez été exposé à un environnement plus important où vous avez rencontré d'autres enfants et de nouvelles situations. Vous n'étiez plus le centre d'attraction et vous n'aviez plus droit à des réactions encourageantes sur une base régulière. Vous aviez peut-être des conversations du genre suivant avec d'autres enfants:

«Catherine, donne-moi ce jouet,» disiez-vous à votre amie.

«Non, c'est à moi,» répondait-elle. «Va-t'en. Je ne t'aime pas.»

Pour la première fois, vous vous êtes mis à avoir des conflits avec les gens de votre âge et vous avez dû les concurrencer, à la recherche d'attention et de louanges.

En vieillissant, les choses se sont peut-être gâtées à l'occasion et vos parents vous ont peut-être grondé en vous disant: «David, tu nous interromps encore. Laisse-nous tranquilles ou tais-toi!»

Il n'est pas possible de prédire avec certitude l'effet que de tels messages peuvent avoir eu sur vous. Il n'y a pas que ce que les gens vous ont dit qui a contribué à former votre attitude à propos de vous-même et de votre capacité de vous exprimer: il y a aussi votre interprétation de ces remarques. Si vous avez fait l'objet de plus de réactions négatives que de réactions positives et vous les avez acceptées, il est raisonnable de supposer que vous êtes devenu moins enthousiaste pour ce qui est de vous exprimer. Vous en êtes probablement venu à considérer l'exercice comme étant peu satisfaisant.

Plus tard, peut-être avez-vous récité des poèmes et prononcé des allocutions improvisées à l'école, et avez-vous eu droit à de nouvelles réactions de vos professeurs et de vos camarades. Peut-être aussi avez-vous participé à des débats et avez-vous perdu la plupart du temps parce que vous n'étiez pas familier avec les débats ou les sujets discutés. Cela vous a sans doute découragé encore plus en vous faisant croire que vous n'aviez pas l'étoffe d'un orateur.

Par conséquent, vous êtes sans doute resté à l'écart de l'art oratoire, aussi bien comme passe-temps que pour en faire une carrière, en devenant adulte. Vous vous en êtes sans doute remis à vos expériences négatives ou, plus précisément, à votre interprétation négative de ces expériences. En un mot, vous avez développé une attitude négative à l'égard de cette activité. Appelé à vous exprimer à l'église, lors d'une manifestation publique ou dans le cadre du travail, vous ne vous en tirez sans doute pas très bien, même si votre performance n'a que peu de choses ou rien à voir avec vos possibilités réelles.

Tout ce qui est perçu par une personne s'enracine dans son esprit.

Dans notre exemple, votre système de convictions concernant votre capacité de parler en public est imprécise parce que vous portez simplement un jugement en cette matière en vous fondant sur des impressions qui se prêtent à plusieurs interprétations. De plus, votre base de données est insuffisante car vos expériences ne sont pas assez nombreuses. Donc, toute conclusion voulant que vous n'ayez pas de talents oratoires est irrationnelle parce qu'elle représente une opinion subjective, et non un fait objectif.

Malheureusement, tout ce qui est perçu par une personne s'enracine dans son esprit. Lorsque vous adoptez une ferme conviction, elle devient une attitude arrêtée, constituant votre réalité et votre univers.

Toute conviction que vous souhaitez changer doit être analysée de manière logique et rationnelle. La réévaluation de convictions est un exercice de réflexion, une nouvelle estimation de la justesse de ce que vous acceptez comme étant vrai.

Dans chaque cas, votre capacité de réussite concernant une tâche donnée est directement proportionnelle à votre capacité d'imaginer d'abord les résultats que vous souhaitez. À moins que vous ne croyiez honnêtement pouvoir réussir et que vous ne vous imaginiez réussissant dans votre esprit, vous ne pouvez espérer concrétiser votre objectif.

Tout cela vient appuyer des vérités déjà énoncées:

- Vous êtes influencé par les rebuts qui pénètrent dans votre esprit.

- Changez les pensées qui entrent dans votre esprit et vous changerez celles qui en sortent.

- Vous obtenez ce que vous voyez.

Votre comportement ne dépend pas directement de ce qui se passe autour de vous, comme votre culture et les mass media vous inciteraient à le croire. Êtes-vous malheureux? Dans ce cas, achetez-vous un costume coûteux, une automobile plus luxueuse et déménagez dans un quartier plus prestigieux. Vous vous sentirez peut-être mieux à court terme, en supposant que vous pouvez vous offrir tout cela, mais ces choses ne peuvent vous rendre heureux. Un facteur additionnel primordial est essentiel à votre comportement et à votre bien-être émotionnel: votre attitude mentale.

Le docteur Albert Ellis, fondateur de la thérapie émotive rationnelle, soutient que la clé de l'attitude mentale est constituée des convictions, qui déterminent la façon dont on se comporte.

Les événements et les circonstances externes, bons ou mauvais, abondent dans votre univers. Le docteur Ellis qualifie ces circonstances d'événements activateurs, et leur accole la lettre «A».

La tendance naturelle de notre culture est d'accuser des événements activateurs d'être responsables de ce que nous ressentons et de ce que nous faisons. Ces conséquences émotionnelles et comportementales portent, selon monsieur Ellis, la lettre «C».

Cela nous conduit à l'équation:
A = C
Par exemple:
A (je n'ai pas été promu) = C (je me sens rejeté)
            ou
A (je n'ai pas remporté le concours = C (je me sens incompétent)

Cependant, «A» n'est pas égal à «C», et le fait de le croire n'est qu'une source de déceptions et de malheurs dans la vie. La relation causale correcte est:

A + B = C

«B» représentant votre système personnel de convictions. Votre système de convictions vous amène à formuler certains jugements et interprétations qui génèrent vos attentes et votre réaction comportementale. Ces modèles de pensée forment collectivement votre profil d'attitude.

Par exemple:

L'événement activateur A (je n'ai pas été promu)
plus
Le système de convictions B (je suis une personne capable, mon tour viendra)
égale
La conséquence C (je me sens bien à propos de moi-même et de mon avenir)

Le docteur Ellis ajoute: «Les gens et les objets ne nous affectent pas, nous nous affectons nous-mêmes en croyant qu'ils peuvent nous affecter.»

Plus que tout autre facteur de votre vie, votre façon particulière de penser — votre attitude — détermine ce que vous ressentez et la façon dont vous vous comportez. Les gens qui attribuent leur situation dans la vie à des événements extérieurs recherchent la solution à leurs problèmes à l'extérieur. Puisqu'ils ne peuvent l'y trouver, ils sont déçus et souvent amers. Les autres, qui reconnaissent que toute causalité est d'ordre mental, recherchent la solution à l'intérieur. Ils revoient leurs convictions et acceptent la responsabilité des convictions qu'ils adoptent finalement.

John Wooden, ex-entraîneur de basket-ball pour l'université UCLA, disait un jour: «Tout va pour le mieux pour les gens qui tirent le meilleur parti de ce qu'il leur arrive.»

Cette affirmation souvent citée résume de façon intéressante une manière positive d'aborder la vie. Vous ne pouvez espérer contrôler tout ce qui vous arrive, mais vous pouvez contrôler votre réaction à de tels événements en adoptant une attitude mentale positive.

La citation suivante, que l'on doit à Charles Swindoll, s'intitule *Attitude*:

«Plus je vieillis, plus je me rends compte de l'impact de l'attitude sur la vie. Pour moi, l'attitude est plus importante que les faits. Elle est plus importante que le passé, l'éducation, l'argent, les circonstances, les échecs, les réussites, que ce que les gens croient, disent ou font. Elle est plus importante que l'apparence, les dons ou les talents. Elle fait la réussite ou l'échec d'une entreprise, d'une église ou d'un foyer. Ce qui est remarquable, c'est que nous avons chaque jour le choix concernant l'attitude que nous adoptons pour la journée. Nous ne pouvons changer le passé. Nous ne pouvons empêcher les gens d'agir d'une certaine manière. Nous ne pouvons changer l'inévitable. Tout ce que nous pouvons faire, c'est nous servir de ce que nous avons: notre attitude. Je suis convaincu que ma vie, c'est ce qui m'arrive dans une proportion de 10 % et ma façon d'y réagir dans une proportion de 90 %. Et il en est de même pour vous. Nous avons la responsabilité de notre attitude.»

Alors quelle est votre attitude à l'égard de votre attitude. Quelle est votre attitude à l'égard de vos convictions, de vos buts personnels, de votre sens des responsabilités, de votre gestion du temps, de votre épanouissement personnel, de votre santé, de votre créativité, de votre propension à rendre service, de votre excellence, de vos relations humaines et de votre habileté de leader? Voilà les secteurs que nous allons maintenant explorer en profondeur.

Croyez entièrement en vous-même

Le deuxième facteur clé de réussite (FCR) consiste à croire entièrement en soi. Vous devez penser convictions si vous voulez penser en gagnant! Ayez confiance en vous-même. Croyez en vos habiletés, car vous êtes celui que vous croyez être. Vous avez les compétences et les habiletés nécessaires pour accomplir de grandes choses. Il vous suffit d'accepter ce fait pour progresser dans la vie.

«Il n'y a que deux façons de progresser facilement dans la vie: tout croire ou douter de tout; d'une manière ou d'une autre, nous n'avons pas à réfléchir», disait Alfred Korzybski (1879-1950), scientifique et philosophe américain d'origine polonaise.

Vous devez bien réfléchir à ce que vous croyez. Les convictions erronées sont les pires ennemies de la vérité, car elles se soldent par toute une vie de médiocrité et d'insignifiance. Vous êtes ce que votre esprit a été programmé à penser que vous êtes. Votre pouvoir réside dans les pensées que vous entretenez. Comme l'observait William James: «La conviction perd tout son sens lorsqu'elle fait l'objet d'affirmations gratuites pour le seul plaisir de celui qui croit. Peu importe la personne, il est toujours erroné de croire quoi que ce soit sans preuves suffisantes.»

Lorsque vous étiez âgé de 2 ans, environ 50 % de votre système de convictions avait été déterminé. À 6 ans, ce pourcentage était de 60 %, et à 8 ans de 80 % environ.

Finalement, vers l'âge de 14 ans, à peu près 90 % de ce que vous pensiez être avait été programmé dans votre esprit. Cela détermine encore aujourd'hui les convictions que vous entretenez à propos de vous-même et de vos possibilités de réalisations.

En d'autres mots, quel que soit votre âge, celui que vous pensez être aujourd'hui date de l'âge de 14 ans. En général, on se souvient peu de l'époque de ses 14 ans. C'est également durant cette période que vous manquiez le plus de sécurité et de maturité. Vous ne pouviez formuler de jugements bien informés à propos de plusieurs des choses qui vous arrivaient. Mais cette période critique de votre vie peut vous hanter jusqu'à la mort, à moins que vous ne choisissiez de vous réévaluer en vous fondant sur de nouvelles données opposées à vos idées préconçues.

Les gens ont l'habitude de tenir leurs atouts pour acquis et de ne se concentrer que sur leurs limites. En agissant ainsi, ils donnent plus de crédibilité à ce qu'ils ne croient pas pouvoir faire qu'à ce dont ils se croient capables d'accomplir. Un tel comportement est défaitiste en soi. Il vous empêche de progresser, vous enlève toute initiative et toute possibilité de réussite.

En vous concentrant constamment sur vos obstacles apparents, vous leur donnez un pouvoir et une force qu'ils n'ont pas nécessairement. Concentrez plutôt votre attention sur vos atouts, et vous serez capable de voir, à travers ces obstacles imaginaires et passagers, ce qui est possible.

Le poème anonyme suivant intitulé *Croyez en vous-même* vous aidera à mieux comprendre:

«Croyez en vous-même! Vous avez été conçu par Dieu
Et vous êtes parfait pour l'œuvre de l'humanité.
Vous devez conserver cette vérité malgré le danger et la douleur.
Les sommets que l'homme a atteints, vous pouvez aussi les atteindre.
Croyez jusqu'à la dernière heure, car c'est vrai
Que vous pouvez faire tout ce que vous voulez.

Croyez en vous-même et n'ayez pas peur
Ne vous laissez pas influencer par les soupçons et le doute.
Vous avez le droit de réussir, la précision et le talent
Qui appartiennent aux grands, vous pouvez les avoir si
vous voulez!
La sagesse des âges est vôtre si vous lisez,
Mais vous devez croire en vous-même pour réussir.»

Si vous vous sentez abattu et vous croyez ne pas avoir la capacité de progresser dans la vie, dressez un inventaire détaillé de vos atouts et de vos défauts.

Prenez une feuille de papier, tracez une ligne au centre et dressez la liste de vos atouts à droite et de vos défauts à gauche. Êtes-vous en bonne santé? Avez-vous un conjoint ou d'autres membres de votre famille qui vous appuient? Gagnez-vous ou comptez-vous gagner un revenu raisonnable? Avez-vous acquis de précieuses compétences? Avez-vous à votre actif de petites réussites? Aimez-vous la lecture? Avez-vous le temps d'étudier? Y a-t-il des groupes communautaires ou religieux que vous pouvez joindre et qui peuvent vous aider à explorer de nouvelles avenues pour vos talents et vos habiletés?

Il y a des centaines de questions du genre que vous pourriez vous poser pour quantifier tous vos atouts. Si vous preniez le temps, vous découvririez bien des atouts que vous avez tenus pour acquis — deux yeux, deux mains, deux pieds et un cerveau pour penser! Bien des gens ont réalisé de grandes choses avec moins que cela. Si vous explorez sérieusement ces deux secteurs, il est impossible que la liste de vos défauts soit plus longue que celle de vos atouts.

Vous pouvez accorder, si vous le choisissez, plus d'importance à vos défauts. Cependant, il en résultera des jugements qui peuvent être changés à partir de données nouvelles ou de la réévaluation de vieilles données. Vous pouvez et vous devez mettre à jour votre système de convictions, si vous voulez donner un nouveau sens à votre vie.

Cet exercice d'inventaire fait appel à la technique de «minimisation-maximisation» pour vous aider à voir vos atouts et vos défauts sous un nouvel éclairage. Le poète et écrivain anglais, Robert Southey (1774-1843), avait sa façon bien à lui de percevoir son environnement:

> *Je vous ai parlé de l'homme qui mettait toujours ses lunettes lorsqu'il s'apprêtait à manger des cerises afin que les fruits lui semblent plus gros et plus appétissants. De la même manière, je tire toujours le maximum de mes plaisirs, et même si je ne fuis pas les problèmes, je leur accorde aussi peu d'importance que possible et je fais en sorte qu'ils n'ennuient pas les autres.»*

L'échec est un aspect vital et nécessaire dans le processus des réalisations.

Il y aura toujours des obstacles et des déceptions dans la poursuite de tout objectif valable. La plupart des gens ne comprennent pas une vérité toute simple: il est presque impossible de réussir quoi que ce soit de significatif dès la première tentative. L'échec est un aspect vital et nécessaire des réalisations. Nul n'apprend à marcher ou à conduire une bicyclette ou une automobile à sa première tentative. La crainte de l'échec est la raison principale pour laquelle la plupart des gens ne se fixent pas des objectifs importants et significatifs dès le départ. L'image qu'ils ont d'eux-mêmes ne leur permet pas de vivre avec la possibilité de l'échec. Mais vous n'échouez que lorsque vous acceptez l'échec comme une réalité et que vous décidez de cesser d'essayer.

L'histoire nous démontre à quel point l'échec est essentiel à toute réalisation, que les grandes réussites s'accompagnent toujours de grands échecs. Babe Ruth détenait le record des retraits sur trois prises de même que celui des coups de circuits. Il connaissait la loi de la moyenne et s'en servait: plus vous allez de fois au bâton, plus vous avez de chances d'expédier la balle hors du terrain. Il en est de même du jeu de la vie. Plus vous essayez souvent, plus vous avez de chances de réussir.

Thomas Edison a dû essayer plus de 10 000 façons de faire allumer une ampoule électrique avant de découvrir la façon dont elle fonctionnait. Il avait une attitude très différente à l'égard de son travail. Il considérait chaque tentative infructueuse non pas comme un échec, mais comme une réussite, une réussite qui lui faisait faire un pas de plus vers son objectif ultime. Il se concentrait fermement sur l'objectif qu'il poursuivait et était prêt à faire tout ce qui était nécessaire pour l'atteindre. Cela lui donna de bons résultats. Il fut l'inventeur le plus prolifique de l'histoire moderne, avec 1 097 appareils brevetés à son nom.

Abraham Lincoln (1809-1865), a aussi lutté et affronté l'adversité plus d'une fois. Voici un bref survol de ses réalisations qui démontre que les gens qui abandonnent ne gagnent pas et que ceux qui gagnent n'abandonnent pas. Il échoua en affaires en 1831. Il fut défait à la législature en 1832. Il échoua à nouveau en affaires en 1834. En 1835, son amie mourut, et l'année suivante il fit une dépression nerveuse. Il fut défait au poste d'orateur de la Chambre en 1838. Il perdit l'élection au Congrès en 1843 et en 1846. Il fut défait comme agent des terres en 1849. En 1855, il perdit son élection au Sénat, et en 1856 il fut défait au poste de vice-président. Il fut à nouveau défait au Sénat en 1858. Pourtant en 1860, Abraham Lincoln fut élu président des États-Unis.

Abraham Lincoln avait la réputation de ne jamais donner moins que le maximum dans tout ce qu'il entreprenait, même si tout était contre lui. Jeune homme, il avait fait ce vœu: «J'essaierai toujours de faire de mon mieux quoi qu'il advienne, et un jour mon tour viendra.» Il persévéra, son tour vint et il fut l'un des présidents les plus respectés de l'histoire des États-Unis. Sa vie est le reflet de l'expression: «Pour réussir, il faut persévérer.»

Thomas J. Watson, ex-président de la firme IBM, donnait ce précieux conseil sur la façon de réussir: «Multipliez par deux votre taux d'échec.» Il reconnaissait que la seule façon d'échapper à ce que James Newman appelle «la zone d'aise», et d'améliorer son rendement consistait à échouer plus souvent.

Aux Jeux olympiques de 1952, Bob Mathias remporta la médaille d'or au décathlon, et Milton Campbell se classa deuxième. Quatre ans plus tard Milton Campbell remporta la médaille d'or et Rafer Johnson fut deuxième. Quatre ans plus tard, Rafer Johnson remporta la médaille d'or et C.K. Yang se classa deuxième. Quatre ans plus tard, C.K. Yang remporta la médaille d'or et établit un nouveau record au décathlon. Dans chacun des cas, un échec significatif a été suivi d'une réussite majeure.

La tendance naturelle des gens qui ont peu d'estime de soi, qui ne peuvent faire face à l'idée d'un échec, est de demeurer dans leur zone d'aise. Ces gens évitent tout risque et se contentent d'être médiocre plutôt que de chercher à réussir. Ils se satisfont de la norme, ne se fixent jamais d'objectifs et ne tentent jamais rien de nouveau. Pourtant, pour donner une excellente performance, vous devez sortir de votre coquille. Vous devez tenir compte de vos possibilités!

Examinez l'illustration 7 pour comprendre l'importance des convictions par rapport aux réalisations.

Quand chaque contenant atteint son niveau maximal, il se déverse dans le contenant suivant. Le contenant de votre vie ne se remplit que dans la mesure où les quatre autres contenants atteignent leur niveau maximal.

Remarquez qu'à moins qu'il y ait conviction, rien ne se produit; si les possibilités demeurent ignorées, rien ne se produit; s'il n'y a pas d'actions, rien ne se produit; s'il n'y a pas de résultats, rien ne se produit. Le contenant de votre vie ne se remplit que dans la mesure où des choses précises se produisent de manière précise.

Vous ne pouvez avoir que deux choses dans la vie: des excuses ou des résultats. Et bien sûr, les excuses sont sans

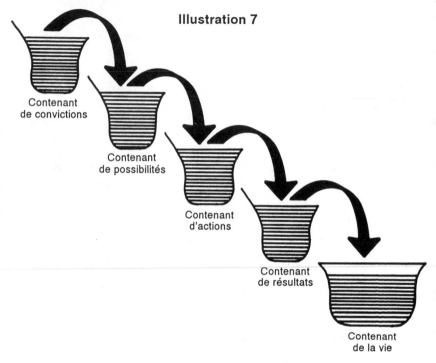

Illustration 7

Contenant
de convictions

Contenant
de possibilités

Contenant
d'actions

Contenant
de résultats

Contenant
de la vie

LES CINQ CONTENANTS DE LA VIE

valeur! Elles ne représentent que votre manque de foi en votre capacité de survivre.

L'un des concepts les plus importants de ce livre porte sur votre «secteur d'excellence». Selon ce concept, vous disposez en moyenne des mêmes talents et habiletés que tout le monde. En d'autres mots, vous avez un peu moins d'aptitudes pour certaines choses, et un peu plus d'aptitudes pour d'autres. Mais si vous faites une moyenne, cette moyenne est à peu près la même que la moyenne générale.

Selon ce concept, vous avez aussi la capacité d'exceller dans au moins un secteur clé de votre vie — une conviction fondamentale si vous comptez explorer toutes vos possibilités. Chacun de nous a été mis sur terre dans un but précis, et avec les habiletés lui permettant de réaliser ce but. Cela veut dire que nous pouvons tous exceller dans un domaine donné, et que nous avons la responsabilité fondamentale de trouver notre domaine d'excellence et de canaliser tous nos efforts dans cette direction.

Vous ne pouvez atteindre un niveau d'excellence que dans une activité que vous aimez vraiment. Cela ne ressemble pas à du travail, même si, au début, vous devez y consacrer plus d'efforts qu'à tout ce que vous avez jamais tenté. Votre domaine d'excellence doit être quelque chose qui vous intéresse naturellement, vers lequel vous êtes instinctivement attiré, et que vous voulez faire, rémunéré ou non. Cela doit vous donner le sentiment que vous êtes unique, précieux et important. Cela doit vous aider à vous réaliser pleinement, à exprimer votre unicité et votre individualité.

Voulez-vous savoir si vous avez trouvé votre domaine d'excellence? Posez-vous les deux questions suivantes:

1. Vous sentez-vous emballé par ce que vous faites de manière régulière?

2. Êtes-vous surpris par votre niveau régulier de performance?

Si vous n'êtes pas emballé à votre propos et régulièrement surpris par votre performance, vous n'avez pas trouvé votre domaine d'excellence. Il s'agit d'un secret concernant la réussite: Trouvez votre domaine d'excellence, l'activité dans laquelle vous excellez, et consacrez-y entre 80 et 90 % de votre temps.

Par exemple, un lanceur dont la spécialité est la balle rapide ne lance pas beaucoup de balles glissantes et de courbes au cours d'un match. Il se concentre plutôt sur ce qu'il fait de mieux et, par conséquent, il est emballé à propos de lui-même et étonné, sinon estomaqué, par sa réussite.

La plupart des gens ne connaissent pas leur «balle rapide» dans la vie et ne s'y adonnent certainement pas 80 ou 90 % de leur temps. Ils ont de la difficulté à déterminer ce qu'ils aimeraient vraiment faire et ce qui les intéresse le plus. Ils sont pris dans une ornière: ils s'efforcent de gagner leur vie jour après jour, en faisant généralement quelque chose qu'ils n'apprécient pas particulièrement. Ils se lèvent le matin et vont travailler pour gagner assez d'argent et rentrer chez eux... pour se relever le lendemain matin et aller travailler pour gagner assez d'argent et rentrer chez eux à nouveau. Ce cercle vicieux se répète sans fin. Il est clair que ces gens sont trop occupés à gagner leur vie pour la vivre.

Voici cinq questions qui vous aideront à découvrir qui vous êtes et dans quelle direction vous voulez aller:

1. *Quelles sont les principales valeurs sur lesquelles vous voulez axer votre vie?*

Appréciez-vous vos rapports avec vos amis et votre famille immédiate? Voulez-vous accomplir des choses utiles dans la vie, aider les gens et apporter quelque chose à la société? Voulez-vous que votre valeur personnelle soit reconnue, voulez-vous savoir que vous êtes apprécié? Voilà certaines des questions fondamentales que vous pouvez vous poser pour découvrir vos valeurs et vos convictions les plus profondes concernant ce qui, pour vous, est le plus important dans la vie. Bien des gens connaissent peu les valeurs qu'ils chérissent et les mettent peu en pratique dans leur vie quotidienne.

2. *Quelle est l'activité qui vous donne le plus de satisfaction et le plus grand sentiment de réussite et d'importance?*

La réponse à cette question vous aidera à vous diriger vers votre domaine d'excellence. Il peut s'agir de quelque chose que vous n'avez pas encore tenté, mais que vous aimeriez faire. Si tel est le cas, essayez! Goûtez-y, et continuez.

3. *Quels changements apporteriez-vous à votre vie s'il ne vous restait qu'un an à vivre?*

Dans ce scénario, supposez que vous serez en bonne santé pendant cette période de 12 mois. Vous n'aurez aucuns frais médicaux à payer et vous toucherez votre plein salaire, mais vous n'aurez pas à aller travailler. En d'autres mots, vous disposerez de tout votre temps et vous n'aurez aucun problème de santé ou d'argent. Que feriez-vous de votre temps?

4. Passons maintenant à la question favorite de Robert H. Schuller: *Que feriez-vous si vous étiez certain de ne pas échouer?*

Vous saisissez? *Vous ne pouvez échouer!* Votre réussite est assurée et tout le monde sera tellement impressionné. Alors que voulez-vous faire?

5. *Dans quels termes voulez-vous que l'on se souvienne de vous lorsque vous ne serez plus là?*

Ceci est un peu comme si vous rédigiez votre propre épitaphe: «CI-GÎT UN HOMME QUI SOUPIRE ET REGRETTE DE N'AVOIR RIEN FAIT DE SIGNIFICATIF!»

La mort dure bien plus longtemps que la vie, alors il est important d'utiliser le mieux possible le peu de temps dont vous disposez. Prenez dès aujourd'hui la décision de développer votre domaine d'excellence. Nous devons tous commencer quelque part. Et il est beaucoup plus important de savoir où vous voulez aller que de savoir où vous êtes et où vous êtes passé.

Examinez le tableau suivant, fondé sur une espérance de vie de 70 ans, qui vous aidera à décider comment vous voulez passer le reste de votre vie.

Illustration 8

SI VOUS AVEZ		VOUS AVEZ PASSÉ		ET IL VOUS RESTE
20 ans	=	7 300 jours	=	18 250 jours
25 ans	=	9 125 jours	=	16 425 jours
30 ans	=	10 950 jours	=	14 600 jours
Mi-chemin	=	12 775 jours	=	12 775 jours
40 ans	=	14 600 jours	=	10 950 jours
45 ans	=	16 425 jours	=	9 125 jours
50 ans	=	18 250 jours	=	7 300 jours
55 ans	=	20 075 jours	=	5 475 jours
60 ans	=	21 900 jours	=	3 650 jours
65 ans	=	23 725 jours	=	1 775 jours
70 ans	=	25 550 jours	=	Gérez-vous sagement votre temps?

La question clé est: *Que voulez-vous faire du reste de votre vie?* «N'agissez pas comme si vous aviez 1000 ans à vivre,» disait dans ses maximes Marc-Aurèle (121-180 de notre ère), empereur de Rome.

Beaucoup de gens ont à leur actif de grandes réalisations. Ils ont réussi dans le secteur académique, professionnel ou familial. Peut-être ont-ils accumulé des richesses matérielles. Mais de tels éléments peuvent-ils mesurer correctement votre succès relatif dans la vie? Ou d'autres éléments sont-ils plus importants?

Lisez ceci:

- Ce n'est pas ce que vous avez accompli et qui vous rapporte qui est important, mais ce que vous avez accompli et qui rapporte aux autres.

- Ce n'est pas ce que vous avez accompli en rapport avec les autres qui est important, mais ce que vous avez accompli par rapport à votre potentiel.

- Ce n'est pas ce que vous faites dans la vie qui est important, mais ce que vous poussez les autres à faire.

En quoi croyez-vous vraiment? Quelle importance ont les objectifs et les idéaux valables à vos yeux? Le jour présent, comme tous les autres, peut être un nouveau début.

Des objectifs élevés et difficiles

Le troisième facteur clé de réussite (FCR) est constitué d'objectifs élevés et difficiles. Vous devez penser objectifs si vous voulez penser en gagnant! Examinez ce conseil de Lucius Annæus Sénèque (4 av. J.C. à 65 de notre ère), homme d'État, écrivain et philosophe stoïcien romain: «Nos projets avortent parce qu'ils n'ont pas de buts. Lorsqu'un homme ne sait pas vers quel port il navigue, le vent n'est jamais propice.»

Pourquoi les objectifs sont-ils si importants pour réussir dans la vie? Voici les statistiques à ce sujet. Selon des tables actuarielles, si vous prenez 100 personnes de 25 ans au hasard et vous comparez leurs progrès à l'âge de 65 ans, 1 personne sera riche, 4 seront financièrement autonomes, 15 disposeront d'économies modestes et 80 seront totalement sans le sou, sans la moindre économie et complètement dépendants d'un petit fonds de retraite ou de la sécurité sociale pour le reste de leur vie. En d'autres mots, sur 100 personnes qui travaillent actuellement, 5 % seulement deviendront financièrement autonomes. Cinq pour cent seulement! Cela signifie que vous avez 1 chance sur 20 de vous rendre à l'âge de la retraite jouissant d'une liberté financière, malgré 40 années d'emploi rémunéré dans un pays de libre marché, caractérisé par des occasions de réussite illimitées et une croissance presque continuelle. Mais bien sûr, vous pouvez choisir de faire quelque chose pour changer ces probabilités en votre faveur: fixez-vous des objectifs significatifs!

Nous vivons au sein de la société la plus riche et la plus prospère de l'histoire. Nous avons actuellement un mode de vie que nous n'aurions jamais cru possible au début de ce siècle. Pourtant, bien des gens ne sont pas heureux de ce qu'ils ont. Ils ne sont pas heureux de leur travail, de leur mariage, de leurs revenus, ou de leur propre personne. Ils mangent trop, boivent trop et fument trop. Ils volent, consomment de la drogue et se tuent presque aussi rapidement qu'ils tuent leurs semblables.

Ces gens manquent de direction dans la vie. Comme le dit si justement Zig Ziglar, ils sont des «généralités errantes» plutôt que des «spécificités significatives». Ils ne savent pas ce qu'ils attendent vraiment de la vie. Ils prennent ce qui passe, et si cela est insuffisant, ils essaient d'en prendre encore plus. Mais jamais ils n'assument la responsabilité de leurs actes ou des conséquences de leur comportement. Celui qui ne sait pas où il va n'a aucun espoir d'y arriver jamais.

Nous avons expliqué que tous les gens exceptionnels possèdent des qualités uniques. Ils ont tous acquis un sentiment positif d'eux-mêmes, ils s'aiment, reconnaissent leur valeur personnelle et s'acceptent. Ils assument l'entière responsabilité de leur vie et des conséquences de tous leurs actes. Ils ne peuvent s'empêcher de se fixer des objectifs. Ils sont obsédés par les objectifs élevés et difficiles auxquels ils se consacrent totalement.

Avoir un but important dans la vie est essentiel à tout changement et à toute amélioration significative. Lorsqu'on a un but clair, central, on sait où l'on va, on donne un sens à sa vie et on est positif quant à l'avenir. Chaque étape vers le progrès s'accompagne d'un sentiment de satisfaction. Avec la satisfaction vient un sentiment de fierté et d'autres bons sentiments associés à une grande estime de soi et de sa valeur personnelle. Vous avez le sentiment d'aller quelque part, de progresser, et que ce progrès est le résultat direct de vos propres efforts. «Le bonheur, écrivait Ralph Waldo Emerson, est la réalisation progressive d'un objectif important.»

Toutes les études portant sur les gens qui ont réalisé de grandes choses — tant chez les athlètes de niveau olympique ou professionnel, les industriels renommés ou les millionnaires — révèlent que tous ont commencé par la poursuite d'un objectif significatif. Un but clair et bien défini dans la vie vous permet de concentrer votre énergie et de discipliner votre comportement de manière à surmonter tous vos obstacles. Les collines sont facilement surmontables lorsque votre objectif est de gravir une montagne.

«Vous deviendrez aussi petit que vos principaux désirs, aussi grand que votre aspiration dominante,» écrivait James Allen, auteur de *L'homme est le reflet de ses pensées*[*]

H.L. «Bunker» Hunt, le milliardaire texan du pétrole, était un cultivateur de coton en faillite à l'âge de 32 ans pendant la Dépression, et il gagnait plus de 1 000 000 000 $ par année à l'âge de 56 ans. Lorsqu'on lui demanda au cours d'une interview le secret de sa réussite, monsieur Hunt répondit qu'à son avis, deux choses seulement étaient nécessaires à la réussite. La première: décider précisément ce que l'on veut. C'est le point de départ et, à son avis, c'est là où la plupart des gens échouent. Ils ne décident jamais de ce qu'ils veulent vraiment. Il observait que la plupart des gens veulent des tas de choses, mais ne veulent rien plus que tout le reste. Ils finissent par se contenter de moins que ce qu'ils pourraient avoir. Une fois que vous avez déterminé ce que vous voulez, poursuivait-il, la seconde chose consiste à déterminer quel prix vous êtes prêt à payer pour l'obtenir, puis à être résolu à payer ce prix. Beaucoup de gens franchissent la première étape, mais ne parviennent jamais à la seconde. Ils ne constatent jamais qu'ils doivent en payer le prix pour réussir.

Beaucoup de sagesse émane de ces observations. Seul un objectif élevé et difficile peut donner un sens et un but à votre vie. Cela vous donne quelque chose à viser, à poursuivre et à espérer. Sans un objectif, vous errerez

---

[*] Publié aux éditions Un monde différent ltée sous format de livre et de cassette audio.

comme un poulet décapité, sans savoir où vous allez. Puisque vous ne pouvez mesurer quelque progrès que ce soit, vous n'avez pas le sentiment d'accomplir quoi que ce soit.

«Les gens sans objectifs sont condamnés à travailler à jamais pour des gens qui en ont,» déclare Brian Tracy dans son programme renommé de cassettes intitulé *La psychologie du succès*. Il estime que plus de la moitié des diplômés universitaires des États-Unis de nos jours travaillent pour le compte de gens qui n'ont jamais terminé leurs études collégiales. Il n'y a pas de gains sans douleur; sans objectifs il ne peut y avoir de gloire.

Maxwell Maltz comparait le cerveau humain au système de guidage d'une torpille ou au pilote automatique d'un avion. Une fois que la torpille choisit sa cible, un système de correction automatique l'alimente constamment en données et apporte les corrections nécessaires jusqu'au contact final. Si elle ne choisit pas de cible, la torpille tournera en rond comme un navire sans gouvernail jusqu'à ce qu'elle soit en panne de carburant. Il en est de même des gens qui n'ont pas d'objectifs: ils errent sans but dans la vie en se demandant pourquoi ils ne vont nulle part. Il est impossible d'arriver quelque part lorsqu'on ne sait pas où on veut aller. Vous devez prendre une décision claire et consciente de ce que vous voulez réaliser dans la vie. Si vous ne faites pas de projets, vous projetez d'échouer. Votre subconscient ne peut être activé que par un objectif, une image claire et concentrée de ce que vous voulez. Lorsque vous vous fixez un objectif, vous activez en vous une fonction cybernétique de poursuite d'objectifs au niveau subconscient, et cela vous rapproche de votre objectif et votre objectif de vous.

Parmi les organismes vivant sur terre, seuls les êtres humains viennent au monde sans un logiciel intégré axé sur la réussite. Les êtres humains sont libres de s'imaginer comme étant voués à la réussite ou à l'échec, à gagner ou à perdre, à être positifs ou négatifs. Bien sûr, vous obtenez précisément ce que vous voyez et ce à quoi vous pensez. Vous pouvez acquérir une conscience du succès en décidant exactement ce que vous voulez et en prenant des mesures précises pour l'obtenir.

On a dit que si vous vous dotez d'un objectif clair et précis dans la vie, vous l'aurez parce qu'il vous aura aussi. Un objectif fermement enraciné vous force littéralement à demeurer sur la bonne voie jusqu'à ce que vous atteigniez la cible. La consécration à un objectif l'enracine fermement dans le subconscient, et alors vous ne pouvez plus ignorer sa présence. En fait, tout ce que vous faites doit tenir compte de l'existence de l'objectif jusqu'à ce qu'il soit atteint. Votre subconscient vous guidera et vous dirigera fermement sur cette voie. Il vous dira sans cesse, alors que vous vaquerez à vos occupations quotidiennes, «fais ceci» et «ne fais pas cela.» Il vous attirera les gens et les situations qui se prêtent à votre objectif, et repoussera les gens et les situations qui ne le sont pas.

Imaginez que vous vouliez être, dans 5 ans, président de la compagnie pour laquelle vous travaillez actuellement. Supposez qu'il s'agit de votre objectif majeur dans la vie, le résultat de 25 ans d'occupation de divers postes supérieurs, et que vous soyez prêt à faire le nécessaire pour atteindre ce but.

Votre objectif commence maintenant à vous «parler». Il vous stimule et vous rend plus alerte. Tout à coup, vous vous mettez à voir autour de vous toutes sortes d'occasions d'offrir vos services et de faire valoir vos compétences. Vous vous attaquez à vos tâches habituelles avec une énergie renouvelée et une perspective plus ouverte. Lorsque vous prenez une décision majeure, vous réfléchissez davantage à son impact sur l'ensemble de la compagnie plutôt que de ne penser qu'au service. Dans les faits, vous commencez à vous voir à la présidence, vous commencez à penser comme le président, et en définitive, vous deviendrez sans doute le président.

En vous regardant dans le miroir chaque matin, vous verrez un président; en achetant des vêtements, vous achèterez des vêtements qu'un président peut porter; et dans vos rapports avec vos collègues, vous traiterez ceux-ci comme le ferait un président. Si vous déviez un peu de votre voie, votre système automatique de guidage apportera les correctifs nécessaires pour vous remettre sur la voie. Ainsi votre objectif a littéralement pris possession de vous. Il est devenu partie intégrante de votre esprit conscient. Vous ne pouvez qu'être totalement absorbé par les conséquences de tout ce que vous dites et faites concernant l'objectif majeur de votre vie.

À quel point est-il important de se fixer des objectifs? Examinez cette preuve qui démontre le lien existant entre les objectifs et les réalisations. En 1953, une étude portant sur les objectifs a été menée à l'université de Yale. Elle a révélé que 3 % des finissants cette année-là ont réussi un programme d'objectifs complet, que 10 % se sont dotés d'un programme modeste ou incomplet et que 87 % n'avaient aucun programme. Vingt ans plus tard, en 1973, on a conclu l'étude avec les résultats suivants. On a découvert que les 3 % qui s'étaient fixé des objectifs complets ont accompli davantage au cours de cette période que les autres 97 % réunis! Les chercheurs ont mesuré la situation financière et professionnelle des candidats pour déterminer leur degré de réussite. Ces résultats sont un témoignage monumental: on doit se fixer des objectifs clairs et précis si l'on veut réussir dans la vie.

Les objectifs peuvent être de nature physique, mentale ou spirituelle. Ils touchent à tous les aspects de la vie, y compris la vie familiale, personnelle et professionnelle. Il peut s'agir de perdre du poids, de cesser de fumer ou de fréquenter régulièrement l'église. Il peut s'agir de passer plus de temps de loisirs avec votre famille, de suivre un cours d'informatique ou d'entreprendre l'écriture d'un livre. Il n'y a pas de limites lorsqu'il s'agit de se fixer des objectifs, et un objectif mène toujours à un autre, chaque nouvel objectif étant plus ambitieux que le précédent. On progresse plus rapidement lorsqu'on adopte un objectif majeur pour la vie, auquel viennent se greffer plusieurs sous-objectifs. Ainsi, vous décidez de la maison que vous aurez, puis vous choisissez les pierres que vous utiliserez pour la construire.

Voici une liste exhaustive de 10 principes portant sur les objectifs-principes qui doivent être mis en pratique pour réaliser tout objectif d'importance:

1. Identifiez un objectif majeur qui vous semble difficile et important, et que vous pourrez quantifier ou mesurer. Par exemple, gagner une somme d'argent précise, vendre une certaine quantité d'assurance-vie ou perdre un certain nombre de kilos.

2. Précisez la date exacte où vous comptez atteindre votre objectif.

3. Identifiez et explorez diverses options qui, une à une ou ensemble, vous permettront de réaliser votre objectif.

4. Dotez-vous d'un plan d'action précis que vous déciderez de suivre, en faisant précisément référence aux mesures que vous devrez prendre pour (a) acquérir les connaissances dont vous avez besoin, (b) développer les compétences que vous avez et (c) rencontrer les gens qui vous aideront et vous donneront les conseils appropriés.

5. Dressez la liste des obstacles majeurs que vous devrez surmonter pour réaliser votre objectif.

6. Dressez la liste des avantages majeurs dont vous bénéficierez en réalisant votre objectif en temps voulu.

7. Une fois les étapes un à six complétées, notez-les et faites-en un plan d'ensemble détaillé.

8. Lisez votre plan d'ensemble détaillé à voix haute, deux fois par jour, en vous levant le matin et en vous mettant au lit le soir. Mieux encore, enregistrez-le sur une cassette que vous écouterez.

9. Imaginez que vous avez déjà réalisé votre objectif.

10. Commencez dès maintenant à mettre votre projet en pratique, prêt ou pas.

Mettez chaque jour à exécution une partie précise du projet, sept jours par semaine. Selon la période totale que vous aurez fixée, vos efforts doivent porter sur la totalité de votre objectif. Par exemple, vous devrez gagner une somme d'argent précise, vendre une certaine quantité d'assurance-vie ou perdre un certain nombre de kilos chaque jour pour atteindre votre objectif majeur à la date fixée.

Ainsi que le conseillait le poète et dramaturge allemand, Johann von Gœthe (1749-1832): «Ce que vous pouvez faire ou rêver de faire, entreprenez-le; l'audace comporte du génie, de la puissance et de la magie.»

Se fixer des objectifs est un exercice de réflexion qui active le système naturel de succès que vous avez en vous.

Il n'est pas facile de se fixer des objectifs. Il faut un désir et un dévouement considérables pour s'asseoir et franchir chaque étape. Il faut aussi croire sincèrement en la valeur de son objectif et en sa capacité de le réaliser. Se fixer des objectifs est un exercice de réflexion qui active le système naturel de succès que vous avez en vous. Il met à profit votre puissance intérieure et vos ressources tout comme la transmission d'une automobile met en marche le moteur lorsqu'elle est embrayée. Un objectif élevé et difficile met à contribution la créativité qui réside en vous. Vous trouverez une énergie, un dévouement et un enthousiasme renouvelés en cheminant sur la voie que vous aurez choisie. En pensant à de grands objectifs, vous espérez automatiquement de grands résultats. Rappelez-vous que l'importance de votre objectif est liée à l'importance de votre conviction.

Comme le disait Daniel Burnham, urbaniste incomparable à Chicago au XIXᵉ siècle: «Ne faites pas de petits projets: ils n'ont aucune magie pouvant vous pousser à l'action. Faites de grands projets, et visez haut dans le travail et l'espoir.»

L'un des aspects les plus difficiles pour ce qui est de se fixer des buts et de planifier, est que nous ne pouvons franchir qu'une étape à la fois. Un diplôme universitaire se gagne un crédit à la fois. Un match de basket-ball se gagne un point à la fois. Les nouveaux produits se vendent un à la fois. Toute réalisation majeure est une série de petites réalisations échelonnées sur une période spécifique.

Une méthode de plusieurs étapes comportant une réalisation mesurable chaque jour constitue la seule technique efficace donnant des résultats. Chaque petite réussite vous donne un peu d'assurance et un sentiment de succès qui vous soutiendront dans la poursuite de votre programme. Cela rendra aussi l'objectif global plus réalisable car il vous suffira de faire chaque jour les mêmes efforts. Par exemple, si l'on vous demandait d'écrire un livre de 250 pages, sans que vous ayez jamais écrit quoi que ce soit de significatif, cette tâche vous semblerait probablement insurmontable. Cependant, si l'on vous demandait d'écrire 2 pages de texte par jour pendant 125 jours, vous devriez admettre que cela est à la fois raisonnable et réaliste.

L'expression «une étape à la fois» comprend beaucoup de mérite. Chaque fois que vous rencontrez une personne impressionnante, sûre d'elle, avec de bonnes manières, qui est articulée et qui occupe une situation importante dans la vie, rappelez-vous toujours que cette personne n'est pas née ainsi. Elle a acquis ces qualités et atteint cette situation après une longue période d'efforts persistants. Vous pouvez y arriver aussi.

L'un des exemples les plus spectaculaires jamais vus de la poursuite d'objectifs et de ses effets sur la réussite est l'histoire de John Goddard, racontée dans le magazine *Life* en 1972. À l'âge de 15 ans, John Goddard entendit sa grand-mère qui disait: «Si seulement j'en avais fait plus quand j'étais jeune.» Il se promit de ne pas vieillir avec la même conception, avec des regrets de sa vie.

PENSEZ EN GAGNANT!

Alors il s'assit et se demanda ce qu'il voulait accomplir. Il dressa une liste de 127 objectifs précis. Il voulait explorer 10 rivières et gravir 17 montagnes. Il voulait visiter tous les pays du monde, apprendre à piloter un avion, refaire les voyages de Marco Polo, monter un cheval dans le défilé du Rose Bowl de Pasadena et faire carrière en médecine. John Goddard voulait aussi lire la Bible et les œuvres complètes de Platon, Aristote, Charles Dickens, William Shakespeare, Winston Churchill et une douzaine d'autres auteurs classiques. Il voulait naviguer à bord d'un sous-marin, jouer de la flûte et du violon, devenir scout, participer à une mission religieuse, se marier et avoir des enfants, et lire l'Encyclopedia Britannica du début à la fin. Il mémorisa cette liste et put la réciter sur demande.

En 1972, à l'âge de 47 ans, John Goddard avait réalisé 103 de ses 107 objectifs. Il avait axé toute sa vie sur les objectifs qu'il se fixait et réalisait, et il fit le tour du monde en donnant des conférences sur ses aventures et ses réalisations.

Peu de gens parmi nous possèdent 127 buts qu'ils connaissent par cœur et qu'ils s'efforcent d'atteindre. Mais quels sont vos objectifs et pouvez-vous les réciter sur demande? Vous réveillez-vous chaque matin avec l'objectif majeur de votre vie sur le bout de la langue? Sinon, il pourrait s'agir là de votre premier objectif majeur!

Chapitre 9

Un dur travail sur soi

«Tant qu'une personne imagine qu'elle ne peut faire ceci ou cela, elle est déterminée à ne pas le faire et, par conséquent, il lui est impossible de le faire.»

Benedict Spinoza
(1632-1677)
Philosophe hollandais

Un comportement responsable

Le quatrième facteur clé de réussite (FCR) est un comportement responsable. *Vous devez penser responsabilité si vous voulez penser en gagnant!* «Le prix de la grandeur, écrivait Winston Churchill (1874-1965), est la responsabilité.»

Denis Waitley enseigne que la vie est un projet «dont on s'acquitte soi-même,» que nos récompenses dans la vie sont directement proportionnelles à notre contribution. Cette philosophie est aussi le reflet de la loi de cause à effet. Nous savons qu'à tout effet dans la vie correspond une cause: Vous! Vous êtes aujourd'hui là où vos pensées vous ont amené. Vous serez demain un produit de votre mode actuel de pensée. Vous êtes la force dynamique qui sous-tend votre existence.

«Le destin n'est pas une question de chance, mais une question de choix; il n'est pas quelque chose que l'on doit attendre, mais quelque chose que l'on doit réaliser», commentait William Jennings Bryan (1860-1925), homme d'État, orateur et réformateur américain.

Les gens assument la responsabilité de ce qui va bien dans leur vie, et ils rejettent la responsabilité de ce qui ne va pas. Si tout ne va pas pour le mieux au travail, ce doit être la faute du patron. Si tout n'est pas parfait à la maison, ce doit être le conjoint qui est à blâmer. Si vous avez obtenu un «D» en histoire, ce doit être parce que votre professeur ne vous aime pas. Mais ce genre de réflexion ne conduit nulle part. Vous ne pouvez espérer améliorer ce qui va bien ou corriger ce qui ne va pas, si vous concentrez vos pensées sur les gens qui, à votre avis, sont contre vous. L'Alsacien Albert Schweitzer (1875-1965), théologien, musicien et médecin missionnaire en Afrique, donnait le conseil suivant: «L'homme doit cesser d'imputer ses problèmes à son environnement, et réapprendre à exercer sa volonté, sa responsabilité personnelle.»

Vous devriez étudier bien davantage les «causes» que les «effets» dans votre vie, car elles seules contiennent le germe de l'amélioration et du changement significatif. Pensez toujours à ce qui précède et à ce qui suit. Les gens qui réussissent acceptent toujours le mérite et le blâme pour tout ce qu'il leur arrive.

Un lien direct existe entre la maîtrise qui est la vôtre et la somme de responsabilités que vous assumez. Les gagnants assument l'entière responsabilité de ce qu'ils pensent, de ce qu'ils disent et de ce qu'ils font. Ils sont ainsi en mesure de maîtriser des aspects de leur vie. Les perdants rejettent toujours la responsabilité des résultats qu'ils obtiennent sur quelqu'un ou quelque chose. Ils sont incapables de contrôler tous les gens et tout ce qui les entoure, et ils ne peuvent s'aider. Ils sont soumis au gré du vent et sont manipulés par tout ce qui se passe autour d'eux.

Dressons simplement la liste de certaines des choses que vous pouvez contrôler. Vous pouvez contrôler votre pensée, à condition de prendre le temps d'en devenir conscient et d'en assumer la responsabilité. Vous pouvez contrôler les convictions que vous entretenez et votre façon de vous voir. Vous pouvez maîtriser ce que vous imaginez et ce que vous attendez de l'avenir. Vous pouvez contrôler les objectifs que vous vous fixez et qui sont importants pour vous, ainsi que la façon dont vous les réaliserez. Vous pouvez contrôler votre gestion du temps. Vous pouvez contrôler ce que vous mangez et les exercices que vous faites. Vous pouvez contrôler vos fréquentations et vos sujets de conversation. Vous pouvez contrôler l'environnement dans lequel vous apprenez et vous vivez, ainsi que les gens, les lieux et les choses qui influencent votre mode de pensée et votre comportement. Vous pouvez contrôler votre réaction aux situations et aux circonstances, la joie ou la tristesse, l'excitation ou le malheur de tous vos efforts. Dans un sens très réel, vous êtes le maître de votre destin.

La caractéristique la plus évidente chez tous les êtres humains qui font preuve de maturité et ont à leur actif de grandes réalisations est le fait qu'ils assument l'entière responsabilité de tous les aspects de leur vie. La plupart des gens ne saisissent pas ce concept fondamental: ce n'est qu'en étant responsable à 100 % que l'on peut apprendre, croître et progresser dans la vie.

Ne pas assumer ses responsabilités équivaut à blâmer et à critiquer les autres, à trouver des excuses et à tout dénigrer autour de soi. Mais vous ne pouvez tout dénigrer autour de vous sans vous abaisser au même niveau. Vous ne pouvez tout simplement pas espérer réaliser de grandes choses si vous êtes amer, trop critique et si vous entretenez plusieurs émotions négatives provoquées par un comportement irresponsable.

De bien des façons, notre société moderne encourage même les comportements irresponsables. Nous avons été témoins, durant la période d'abondance des années 1960 et 1970, de la tendance qu'ont les gens à demander au gouvernement de régler plusieurs des problèmes qu'ils ne veulent pas régler eux-mêmes. Tout le monde exigeait des emplois, des logements, des soins de santé et des régimes de retraite comme s'il s'était agi d'un droit pour les gens.

Comme le notait John Nesbitt dans *Megatrends*, le résultat est que le gouvernement démesuré d'aujourd'hui contrôle de plus en plus de choses, et que les gens reçoivent de moins en moins. Cela est inévitable, car il est impossible d'avoir quelque chose sans rien payer en retour. Ce gouvernement fort est très inefficace et très coûteux. Plusieurs des services qu'il fournit pourraient être dispensés à moindre coût par le secteur privé. Pourtant, la majorité des politiciens continuent de se surpasser au moment des élections pour offrir de plus en plus d'avantages qui coûteront de plus en plus d'argent aux contribuables. Mais le prix étant plus élevé que ce que les contribuables peuvent payer, cela se solde par des déficits budgétaires de plus en plus élevés que l'on passe aux générations futures. Il est difficile de tolérer une telle irresponsabilité.

Bien que les gens aient abandonné le contrôle de plusieurs aspects de leur vie à un niveau ou un autre du gouvernement, on ne peut aussi facilement abandonner ses responsabilités. Le gouvernement n'est pas toujours capable de vous offrir un emploi, du moins un emploi qui fait appel à vos talents et à vos habiletés uniques, que vous aimez et qui vous paie selon la valeur que vous croyez avoir.

Si vous ne voulez pas prendre n'importe quel emploi disponible, il vous reste à vous qualifier pour un emploi de votre choix, ou même vous créer votre propre emploi. Au cours des années 1970, plus de 60 % des nouveaux emplois créés aux États-Unis l'ont été par de petites entreprises, dont la plupart existaient depuis quatre ans ou moins. En 1950, on créait de nouvelles entreprises à un rythme de 93 000 par année; en 1990, le rythme était 10 fois plus rapide. Les petites entreprises sont le fait de gens qui prennent entre leurs propres mains la responsabilité de leur bien-être. Ils sont insatisfaits du gouvernement central et des grandes entreprises. Les gens veulent plus de contrôle sur leur carrière et leur vie, et une plus grande liberté d'expression et de réalisation. Les perdants attendent que l'État s'occupe d'eux. Les gagnants se prennent en charge et passent à l'action. Ce n'est qu'en démocratie que l'on peut jouir d'une telle liberté. Vous pouvez choisir la voie que vous voulez, et vous savez d'avance que chaque choix a des conséquences précises. Chaque individu a la responsabilité du choix et de ses conséquences.

Un côté de la nature humaine encourage l'irresponsabilité en chacun de nous, et il est préférable de le reconnaître lorsque cela se produit. Nous avons naturellement tendance à vouloir améliorer notre situation dans la vie. Cela peut vouloir dire plus de loisirs, plus d'argent, plus de pouvoir, plus de prestige ou plus de contrôle sur les événements et les circonstances. Cela provient de notre propension préhistorique à la survie et s'est étendu dans d'autres secteurs à mesure qu'ils ont été disponibles dans notre société moderne. Cette caractéristique inhérente est fondamentalement constructive. Elle conduit au désir, à l'action et au changement.

Nous avons aussi tendance à prendre la voie la plus rapide et la plus facile pour satisfaire tous nos désirs. Cela aussi est naturel, car nul ne veut en faire plus que nécessaire pour réaliser un objectif donné. Cette caractéristique est aussi constructive à la base. Elle favorise l'efficacité, une productivité accrue et l'innovation.

Lorsque ces deux caractéristiques humaines se manifestent dans leurs pires extrêmes cependant, le problème de l'irresponsabilité se manifeste sous la forme d'un désir continuel d'avoir quelque chose sans rien payer en retour.

La plupart des gens veulent simplement en avoir plus en payant moins. Ils veulent de l'amélioration et sont prêts à payer un certain prix pour l'obtenir: le prix le plus bas en termes d'efforts ou d'argent. Ils aimeraient perdre 6,80 kg en faisant de l'exercice une fois par semaine plutôt que trois ou quatre fois, par exemple; et ils aimeraient s'offrir une voiture luxueuse avec toutes ses options pour 10 000 $ plutôt que 25 000 $. Seule une personne irrationnelle et irresponsable pourrait vouloir réaliser ces objectifs sans rien donner en retour.

Il n'est pas étonnant qu'un politicien qui prône une baisse de taxes et des avantages accrus attire l'attention du contribuable moyen, ou que les loteries fassent des affaires d'or en annonçant: «Nous allons faire de vous un millionnaire pour un dollar!»

Tout ce qui vous est offert comporte un prix.

Si vous prenez le temps d'y penser, vous verrez que la loi de cause à effet interdit que l'on ait quoi que ce soit sans rien payer en retour. Tout ce qui vous est offert comporte un prix. La clé consiste à déterminer ce que vous voulez et ce qu'il vous en coûtera. Soyez ensuite décidé à payer ce prix ou plus cher encore, car cela vous donnera encore plus que ce que vous voulez. On ne récolte que ce que l'on sème.

Pouvez-vous vraiment espérer gagner le marathon de Boston en prenant le métro?

Pouvez-vous vraiment espérer vivre une vie de luxe en écoulant de fausses coupures de 100 $?

Pouvez-vous vraiment espérer devenir président de la compagnie en abattant tous les vice-présidents?

Tout cela a été tenté par des gens irresponsables par le passé. Ces tentatives de gratification instantanée peuvent être attrayantes à court terme pour l'ego, mais à long terme elles peuvent conduire au désastre. Elles contreviennent à la loi fondamentale de cause à effet. Le conseil est le suivant: Évitez la rapidité et la facilité, et efforcez-vous de gagner ce que vous voulez.

Les perdants ont développé l'habitude de reprocher aux autres tout ce qui ne va pas dans leur vie. Ils croient que le monde leur doit tout ce qu'ils désirent et qu'eux ne doivent rien au monde. Aussi, font-ils peu d'efforts pour provoquer des changements et ont-ils le sentiment de ne rien contrôler. Les perdants se sentent nécessairement coincés et ont l'impression que leurs options sont limitées. Ils croient que leur destin est tout tracé et qu'ils ne peuvent espérer réaliser quoi que ce soit d'important dans la vie parce qu'ils s'en sentent incapables. Lorsqu'ils échouent, ils deviennent souvent agressifs et se mettent en colère, et ils s'en prennent aux autres. Ils subissent sans cesse les conséquences de leurs efforts.

Le propre des gagnants est d'assumer l'entière responsabilité de tout ce qu'ils disent et font. Ils sont donc confiants et se sentent en contrôle. Ils comprennent qu'avec le contrôle vient la liberté de choix et la réalisation que tout est possible s'ils sont disposés à payer le prix pour l'obtenir. Cela élargit nécessairement leurs horizons et leur procure un sentiment positif de conviction et d'accomplissement. «Je peux le faire! Tout est possible! Le ciel est la limite!» Les gagnants récoltent sans cesse les résultats de leurs efforts.

La gestion du temps

Le cinquième facteur clé de réussite (FCR) est la gestion du temps. *Vous devez penser temps si vous voulez penser gagnant!* Inspirez-vous de ces sages paroles de Benjamin Franklin: «Aimez-vous la vie? Alors ne gaspillez pas le temps, car c'est là l'étoffe dont elle est faite.»

Peu de gens saisissent la valeur véritable du temps, car du temps gaspillé est à jamais perdu. Le temps est la seule commodité également distribuée à tous, riches ou pauvres, hommes ou femmes, sages ou malavisés.

Le contrôle, un concept clé de ce livre, s'applique aussi à la gestion du temps. L'objectif n'est pas de devenir rigide, inflexible et esclave du temps mais détendu, souple et maître de son temps. L'objet est toujours l'efficacité, c'est-à-dire de faire ce qui doit être fait au moment propice plutôt que de bien faire ce que l'on fait. Un contrôle accru s'accompagne d'une plus grande liberté d'en faire davantage, et de le faire plus efficacement. Nul n'a le choix en toutes situations de faire ce qu'il veut au moment précis où il le veut. Mais vous avez ce choix la plupart du temps, et ce sont ces situations dont vous désirez tirer le maximum.

Le manque de temps n'existe pas. Tout le monde dispose assez de temps pour faire ce qui doit être fait, du moins en ce qui concerne ce qui importe vraiment. Vous connaissez probablement des gens qui semblent moins occupés que vous tout en étant capables d'en accomplir bien plus. La question n'est pas d'avoir plus de temps, mais de mieux utiliser le temps disponible.

Pour bien gérer son temps, on doit se fixer des priorités et se discipliner.

La gestion du temps est en fait la gestion de soi. C'est un exercice de réflexion qui suppose que l'on se fixe des priorités et que l'on se discipline quant à l'utilisation du temps pour en tirer le maximum. Ne pas avoir le temps d'exécuter une tâche donnée signifie généralement que cette tâche n'est pas assez importante à vos yeux. Pour trouver le temps de faire quelque chose qui doit être fait, vous devez ressentir un véritable sentiment d'urgence et de dévouement envers la tâche, vouloir, plutôt que de souhaiter l'exécuter. Il y a deux conditions préalables à la gestion efficace du temps:

1. Un objectif clair et précis qui soit mesurable.
2. Un plan d'action détaillé pour sa mise en pratique quotidienne.

Pour être efficace, vous devez savoir quoi faire pour vous rendre là où vous voulez aller. Vous devez identifier clairement l'objectif majeur qui est important pour vous et formuler un plan d'ensemble détaillé décrivant la manière dont vous comptez réaliser votre objectif. Tout objectif requiert une décision; toute décision exige un procédé; tout procédé comporte un projet; et tout projet nécessite du temps. Le temps doit être contrôlé, car il s'écoule minute par minute, heure après heure. Vous devez vous en saisir lorsqu'il passe à votre portée, sinon il vous échappera.

Examinons un jour typique de votre vie et voyons comment vous pourriez utiliser plus efficacement votre temps.

Mettez-vous au lit et levez-vous à une heure raisonnable chaque jour. C'est la qualité de votre sommeil et non sa quantité qui importe. Selon les experts, vous devez avoir des heures régulières de sommeil, vous coucher et vous lever environ à la même heure chaque jour pour disposer d'un sommeil de qualité. Dormez dans une pièce fraîche, de préférence avec une fenêtre ouverte. Réglez la température à 21°C ou moins.

Effectuez vos exercices du soir tels les étirements, les exercices en position assise et les tractions avant de vous mettre au lit. Prenez ensuite un bain chaud ou une douche. Vous serez plus détendu et vous dormirez mieux. Choisissez et préparez les vêtements que vous comptez porter le lendemain. Lisez à voix haute ou écoutez votre cassette d'objectifs majeurs avant de vous mettre au lit.

Une fois couché, imaginez que vous avez déjà atteint votre objectif. Répétez-vous à plusieurs reprises votre affirmation de la semaine et dites «Je peux le faire!» Imprégnez-vous des sentiments positifs que cela génère. Laissez-vous endormir par l'euphorie de cette expérience.

Ayez quelque chose de précis à faire dès le lendemain matin, ou quelque chose d'agréable qui vous rend impatient. Il peut s'agir de ce verre de jus d'orange frais ou de votre promenade rapide de 30 minutes dans l'air frais du matin. Prenez le temps d'effectuer votre toilette, vous vêtir et prendre votre petit déjeuner. Les premières minutes donnent le ton au reste de la journée. Accueillez le nouveau jour par un retentissant «Bonjour!» Après tout, chaque nouveau matin est une bénédiction, car un jour vous ne vous réveillerez pas!

Si vous travaillez à l'extérieur de la maison et vous devez voyager pour vous rendre au travail, écoutez toujours des cassettes et non pas la radio dans votre voiture ou dans l'autobus. Vous avez besoin d'inspiration le matin, et non de vous laisser déprimer par tous les désastres de la veille. Avec 30 minutes seulement de déplacement matin et soir pour vous rendre au travail et en revenir, vous pouvez ajouter 5 heures par semaine ou 20 heures par mois à votre programme d'épanouissement personnel. Le sujet peut être celui de l'attitude, du succès, de techniques de gestion efficaces ou de planification financière. Les autres choix incluent la musique classique ou les livres sur cassettes, qui comprennent maintenant la plupart des classiques. Utilisez au maximum le temps de vos déplacements, quelle que soit la cassette que vous écoutez. Ce temps est trop précieux pour que vous le donniez à l'animateur de radio de votre localité.

Si vous écoutez des cassettes positives et édifiantes en vous rendant au travail, vous y arriverez plein d'énergie et d'enthousiasme, du moins la plupart du temps! En entrant au bureau, vous y trouverez votre liste des choses à faire que vous avez préparée la veille et que vous avez placée bien en vue sur votre bureau. Elle comporte les choses importantes que vous devez faire, classées par ordre de priorités. Les éléments marqués «A» doivent être exécutés sans attendre; les éléments «B» sont importants, mais peuvent attendre quelques jours et même plusieurs jours; les éléments «C» ne requièrent aucune mesure, mais peuvent être d'intérêt général.

Pour formuler votre liste «A», inspirez-vous du principe «Pareto», du nom de l'économiste et sociologue italien Vilfredo Pareto (1848-1923). Selon ce principe, 80 % de la valeur totale de la liste est contenue dans 20 % des tâches. En d'autres mots, vous ne vous acquitterez peut-être que des deux premières tâches de la liste de 10, soit 20 %, mais vous bénéficierez ainsi de 80 % de la valeur totale de la liste.

Si vous possédez une liste de priorités, vous n'avez pas besoin de parcourir tous vos dossiers et votre correspondance pour savoir par où commencer. Vous commencez immédiatement par la liste «A». En vous en tenant à votre liste vous partez sur le bon pied et vous pouvez éviter les petites tâches plus agréables qui prennent de votre temps. Vous évitez les tâches moins importantes qui constituent 80 % de la liste, et vous vous concentrez plutôt sur les quelques tâches de grande valeur qui nécessitent votre attention.

En procédant de cette manière réfléchie et intelligente, vous savez que vous êtes organisé, vous vous sentez maître de votre travail et vous espérez faire d'excellents progrès. C'est cette méthode qui consiste à faire une chose à la fois sans distractions jusqu'à ce qu'elle soit finie, qui vous permettra d'en accomplir davantage au cours de votre journée que vous l'auriez jamais cru possible.

La faim vous tenaille? Réfléchissez un peu avant de vous rendre au restaurant le plus près pour prendre le lunch avec des camarades ou des relations d'affaires. Un lunch d'affaires permet souvent d'accomplir de grandes choses, mais il est peut-être possible d'obtenir les mêmes résultats en perdant moins de temps. Et la plupart des diététistes ne privilégient pas trois repas complets par jour. Un repas copieux risque de vous ralentir, sans parler des kilos qu'il ajoutera à ceux que vous essayez déjà de perdre.

Vous pouvez apporter un repas léger préparé à la maison qui tienne compte de vos propres besoins diététiques, et y ajouter une promenade rapide autour du quadrilatère où vous travaillez.

Vous continuez à vous attaquer à la liste «A» au cours de l'après-midi. Si vous ne l'avez pas encore fait, essayez d'autres options pour terminer plus vite votre liste. Pouvez-vous déléguer des tâches? Votre secrétaire, un membre du personnel, un camarade ou votre chef de service peuvent-ils vous être de quelque utilité?

Une autre option peut consister à prendre une seule mesure pour vous acquitter de plusieurs tâches à la fois. Par exemple, devez-vous rédiger une note de service, un rapport, un message par télex ou par télécopieur? Un simple message par télécopieur expédié à cinq personnes intéressées pourrait remplacer cinq appels interurbains ou cinq lettres. Qu'est-ce qui est plus efficace et prend moins de temps? Examinez toutes les options. Vous n'avez pas à tout faire exactement de la même façon à toutes les fois.

De temps à autre, examinez le tableau d'ensemble, la totalité de votre travail plutôt que les activités ou fonctions individuelles dont vous êtes responsable. Peut-être vous attardez-vous trop aux détails plutôt qu'à l'ensemble du travail, perdant ainsi votre perspective et votre impact. La vieille devise de la cavalerie française: «Dans le doute, chargez!» n'est pas toujours de bon conseil.

Le magazine *Fortune* rapporte que la plupart des gens qui dirigent les 50 entreprises industrielles les plus importantes ont un penchant pour la délégation de tâches. Ils se détendent en jouant au golf ou au tennis, ne se sont mariés qu'une fois et prennent des vacances normales. En général, ils partagent les mêmes points de vue sur la façon de gérer efficacement leur entreprise. Ils croient que la délégation de tâches, la planification et la communication sont les responsabilités les plus importantes pour ce qui est de diriger et de contrôler toute grande entreprise.

Plus votre journée de travail avancera, vous devrez déterminer vos priorités du lendemain à la lumière de ce qui s'est passé aujourd'hui. Quelles nouvelles exigences quant à vos délais se sont présentées? Quelles nouvelles données exigent une modification de votre liste de priorités? Revoyez votre travail du lendemain, prenez des notes et replacez votre nouvelle liste bien en vue sur votre bureau. Oubliez-la jusqu'au lendemain.

Après avoir écouté des cassettes au retour à la maison, vous pouvez commencer à planifier votre soirée. Cette période est sans doute la plus précieuse de celles que vous pouvez contrôler au maximum. Réservez-vous un moment de tranquillité, en vous arrêtant dans un parc chemin faisant, ou en faisant une brève promenade à l'arrivée. Gardez-vous du temps pour lire le journal, aider à préparer le souper et aider les enfants à faire leurs devoirs. Mais gardez toujours en tête votre objectif primordial dans la vie. *Vous devez vous réserver au moins une heure chaque soir pour travailler à un projet personnel lié à votre objectif primordial.* Sinon, vous perdrez votre intérêt et votre dévouement diminuera. Réservez-vous une heure précise, de 20 à 21 h ou 21 h à 22 h, pour voir à combler vos besoins, quels qu'ils soient. Beaucoup de gens gaspillent ce temps à regarder la télé, à lire le journal ou à somnoler dans leur fauteuil après avoir bu trois martinis avant leur repas. Voyez à conserver votre intérêt avant tout. Ne perdez pas votre projet de vue.

Comme architecte, vous vous efforcez peut-être de concevoir la meilleure habitation préfabriquée qui soit pour les pays en voie de développement; comme diététiste, vous cherchez peut-être le moyen de nourrir une famille pauvre de quatre personnes pour 25 $ par semaine; comme ingénieur civil, vous voulez peut-être fabriquer à peu de frais un système d'irrigation à l'intention des pays africains où sévit la sécheresse. Il y a plus de besoins en ce monde qu'il n'y a de gens qui sont prêts à les combler et qui en sont capables. Avez-vous des compétences uniques à offrir aux gens dans le besoin dans le monde? Le simple désir d'aider les gens est une exigence fondamentale. Nous nous aidons surtout en aidant les autres. Réfléchissez-y.

Quoi que vous décidiez de faire de vos soirées et de vos fins de semaine, voici quelques idées d'objectifs applicables aux aspects clés de votre vie:

1. *Vie personnelle:* Réservez-vous chaque jour une période de solitude, car un moment de réflexion vaut plus qu'une vie d'expérience. On avait demandé à Joseph D. Kennedy, le père de John F. Kennedy, comment il en était venu à réussir. «J'ai commencé lorsque j'ai cessé de trop vouloir en faire, que je me suis assis et que je me suis donné

243

le temps de réfléchir», a-t-il répondu. Faites chaque jour pour vous-même quelque chose qui vous aidera à croître et à développer vos talents latents. Agissez, faites quelque chose! plutôt que de réagir. Soyez avare de votre temps et devenez quelqu'un!

2. *Le conjoint:* Votre relation avec votre conjoint est un secteur de responsabilité distinct et ne doit pas se confondre avec les simples rapports «familiaux», comme c'est trop souvent le cas. Dialoguez quotidiennement de manière significative avec votre conjoint. Si vous devez passer quelques jours à l'extérieur par affaires, téléphonez toujours à la maison pour converser. Essayez de passer une soirée par semaine seul avec votre conjoint, en vous offrant par exemple un repas au restaurant et un film. Conservez vos habitudes du début, avec de petits gestes courtois et des surprises de temps à autre. Découvrez des secteurs d'intérêt commun et voyez si vous pouvez vous entendre sur un objectif majeur. Si vous le pouvez, vous bénéficierez d'un appui mutuel et vous contribuerez tous deux à sa réalisation.

3. *La famille:* Réservez-vous chaque jour du temps que vous passerez avec chacun de vos enfants, quel que soit leur âge. Faites, dans la mesure du possible, des activités ensemble, même si vous vous croyez trop vieux. Cela vous aidera à rester jeune! Formez un conseil de famille qui résoudra les problèmes familiaux. Laissez vos enfants décider de la façon dont la famille passera certains samedis et dimanches et même les vacances annuelles. Faites-les participer activement aux corvées domestiques, et enseignez-leur les rudiments de l'entretien d'une maison. Après tout, leur tour viendra un jour.

4. *La carrière:* Apprenez à exceller dans tout ce que vous faites. Soyez fier de votre travail et encouragez la même attitude chez les autres. Quelle que soit l'activité, dites-vous que si elle vaut la peine d'être faite, elle vaut la peine d'être bien faite. Faites toujours un petit effort de plus que ce que l'on attend de vous. Rien ne vaut une

nouvelle idée ou façon de faire pour rendre votre travail plus intéressant, plus agréable et plus satisfaisant.

5. *La santé:* Analysez votre diète pour voir si ce que vous consommez est sain. Mangez des aliments à l'état naturel dans la mesure du possible. Éliminez progressivement de votre alimentation le sucre raffiné, la farine enrichie, les viandes rouges et les aliments préparés de toutes sortes. Consommez du poisson, de la volaille, des céréales entières et des fruits et des légumes frais. Faites entre 30 et 45 minutes d'exercice actif 3 ou 4 fois par semaine. La marche rapide et la natation sont deux des meilleures formes d'exercice, que l'on soit jeune ou vieux, et elles contribuent à la santé physique et mentale.

Jack LaLanne, pionnier de la condition physique et de la nutrition et dirigeant de 101 studios de santé, aujourd'hui âgé de 75 ans, est d'avis qu'il est préférable de s'user que de rouiller. Il soutient que le corps humain a été conçu et fabriqué pour durer 140 ans, à condition d'en prendre grand soin. Il souligne que quelques personnes l'ont prouvé. Cet homme qui, à 42 ans, a établi le record mondial de 1 033 tractions en 23 minutes, est un monument vivant à la santé et à la condition physique et mentale.

«Je mange intelligemment, je fais des exercices vigoureux, je ne consomme ni drogue ni alcool, je suis positif et j'ai l'air et je me sens plus jeune que jamais», disait-il à un intervieweur. «La nourriture que vous mangez, les exercices que vous faites et les pensées que vous entretenez se manifestent dans votre façon de marcher et de parler, dans votre apparence et dans ce que vous ressentez.»

Jack LaLanne affirme qu'il n'a pas été malade depuis 1936, et qu'il le doit au fait qu'il se lève chaque matin à 4 h pour soulever des haltères et nager pendant deux heures.

Concernant l'alimentation, monsieur LaLanne dit que si c'est fait par l'homme, on ne doit pas le manger. «Je ne mange pas d'aliments préparés, de produits contenant du sucre ou de la farine enrichie ou de viandes rouges. Ma diète est surtout constituée de poisson, de poulet, de dinde, de fruits et de légumes organiques frais et de céréales entières naturelles. Je mange trois repas par jour, mais je ne grignote jamais entre les repas. Pour mon déjeuner, je me prépare une boisson protéique à l'aide de blancs d'œufs, de bananes, de pommes, de poires, de germe de blé, d'avoine, d'os broyé et de levure.»

Monsieur LaLanne croit aussi fermement en une attitude mentale positive. «Tout est possible dans la vie si vous le voulez suffisamment. Je relève constamment de nouveaux défis et je me fixe de nouveaux objectifs, et c'est ce qui me fait progresser. Avec une diète appropriée, de l'exercice et une bonne attitude, nous pouvons vivre au maximum.»

Le conseil d'un homme qui a célébré son 70e anniversaire en nageant 1,61 km dans le port de Long Beach avec les pieds et les mains liés, et en remorquant 70 embarcations remplies d'invités, est très simple: Prenez un plus grand soin de vous-même!

6. *Les finances:* Conservez un dossier détaillé de toutes vos affaires financières. Faites appel à un professionnel lorsque vous devez faire un investissement majeur, puis remettez-vous-en à votre jugement. Tenez compte des avantages, fiscaux et autres, que vous auriez à lancer votre propre entreprise à la maison. Essayez de n'emprunter de l'argent que pour des choses qui pourront prendre de la valeur. Apprenez à vivre selon un budget. Robert H. Schuller recommande de réserver 10 % de ses revenus à ses économies, de verser 10 % à des organismes religieux de son choix et de vivre avec le reste.

7. *La communauté:* Envisagez de faire du bénévolat ou de joindre un club qui encourage les activités locales, comme le Rotary, le Kiwanis ou le club des Lions. Vous aurez ainsi l'occasion de servir votre communauté de toutes sortes de manières et d'apprendre des gens que vous rencontrerez.

8. *La spiritualité:* Plusieurs personnes tirent une grande partie de leur force personnelle de leurs convictions spiri-

tuelles, quelle que soit leur religion. Réfléchissez à cela, car cela vous permettra peut-être de remettre de l'ordre dans le reste de votre vie.

Toutes les grandes religions enseignent une éthique, des valeurs et des idéaux selon lesquels nous devons vivre. Si vous les étudiez, la plupart ont un but commun: vous permettre de vivre en harmonie avec vous-même et avec vos semblables. Choisissez vos idéaux et vos valeurs avec beaucoup de soin et de réflexion. Il en existe un large éventail: Jésus-Christ, Mohammed, Confucius, Bouddha et plusieurs autres ont suggéré un ensemble de valeurs et de règles. Examinez-les et si vous décidez que vous n'aimez pas leurs règles, voyez quelles autres règles vous choisiriez plutôt. Carl Schurz (1829-1906), homme d'État américain d'origine allemande, écrivait: «Les idéaux sont semblables à des étoiles: vous ne pouvez les toucher de la main, mais comme les marins ou les voyageurs du désert, vous en faites vos guides, et en les suivant vous atteignez votre destin.»

Le but de la psychologie de l'image de soi n'est pas de vous pousser à devenir ce que vous ne pourrez jamais être, mais de vous aider à devenir la personne que vous pouvez devenir. Si vous mettez votre foi dans la Bible, voici quelques affirmations qui vous inspireront:

Premièrement, il y est dit que Dieu a créé les hommes et les femmes «quelque peu inférieurs aux anges» et «à sa propre image.» Et «si vous avez la foi, rien ne vous sera impossible.»

En d'autres mots, vous avez été conçu selon les spécifications les plus élevées, et vous possédez plusieurs talents et habiletés uniques que vous ne soupçonnez même pas; il vous reste à croire que vous les avez et à commencer à les explorer par un effort constant. La foi est simplement une conviction que nous ne remettons pas en question. En acceptant le fait que vous possédez déjà les talents et les habiletés dont vous avez besoin pour réussir, vous ne faites qu'utiliser ce qui doit être utilisé. En prenant le temps et en faisant l'effort de vous exprimer pleinement et de votre manière unique, vous exprimez simplement votre reconnaissance en rendant une partie de la valeur investie en vous.

La Bible dit aussi: «En vérité, en vérité, je vous le dis, celui qui croit en moi partagera mon œuvre et fera mieux encore.»

Quiconque croit en Jésus ne peut nier qu'Il ait fait preuve de bonté et ait accompli de nombreux miracles au cours de Sa vie. Mais cette affirmation nous dit que vous et moi sommes capables de choses encore plus grandes. Sans le moindre doute, cela doit être considéré comme le plus grand concept de motivation au monde! Peu de gens ont imaginé pouvoir un jour s'élever à des sommets comparables à ceux qu'a atteint l'œuvre de Jésus-Christ. Vous devez avoir le sentiment de ce qui est possible, de ce qui doit être fait, et un ardent désir de le faire pour réussir.

À condition d'être bien comprises, appréciées et pleinement acceptées, ces affirmations ne peuvent avoir qu'un effet puissant et persuasif sur le mode de pensée de la personne qui y croit. Elles élargissent à coup sûr les possibilités!

«Maudit soit le jour où l'homme sera absolument satisfait de la vie qu'il mène, des pensées qu'il entretient, des actes qu'il pose, le jour où son âme ne ressentira plus de grand désir de mieux faire, ce à quoi il est destiné car il est, malgré tout, l'enfant de Dieu.» C'est une affirmation de Phillips Brooks (1835-1893) prédicateur et auteur américain.

9. *Ses semblables:* Y a-t-il quelque chose que vous puissiez faire pour améliorer le bien-être de vos semblables? Donner abondamment, c'est recevoir abondamment. Vous avez une fortune à partager à condition de le vouloir. Vous avez de l'empathie, de la bonne volonté, des louanges, des encouragements et de l'amour à donner à vos semblables. En donnant librement tout cela et en ne portant pas de jugements, vous recevrez la même chose en retour. À votre

propre manière, vous pouvez ajouter de la valeur aux gens que vous fréquentez, à vos amis, vos collègues et les êtres qui vous sont chers. En aidant les autres et en accroissant leur estime de soi, vous leur permettez de vous donner plus de valeur, ainsi qu'aux gens qui les entourent. Chaque fois que vous agissez pour améliorer le sort des autres, vous donnez l'exemple et vous produisez une onde d'espoir pour un monde meilleur.

L'individu est l'élément fondamental d'une famille.
La famille est l'élément fondamental d'une collectivité.
La collectivité est l'élément fondamental d'un État.
L'État est l'élément fondamental d'une nation.
Et ensemble, les nations représentent la famille de l'Homme.

L'épanouissement personnel

Le sixième facteur clé de réussite (FCR) est l'épanouissement personnel. *Vous devez penser épanouissement personnel si vous voulez penser en gagnant!* L'un des plus grands défis et des plus grands espoirs de la vie consiste à créer et à prévoir la prochaine étape de son épanouissement personnel. Si vous vous consacrez à un programme de croissance et d'épanouissement personnel, rien ne pourra arrêter votre progrès dans la vie. Tout ce que vous accomplissez est le résultat direct de vos efforts pour vous améliorer. Vous ne pouvez pas échouer si vous n'y consentez pas. Nul ne peut se préoccuper de votre bien-être plus que vous-même, et c'est vous qui êtes responsable de mettre en marche ce processus, de prendre l'initiative et de faire en sorte que quelque chose se passe.

L'apprentissage est le processus de toute une vie. «L'homme ne termine son éducation que lorsqu'il meurt,» observait Robert E. Lee, commandant en chef de l'armée confédérée pendant la guerre civile américaine. L'éducation suppose l'apprentissage de ce qui est neuf et le «désapprentissage» de ce qui est vieux, et elle peut commencer n'importe quand. Si vous n'avez pas encore entrepris votre programme d'épanouissement personnel, commencez maintenant.

L'épanouissement personnel requiert deux choses: Admettre que vous ne savez pas tout ce dont vous avez besoin pour progresser, et vous consacrer à l'apprentissage de tout cela. Bien sûr, cela requiert une certaine somme de dévouement et de travail ardu, une volonté de sacrifier des plaisirs à court terme pour des gains à long terme. Les gagnants font toujours ce qu'ils ont à faire, lorsqu'ils doivent le faire, parce qu'ils savent que tel est le prix de la réussite.

L'auteur, Norman Cousins, écrit: «Il est insensé de dire qu'il n'y a pas assez de temps pour être bien informé. Le temps que l'on accorde à la réflexion est celui qui permet le plus d'économiser du temps.»

L'épanouissement personnel suppose du travail sur soi-même, c'est la clé des compétences mentales primordiales qui contribuent à l'équation de la performance. Plus vous vous améliorez, plus vous vous aimez, vous vous respectez et vous croyez en vous-même. Vous commencez à vous percevoir sous un éclairage différent, et votre esprit s'ouvre à de nouveaux défis et de nouvelles occasions de réussite. Les occasions et les défis sont toujours donnés à la personne qui y croit.

Toutes les études révèlent qu'un rendement maximal commence par une phase de préparation et d'exercice, et non par la phase de l'exécution de l'activité donnée. Les athlètes passent beaucoup plus d'heures sur le terrain d'exercice qu'en compétition véritable. C'est cette formation et ces exercices répétés qui distinguent l'individu moyen de l'athlète de pointe. Les athlètes de pointe se font eux-mêmes. Ils ne naissent pas avec les habiletés motrices supérieures qui font les champions.

Les hommes et les femmes qui ont excellé dans un secteur particulier d'activité ne sont bien souvent pas plus doués que d'autres. Mais ils excellent parce qu'ils ont pris le temps de se préparer, de développer leurs possibilités à un niveau grandement supérieur à la moyenne. L'unique caractéristique d'une société libre est que les gens peuvent y développer leurs habiletés et leurs talents individuels et aller dans la direction de leur choix à condition d'être prêts à payer le temps et les efforts de ce qu'ils désirent.

Les gens manifestent extérieurement ce qu'ils pensent intérieurement. La qualité de votre vie extérieure sera toujours le reflet de la qualité de votre pensée. Chaque étape que vous franchissez, chaque petite amélioration que vous apportez ajoutera à vos apparences extérieures. Vous accumulerez des biens matériels en développant vos habiletés mentales. Vous accumulerez des récompenses d'ordre matériel, financier et émotionnel proportionnellement à votre préparation mentale. Vous devez travailler dur sur vous-même. Comme le dit Zig Ziglar: «Si l'on est dur avec soi, on a une vie facile, mais si l'on est facile avec soi, on a une vie dure.»

Pour la plupart des gens, la vie progresse par étapes. Au début de la vingtaine, vous êtes plein d'énergie et de vigueur, et rempli d'espoir en l'avenir. Au cours de la trentaine, vous connaissez certains des défis et des difficultés de la vie, et certains de ses échecs passagers. Au cours de la quarantaine, vous vous demandez pourquoi vous n'avez pas encore réussi, et si vous réussirez jamais. C'est un moment idéal pour réévaluer votre situation actuelle et préparer votre avenir.

Dale Carnegie, Norman Vincent Peale et Napoleon Hill étaient tous âgés de plus de 45 ans avant que leur première œuvre majeure ne soit publiée. Le millionnaire américain moyen a plus de 55 ans. Michel-Ange (1475-1564), le célèbre peintre, sculpteur et architecte italien, avait 72 ans lorsque le pape Paul III lui a demandé de concevoir et de construire la coupole de la basilique Saint-Pierre, considérée comme la plus grande réalisation architecturale de la renaissance italienne. Et comme l'avait prédit Abraham Lincoln, son tour vint finalement à l'âge de 52 ans. «L'âge de 40 ans représente la vieillesse de la jeunesse, et 50 ans la jeunesse de la vieillesse», selon Victor Hugo (1802-1885), poète, romancier et dramaturge français.

Vous pouvez susciter le désir et l'enthousiasme pour un programme d'épanouissement personnel en vous fixant un objectif beaucoup plus élevé que votre situation actuelle. Voudriez-vous doubler votre revenu annuel? Pourriez-vous imaginer gagner 10 fois plus que ce que vous gagnez maintenant? La réalité est que vous le pouvez si vous commencez à apprendre ce dont vous avez besoin pour réussir.

La majorité des gens perdent virtuellement toutes leurs soirées et leurs fins de semaine en choses sans importance.

Commençons par quelques mises en garde. Ne passez pas vos temps libres à faire des choses qui ne contribuent nullement à votre épanouissement comme regarder la télé, fréquenter des gens sans importance, lire le journal de la première à la dernière page ou flâner tout bonnement. La majorité des gens perdent virtuellement leurs soirées et leurs fins de semaine en choses sans importance. Non pas que vous deviez éliminer tous ces passe-temps de votre vie, mais vous devez y substituer régulièrement des activités plus productives.

Des recherches démontrent que la femme américaine moyenne regarde la télé 4 h 50 par jour, contre 3 h 50 pour l'adulte moyen. Incroyable, non? Une moyenne de près de 4 h 30 passées à regarder des jeux télévisés, des comédies et de vieux films pour vous assurer que vous demeurerez exactement là où vous êtes dans la vie... si vous êtes chanceux. La plupart des gens perdent lentement du terrain, mais n'en ont pas conscience, puisque cela se produit graduellement.

De nos jours, il existe plus de choses sur le marché pour vous aider à aller de l'avant dans la vie. De l'information sur presque tous les sujets a été produite par certaines des personnes les plus prospères ayant jamais vécu. Pour quelques dollars et des efforts soutenus, vous pouvez apprendre en quelques heures ce qu'il leur a fallu des décennies pour découvrir. En assimilant cette information, vous pouvez devenir un spécialiste et faire votre marque dans votre secteur d'activité. Vous pouvez acquérir de cette façon des connaissances spécialisées qui n'existent sous aucune autre forme. Des livres, revues, cassettes et séminaires sont disponibles auprès de votre employeur, de groupes communautaires, ou à votre librairie ou bibliothèque locale. Le mouvement d'aide personnelle connaît le même essor que l'entrepreneurship en Amérique, et les séminaires constituent l'une des industries les plus florissantes au pays. Comme le souligne John Naisbitt dans *Megatrends*, la société actuelle s'éloigne rapidement de l'éducation scolaire pour se tourner vers une vie d'éducation et de formation.

Tout expert en gestion du temps vous dira que vous trouverez toujours le temps de faire ce qui constitue votre plus grande priorité, ce qui a le plus de valeur à vos yeux. Alors, le temps vous est offert si vous le mettez à profit. Par exemple, si vous étudiez une heure par jour, en cinq ans vous aurez étudié 1 825 heures, l'équivalent d'une année de travail à raison de 40 heures par semaine. C'est toute une réalisation, qui n'exige qu'une heure par jour, un jour à la fois.

Votre programme d'épanouissement personnel est la pierre de touche de votre réussite. Soyez persistant. La pelouse peut attendre et vous pouvez oublier l'émission de télé ou le match de base-ball, mais vous devez chaque jour investir au moins une heure pour votre épanouissement. Vous méritez au moins cela. Visez à travailler aussi fort sur vous-même qu'à votre travail, et vous atteindrez un juste équilibre.

Un programme complet de lecture est la première étape importante vers une amélioration significative de soi. Les livres constituent une inestimable source portative de renseignements. Presque tous les livres que vous puissiez désirer sont disponibles à votre bibliothèque locale ou en librairie en édition de poche ou autre à des prix très raisonnables. Pour le prix d'un film, vous bénéficiez de l'esprit de certains des plus grands penseurs que le monde ait jamais connu. Vous pouvez étudier l'histoire, la philosophie ou la vie et les enseignements de maîtres comme Socrate, Platon et Shakespeare. Vous pouvez progresser à votre propre rythme, lire pendant l'heure du lunch ou de la pause-café. La lecture offre une nouvelle réalité. Elle peut offrir un nouvel univers de possibilités, mais vous seul pouvez vous exposer à cela. Vous seul pouvez lire, assimiler, réfléchir et puiser à même les données qui permettent de progresser.

«Tout homme qui sait lire a le pouvoir de se magnifier, de multiplier ses moyens d'existence, de rendre sa vie mieux remplie, plus significative et plus intéressante», observait l'écrivain anglais, Aldous Huxley (1894-1963).

Les statistiques démontrent cependant que l'américain moyen lit moins d'un livre par année et que 58 % des Américains ne lisent pas un seul essai complet après leurs études collégiales. La Bible est le plus grand best-seller de tous les temps, mais il semble que moins de 1 % de la population générale l'aient lue en entier. On estime que moins de 20 % des gens achètent 80 % de tous les livres vendus en librairie. Les ouvrages de fiction sont au moins 10 fois plus populaires que les essais.

Cependant, les livres de psychologie populaire et de gestion sont toujours très populaires et font partie des best-sellers. Parmi les classiques du genre, on retrouve *Réfléchissez et devenez riche*[*] de Napoleon Hill, *The Power of*

---

[*]   Disponibles aux éditions Un monde différent ltée sous format de cassettes audio.

Positive Thinking de Norman Vincent Peale, *How to Win Friends and Influence People* de Dale Carnegie, *La psycho-cybernétique** de Maxwell Maltz et *Unlimited Power* d'Anthony Robbins. Ce sont tous des livres à lire à tout prix pour quiconque désire sincèrement s'épanouir personnellement.

Si vous consacrez une heure par jour à la lecture, vous lirez environ un livre par semaine ou 52 livres par année. Les connaissances que vous tirerez de ces 52 livres vous distingueront de vos semblables et feront de vous un gagnant dans votre secteur particulier d'activité. La lecture est la nourriture de l'esprit. Elle vous forcera à examiner de nouvelles idées, de nouveaux concepts, à réévaluer vos vieilles convictions et à élargir vos horizons.

Les seules véritables limites à ce que vous pouvez accomplir dans la vie sont celles que vous vous imposez. En apprenant comment les autres ont réussi, vous aussi apprendrez à réfléchir plus intelligemment, à penser plus grand et à réfléchir davantage à l'entreprise de la réussite. Comme pour tout le reste, des méthodes sont meilleures que d'autres. Si vous tirez profit des gens et vous suivez les conseils d'experts, vous pourrez accomplir en quelques années ce que d'autres ont mis toute une vie à accomplir. Faites du temps votre allié, et non votre ennemi.

Rappelez-vous que, selon Mark Twain (1835-1910), le romancier et humoriste américain: «L'homme qui ne lit pas de bons livres n'a aucun avantage sur celui qui ne peut lire.»

L'audition de cassettes éducatives et motivantes est la seconde étape conduisant à une amélioration de soi. Contrôlez votre temps de déplacement vers le travail et vers la maison le soir, le temps que vous passez en voyages d'affaires et celui que vous passez à marcher ou à courir.

---

* Disponibles aux éditions Un monde différent ltée sous format de cassettes audio.

On passe en moyenne, en Amérique du Nord, une heure par jour à se rendre au travail et à en revenir, soit 250 h par année. Imaginez votre chance d'entendre Brian Tracy, Denis Waitley ou Zig Ziglar, tous auteurs de programmes best-sellers sur cassettes, vous parlant dans l'intimité de votre voiture. Ces géants ont aidé des milliers de gens à transformer leur vie pour être plus confiants et mieux réussir dans leurs rapports avec les gens, dans leur travail, et ressentir une plus grande satisfaction.

La troisième étape importante vers l'amélioration de soi consiste à «lire» les gens. Chaque jour s'offrent à nous des occasions d'apprendre des autres, de trouver des personnes exceptionnelles qui ont réussi et de leur poser des questions à propos des activités dans lesquelles ils excellent. Supposez que chaque personne que vous rencontrez sait quelque chose que vous savez, et demandez-lui des conseils. Les gens qui ont maîtrisé un sujet donné ne sont que trop heureux de partager leurs connaissances avec vous, et même d'apprendre quelque chose de vous. Comme le disait l'auteur américain, William Channing (1780-1842): «Tout homme est un livre, à condition de savoir le lire.»

Quelle que soit votre profession, trouvez un expert dans votre domaine, expliquez-lui ce que vous essayez d'accomplir et demandez-lui comment vous y prendre. Les experts ne sont pas seulement ceux qui occupent des postes supérieurs au vôtre dans une entreprise. Plusieurs sont vos collègues et vos subordonnés. Tout le monde dispose d'une expertise et de connaissances uniques, et tout cela peut être vôtre à condition de le demander. «Tout homme est mon supérieur à sa manière, dans la mesure où il peut m'apprendre quelque chose,» observait Ralph Waldo Emerson.

Le fait que les gens qui réussissent veuillent vraiment aider leurs semblables est un concept difficile à accepter pour plusieurs, surtout pour les novices. Vous devez comprendre que le fait de demander conseil à quelqu'un est le compliment le plus sincère que vous puissiez lui faire. Lorsque vous demandez à des gens de vous conseiller ou de vous guider, vous reconnaissez leur expertise et leurs connaissances uniques. D'autres sont flattés que vous pensiez qu'ils ont quelque chose de précieux à vous apporter. En accordant de la valeur à ce qu'ils savent, vous accordez de la valeur à ce qu'ils sont. En «lisant» les gens, vous pouvez éviter les erreurs inutiles et vous pouvez réaliser vos possibilités beaucoup plus vite. Tout programme d'amélioration de soi est préférable à ne pas avoir de programme du tout. Et rappelez-vous que la satisfaction personnelle est impossible sans amélioration de soi.

La croissance personnelle doit toujours être liée à l'épanouissement professionnel si vous voulez demeurer concurrenciel sur le marché. Il n'est pas étonnant que des gens se retrouvent insuffisamment qualifiés, avec de nouvelles technologies et des travailleurs mieux éduqués faisant leur entrée sur le marché du travail. De plus, nombre de firmes réduisent leur personnel de bureau à cause d'un climat d'austérité, d'une concurrence accrue ou des fluctuations de l'économie. Ainsi, il y a moins d'occasions de promotions pour les gens qui ne suivent pas le courant, surtout chez les cadres moyens.

De plus en plus, les employés doivent accepter le fait qu'ils ne peuvent plus compter sur de l'avancement pour améliorer leur carrière et accroître leur satisfaction dans la vie. À l'instar des directeurs du personnel, plusieurs en viennent à la conclusion que l'amélioration de soi et la planification de la carrière sont davantage la responsabilité de chaque individu que de la compagnie. Un programme d'épanouissement personnel conçu et administré par soi semble de plus en plus être la seule option offerte aux gens qui ont atteint un plafonnement dans leur carrière et dont les chances d'avancement futur sont minimes. Ralph J. Cordiner, ex-président du conseil de la General Electric, donnait le conseil suivant au début des années 1930, lors d'une conférence sur le leadership: «Nous recherchons en tout homme qui aspire au leadership — pour lui-même et son entreprise — la détermination d'entreprendre un programme d'épanouissement personnel. Nul n'ordonnera à un homme de s'épanouir. La stagnation ou le progrès de l'homme dans sa spécialité est une question d'application personnelle. Cela exige du temps, du travail et des sacrifices. Nul ne peut le faire à votre place.»

Cette observation est tout aussi valable pour les hommes et les femmes d'aujourd'hui. Elle démontre qu'il n'existe pas de grande réussite sans un grand dévouement — une conviction fondamentale si vous voulez vraiment réaliser votre objectif.

La santé

Le septième facteur clé de réussite (FCR) est la santé. *Vous devez penser santé si vous voulez penser en gagnant!* Votre santé physique mentale et spirituelle ne peut être négligée qu'à vos risques et périls. Une piètre santé peut entraîner la maladie, la douleur, la dépression et le désespoir, sans parler d'une plus courte durée de vie.

Vous devez travailler fort au maintien d'une bonne santé et accepter la responsabilité de tous vos actes liés à votre santé. Il n'y a aucun remède à une vie de mauvaises habitudes.

«Savoir vieillir est le sommet de la sagesse, et l'un des chapitres les plus difficiles du grand art de vivre», commentait l'écrivain suisse, Henri Frédéric Amiel (1821-1881). Et le poète anglais, Robert Browning (1812-1889) ajoutait: «La jeunesse a pour objet de préparer la vieillesse.» La vieillesse doit être un couronnement, l'aboutissement d'une vie bien remplie, productive.

Pendant des décennies, les gens comptaient sur le gouvernement et sur un énorme établissement pour se garder en santé. On se préoccupait peu de son alimentation, on faisait peu d'exercice et on n'exerçait pas ses facultés intellectuelles. Au début des années 1970, une tendance a commencé à se développer faisant abstraction de ces établissements; on est devenu individuellement responsable de sa santé et de sa condition physique. Ce changement était inévitable, à une époque où l'automobile était reine de la route et la restauration rapide à la mode. Les gens faisaient moins d'exercice que jamais et les aliments étaient virtuellement disparus des étagères des supermarchés.

Depuis l'avènement de cette tendance, appelée le mouvement holistique de santé, les gens en sont venus à accepter le concept du corps pris dans son entier — corps, esprit et âme — comme étant essentiel à une bonne santé. Et les gens se sont placés au centre du processus de décision: la somme et le type d'exercice appropriés, la diète et les programmes nutritionnels à conseiller, les changements d'attitude, de mode de vie et d'environnement contribuant à réduire le stress. Les gens bien inspirés comptent moins sur les drogues, la chirurgie et les examens annuels pour juger de leur niveau de santé, et ils s'en remettent plus à des programmes qu'ils conçoivent et administrent eux-mêmes.

Le docteur Tom Ferguson, auteur de *Medical Self-Care*, dit: «Je crois que nous sommes à la veille d'un changement très important de notre système de soins de santé. Les gens apprennent à prendre des décisions concernant leurs symptômes et à se soigner eux-mêmes.» L'objectif d'un programme de soins de santé axé sur la prévention est une amélioration fondée sur des changements de mode de vie plutôt que le traitement de symptômes à l'aide de remèdes temporaires et artificiels.

La popularité des livres portant sur les diètes et les soins de santé et des programmes d'exercice est une indication des changements majeurs qui caractérisent les attitudes des gens à cet égard:

- Près de la moitié de la population des États-Unis fait de l'exercice.
- Les livres traitant de diètes et de nutrition se classent en tête de la liste des best-sellers autres que les ouvrages de fiction.

- La consommation de gras dus aux viandes rouges et aux produits laitiers a enregistré une baisse importante.
- Les fumeurs sont de plus en plus harcelés dans les endroits publics et les immeubles de bureaux.
- Au sein des entreprises, les centres de conditionnement physique sont presque aussi répandus que les restaurants.

L'exercice n'est qu'un des éléments clés d'un bon régime de santé.

Le livre classique de Jim Fixx publié en 1976 et intitulé *The Complete Book of Running* a donné le coup d'envoi d'une révolution du conditionnement physique. Tout à coup, il y avait plus de nageurs, de cyclistes, de marcheurs, d'haltérophiles et de joggeurs que jamais. Selon les sondages Gallup, la course a atteint un sommet en 1984, alors que 30 000 000 d'Américains affirmaient courir. Cette même année, Jim Fixx mourait d'une crise cardiaque alors qu'il courait sur une route de campagne du Vermont, indication tragique que l'exercice n'est que l'un des éléments clés d'un bon régime de santé.

Selon une étude effectuée en 1985 pour le compte du «President's Council on Physical Fitness and Sports», la marche est la forme d'exercice la plus répandue chez les adultes de plus de 18 ans. L'étude a aussi révélé que:

- La marche brûle le même nombre de calories, pour une même distance, que la course ou le jogging.
- La marche accroît la circulation et améliore l'efficacité cardio-vasculaire, tout en abaissant la tension artérielle et en réduisant le stress.
- La marche diminue l'appétit.

- Les muscles sont sollicités 1 500 à 3 000 fois à chaque kilomètre de marche, ce qui est plus que pour tout autre exercice.

Des considérations financières ont été un facteur majeur pour ce qui a été d'encourager une responsabilité accrue pour la santé. Les coûts des soins de santé ont atteint des sommets jamais imaginés. Laissant les personnes, les compagnies d'assurance et les programmes gouvernementaux incapables de s'adapter. En 1989, le coût des soins de santé a atteint 600 000 000 000 $, ce qui représente 12 % du produit national brut des États-Unis, comparativement à 9,1 % seulement en 1981.

Les entreprises américaines ont compris qu'elles pouvaient vraiment économiser en ayant une main-d'œuvre en meilleure santé. Les employés en meilleure santé physique et mentale sont plus productifs, plus coopératifs, s'absentent moins à cause de la maladie et ne coûtent pas cher en soins de santé. Les entreprises qui ont mis au point des programmes de santé emploient des gens à plein temps pour les administrer. Une entreprise allègue avoir à elle seule économisé 5,52 $ en frais médicaux pour chaque dollar investi dans le programme.

Les départements américains de l'agriculture, de la santé et des services sociaux offrent les conseils suivants aux familles désireuses d'améliorer leur mode de vie:

- Consommez des aliments variés;
- Mangez des aliments riches en fibres et en hydrates de carbone complexes;
- Consommez peu de sel;
- Consommez peu de sucre;
- Buvez de l'alcool avec modération.

Le nouveau phénomène axé sur le maintien de sa santé est bien plus sensé et moins coûteux à la longue. L'accent est passé de la maladie et de la guérison à la prévention et au bien-être, et a donné naissance à une industrie entièrement nouvelle. Les professionnels de la santé traitent aujourd'hui tout autant les causes émotionnelles que les causes physiques de la maladie, et conseillent activement aux malades d'assumer davantage la responsabilité de leur propre bien-être. Ils recommandent de mettre plus l'accent sur des exercices réguliers, une diète adéquate et une gestion du stress grâce à une attitude mentale positive, une dépendance moindre aux drogues et à l'alcool et de s'isoler moins de la société.

Ce nouveau mouvement de santé a remis l'accent sur le facteur principal favorisant la santé et le bien-être: le cerveau humain. Le point de vue le plus extrême est que toute maladie est entièrement psychosomatique — créée par l'esprit — et que toute maladie peut être guérie grâce aux pouvoirs de l'esprit. La plupart des experts s'entendraient pour dire que beaucoup de maladies ont certainement un aspect psychosomatique et peuvent être traitées grâce à un changement d'attitude, si elles sont prises assez tôt. Norman Cousins a attiré notre attention sur ce fait lorsqu'il a raconté, dans son livre intitulé *Anatomy of an Illness*, comment il s'est guéri lui-même d'une maladie considérée incurable grâce à la pensée positive, à la vitamine C et au rire.

On a cité nombre d'autres cas où la visualisation et une foi religieuse profonde ont entraîné la rémission de maladies mortelles comme le cancer. La visualisation suppose des exercices tels que s'imaginer les globules blancs comme des prédateurs nageant dans les veines pour détruire les cellules cancéreuses. Le docteur, Bernard Siegal, auteur de *Love, Medicine and Miracles*, explique comment l'attitude d'une personne est le facteur le plus important de la guérison et de la bonne santé:

> «L'amour, le rire et la paix de l'esprit sont physiologiques. Ils provoquent dans l'organisme des réactions chimiques qui favorisent la bonne santé physique. Comme chirurgien, mon expérience personnelle m'a amené à constater les effets positifs de l'état d'esprit sur la guérison. Je peux le constater très facilement, car je pratique la même opération sur plusieurs personnes et que leur rythme de guérison

varie énormément selon leur attitude, leur mode de vie et leur expérience de la vie. Si vous êtes déprimé et votre vie est remplie de désespoir, et vous ne faites rien pour y remédier, vous dites à votre corps que vous ne voulez pas guérir. En cachant vos sentiments, vous supprimez votre système immunitaire, ce qui vous expose davantage à la maladie.»

«L'esprit et le corps ne font qu'un,» dit le docteur Joan Borysenko, auteur de *Minding the Body, Mending the Mind.* «Chacune de nos pensées entraîne des changements physiologiques. Il y a une biochimie différente à l'espoir, à la dépression et à l'amour, et nous commençons tout juste à comprendre ces liens.»

Voilà près de 2 500 ans, le philosophe grec, Platon (427-347 av. J.C.), écrivait: «La grande erreur que l'on commet dans le traitement du corps humain est que les médecins ne tiennent pas compte de l'ensemble. Car une partie ne peut être bien, si l'ensemble n'est pas bien.» Philippe Paracelse, le médecin allemand du XVe siècle, que l'on qualifie souvent de père de la médecine moderne, écrivait: «L'esprit est le maître, l'imagination, l'outil, et le corps, le matériau plastique.»

Ces vues sont appuyées par des découvertes modernes selon lesquelles les éléments de l'esprit — les attitudes, convictions et émotions — sont des facteurs primordiaux affectant le corps. Dennis Jaffe parle au nom de tous les adeptes de la santé holistique dans son livre, *Healing from Within*:

> «En réalité, la plupart des maladies proviennent non pas d'un seul facteur, mais d'une longue chaîne de facteurs, qui s'intensifient et se multiplient pendant des mois ou des années. Le comportement, les sentiments, les niveaux de stress, les rapports avec les autres, les conflits et les convictions, tout cela contribue à notre susceptibilité globale à la maladie. Notre pouvoir de prévenir et de guérir la maladie est bien plus grand que la plupart d'entre nous ne s'en rendent compte.»

Des tests effectués sur des téléspectateurs démontrent la validité de l'interaction corps-esprit. Lorsque quatre personnes sont branchées sur des électrodes, chacune regardant une émission différente, par exemple un suspense, une émission romantique, un documentaire et une histoire d'horreur, les chercheurs peuvent dire qui écoute quoi en enregistrant simplement des données telles que la salivation et la transpiration. Lorsque l'on change toutes les chaînes, les nouvelles données permettent à une personne isolée du local du test de dire qui regarde telle ou telle émission. Par exemple, la personne A regarde le documentaire, la personne B l'histoire d'horreur, ainsi de suite. Infailliblement, ce que vit le corps est un indicateur fidèle de ce que perçoit l'esprit. Les réactions émotionnelles à l'activité mentale ont un effet direct sur les fonctions corporelles telles que le pouls, la respiration, la digestion et la dilatation de la pupille.

Certaines attitudes qu'adoptent les gens génèrent des réactions précises. Pour les illustrer, Meyer Friedman et Ray Rosenman décrivaient ce qu'ils appelaient un comportement de type A dans une étude effectuée en 1959, et plus tard dans leur livre, *Type A Behavior and Your Heart*. Les gens qui affichaient un comportement de type A étaient caractérisés par le sentiment de ne pas avoir la maîtrise de leur personne et de leur environnement. De telles personnes sont incapables d'assumer la responsabilité de ce qu'il leur arrive dans la vie. Ils ne peuvent trouver en eux-mêmes le contentement et la satisfaction, et ils cherchent toujours à être acceptés et approuvés par les autres pour compenser leur manque d'estime de soi. Les gens de type A sont toujours pressés, ils compliquent inutilement les situations, ne se détendent pas facilement et affichent un manque de sécurité. Leur sentiment d'urgence et leur hostilité provoquent souvent l'irritation, l'impatience et la colère, et fait d'eux des candidats aux maladies coronariennes et aux crises cardiaques. Au contraire, les gens de type B sont plus détendus, plus contents et plus aimables.

264

Plusieurs changements sont inévitables dans la vie. Nous devons tous nous adapter et apprendre à suivre le courant jusqu'à un certain point. Mais la réaction au changement est plus importante que le changement lui-même. Les gens qui assument leurs responsabilités ont tendance à mieux s'adapter, avec moins de problèmes physiques que ceux qui croient que des événements extérieurs dirigent leur vie.

L'échelle de stress Holmes-Rahe de l'illustration 9 a été publiée pour la première fois en 1967 par les docteurs T.H. Holmes et R.H. Rahe de l'école de médecine de l'Université de Washington. Elle attribue des valeurs ou des résultats à 43 événements courants de la vie reflétant des changements, bons ou mauvais.

Pour utiliser l'échelle, identifiez les événements qui se sont produits dans votre vie au cours des 12 derniers mois. Ajoutez-y les valeurs numériques correspondantes pour déterminer votre résultat. Si vous obtenez une marque de 150 ou moins, tout va bien. entre 150 et 300 points, les risques de maladie ou d'incapacité au cours des deux prochaines années sont de l'ordre de 50 % environ. Si vous avez plus de 300 points, vous avez atteint un seuil critique et vous avez des probabilités élevées de maladie sérieuse. Cette échelle s'est avérée remarquable pour ce qui est de prédire les maladies.

Illustration 9

ÉVÉNEMENTS DE LA VIE	VALEUR
Décès du conjoint	100
Divorce	73
Séparation	65
Peine d'emprisonnement	63
Décès d'un membre proche de la famille	63
Blessure ou maladie personnelle	53
Mariage	50

Perte d'emploi	47
Réconciliation matrimoniale	45
Mise à la retraite	45
Changement de l'état de santé d'un membre de la famille	44
Grossesse	40
Difficultés d'ordre sexuel	39
Arrivée d'un nouveau membre de la famille	39
Changement sur le plan du travail	39
Changement sur le plan financier	38
Décès d'un ami intime	37
Changement de type de travail	36
Changement du nombre de discussions avec le conjoint	35
Hypothèque de plus de 10 000 $	31
Obligation de rembourser une hypothèque ou un prêt	30
Changement de responsabilités au travail	29
Départ de la maison du fils ou de la fille	29
Difficultés avec la parenté	29
Réalisation personnelle exceptionnelle	28
Conjoint commence à travailler ou cesse de travailler	26
Début ou fin des études	26
Changement de conditions de vie	25
Révision d'habitudes personnelles	24
Ennuis avec le patron	23
Changement des heures ou des conditions de travail	20
Changement de résidence	20
Changement d'école	20
Changement au niveau des loisirs	19
Changement au plan des activités religieuses	19
Changement des activités sociales	18
Hypothèque ou prêt de moins de 10 000 $	17
Changement dans les habitudes de sommeil	16
Changement dans le nombre des réunions	

L'échelle Holmes-Rahe

Dans la population sur laquelle a porté l'étude de Holmes et Rahe, 80 % des gens qui avaient dépassé 300 points devinrent sérieusement déprimés, subirent des crises cardiaques ou d'autres maladies graves. Bernard Siegel obtint des résultats similaires: 95 % de ses patients souffrant de maladies graves avaient connu un changement significatif avant de tomber malades.

Évident, l'hérédité joue un rôle majeur dans plusieurs maladies, mais il en est de même de l'état d'esprit. Les moyennes de points indiquées ne s'appliquent pas nécessairement à tout le monde. On peut apprendre à s'adapter plus efficacement aux changements significatifs de la vie en faisant appel à des techniques telles que la méditation, le biofeed-back, la respiration profonde, une bonne alimentation et l'exercice physique.

Pour déterminer votre niveau relatif de santé, vous pouvez subir des examens réguliers et routiniers et des tests de condition physique. Si vous vous classez dans la moyenne, il est probable que vous mangiez trop et que vous fassiez trop peu d'exercice.

Mais le niveau de santé mentale n'est pas aussi facilement mesurable. On peut par exemple s'examiner soigneusement et évaluer sa capacité de voir ce qu'il y a de meilleur en chacun, soi-même y compris, et en toute chose. Avez-vous l'habitude de penser, d'agir comme une personne heureuse? Interprétez-vous le mieux possible les gestes des autres? Laissez-vous les idées préconçues influencer votre perception des événements quotidiens? Regardez-vous au-delà de vos petites fautes en concentrant vos énergies sur l'acquisition d'habiletés et de traits de personnalité nouveaux et désirables? Les pires scénarios hantent-ils vos pensées quotidiennes? Compte tenu de vos réponses à ces questions, il est possible que vous deviez réfléchir sérieusement.

Ralph Waldo Emerson disait un jour: «La santé mentale se mesure à la tendance à trouver le bien partout.» C'est là une définition très utile, car elle démontre que le bonheur n'est pas quelque chose que l'on doit à la chance; c'est un choix. Le bonheur doit se cultiver à force d'efforts soutenus; il doit devenir une habitude. La vie comportera toujours des aspects agréables et des aspects désagréables pouvant justifier une attitude optimiste ou pessimiste. Mais si vous attendez que toutes vos pensées désagréables vous quittent pour être heureux, vous vous exposez à attendre très longtemps. Le bonheur appartient à celui qui interprète le mieux possible tous les événements, à celui qui choisit d'être optimiste la plupart du temps. Comme le notait le philosophe anglais, L.P. Jacks (1860-1955): «Le pessimiste voit la difficulté que comporte chaque occasion, et l'optimiste, l'occasion que recèle toute difficulté.»

Votre santé physique et votre santé mentale sont des facteurs clés de réussite. Votre façon de penser est votre façon d'agir, et toutes deux se combinent pour donner des résultats constructifs ou destructeurs. Comme l'observait Shakespeare: «C'est l'esprit qui fait la richesse du corps.» Prenez un bien meilleur soin de vous-même et assumez un meilleur contrôle de votre environnement. Si vous croyez pouvoir, vous pourrez.

Chapitre 10

Ajoutez-vous de la valeur

«La vie n'a aucun sens si ce n'est celui que donne l'homme à la sienne en développant ses pouvoirs.»

Erich Fromm (1900-1980)
Psychanalyste et
philosophe social américain
d'origine allemande

La créativité

Le huitième facteur clé de réussite (FCR) est la créativité. *Vous devez penser créativité si vous voulez penser gagnant!* Comme le notait l'historien américain, James Harvey Robinson (1863-1936): «L'intelligence créatrice, dans ses diverses formes et activités, est ce qui constitue l'homme.» Regardez autour de vous. Tous les objets que vous voyez sont le résultat du travail d'un être humain créateur. En réalité, vous ne voyez pas des «choses», mais les manifestations physiques de pensées. C'est la pensée qui a créé la chaise sur laquelle vous êtes assis, le stylo-bille avec lequel vous écrivez et la lumière qui vous permet de lire.

Survolez une ville importante et vous vous émerveillerez des nombreuses créations de la pensée humaine — les grands immeubles, les stades, les autoroutes, les ponts et les parcs. Tout a commencé par une idée. Ce sont des gens avec des idées, des rêves et des visions qui créent ce que nous avons. Le monde entier est gouverné par la pensée. Tout ce que vous percevez est le résultat d'une pensée. Vous êtes ce que vous pensez. Vous bénéficiez de ce que la pensée humaine a créé.

La créativité nous est donnée à la naissance. Albert Einstein (1879-1955), célèbre pour sa théorie de la relativité, disait que tout enfant est un génie à la naissance. Des tests prouvent que les enfants âgés entre 2 et 4 ans sont créateurs dans 95 % des cas. Plus tard, soit à l'âge de 7 ans, 5 % seulement sont toujours créateurs. Que se passe-t-il? Dans son excellent livre intitulé *Self-Renewal*, John W. Gardner affirme que les pressions de la société en faveur du conformisme sont à blâmer.

Nous avons vu que beaucoup d'enfants, qui recherchent naturellement l'amour et l'affection et s'efforcent d'éviter les critiques, apprennent à craindre les échecs et les rejets. Ils sont forcés, par des moyens plus ou moins subtils, de se conformer aux souhaits et aux normes des adultes et à se conduire de façon peu créatrice. On leur dit quoi faire, et quand et comment le faire. On ne les encourage pas souvent à poser des questions, à explorer de nouvelles avenues ou à satisfaire leur curiosité naturelle. On les récompense lorsqu'ils se conforment à la norme et se plient aux règles, une sorte de capitulation déshumanisante. Dans le processus, ils perdent leur spontanéité et leur identité de penseurs indépendants.

Plus tard dans la vie, beaucoup d'adultes affichent cette programmation par une façon de penser rigide et des attitudes figées. Les gens qui ont perdu leur créativité souffrent d'insécurité, de rigidité et d'un manque d'imagination. Ils voient les extrêmes en tout: tout est bon ou mauvais, noir ou blanc, pertinent ou impertinent. Ils sont incapables de réfléchir par eux-mêmes ou d'aborder un problème de manière créatrice. Ils se fient à leurs habitudes et s'accrochent au statu quo.

Heureusement, la créativité ne se perd pas. Elle cesse simplement de se manifester lorsqu'on ne l'utilise pas. Mais on peut la réveiller sur demande. Il vous suffit d'accepter le fait que vous possédez toujours ce que vous aviez à la naissance: la sagesse intérieure, l'intelligence et la créativité qui font votre génie particulier. Le génie est la capacité de donner une apparence de neuf à ce qui est courant, de simplifier le complexe et de lier des éléments qui semblent n'avoir rien de commun. La combinaison de formes connues en une forme nouvelle est le grand triomphe du génie.

Votre capacité de développer et d'utiliser votre créativité inhérente à la poursuite d'un objectif est un facteur clé de réussite. Mais ce facteur est sous-estimé et mal compris. Il nécessite une concentration et des efforts persistants et constants portant sur des défis de votre choix, et une confiance tranquille en une conclusion positive. Chaque fois que vous opposez une idée ou solution créatrice à un défi, vous ressentez automatiquement les sentiments positifs qui y sont associés. Le fait d'utiliser votre créativité de manière organisée et systématique vous donne un plus grand sentiment de maîtrise, accroît l'estime de soi et vous permet de progresser dans la direction souhaitée.

Voici une excellente définition de la créativité: elle consiste à faire du neuf ou à réorganiser du vieux de façon nouvelle. Elle représente la concrétisation du potentiel humain, de l'énergie créatrice du subconscient. Le subconscient est un vaste entrepôt. Il contient la sagesse du passé, la compréhension du présent et la vision de l'avenir. En puisant à même ses vastes réserves, vous pouvez créer toutes les nouvelles pensées que vous voulez. Il peut s'agir de développer des talents artistiques, intellectuels ou professionnels, et de réaliser des buts précis qui sont significatifs et importants à vos yeux.

Si tout le monde pense la même chose, personne ne pense.

Si vous voulez explorer votre potentiel tout entier et identifier les nouvelles occasions de réussite, vous devez mettre à contribution vos pouvoirs créateurs. Sinon vous serez constamment comme tout le monde, vous serez une copie et non un original. Lorsque tout le monde pense la même chose, personne ne pense. Et rien de bien valable n'est jamais réalisé de cette façon.

Les chercheurs qui ont étudié le comportement des gens créateurs ont découvert un lien direct entre la créativité et la pensée positive. Les gens positifs sont ceux qui envisagent généralement un grand éventail de possibilités, les diverses options qui leur sont offertes pour réaliser un objectif précis. Une attitude positive suppose une confiance en d'autres possibilités. Celui qui pense positivement peut trouver de la valeur à n'importe quelle idée et savoir pourquoi elle donnera de bons résultats. Au contraire, l'individu négatif se concentre surtout sur les raisons qui font qu'une idée ne donnera pas de bons résultats. Les idées créatrices vous aident à atteindre de nouvelles limites et à explorer les possibilités. Comme le disait Abraham Maslow, «si vous vous contentez de moins que ce que vous pouvez être, vous serez malheureux le reste de votre vie.»

Il y a deux processus de réflexion distincts dans la résolution créatrice de problèmes. La différence réside dans la façon dont le cerveau traite l'information liée au problème.

Le premier processus de réflexion est connu sous le nom de réflexion divergente et consiste à mettre l'accent sur tous les aspects du problème en soi. On doit formuler le problème de différentes manières, l'évaluer à partir de plusieurs points de vue, remettre en question les suppositions et les faits fondamentaux le concernant, réunir des données additionnelles et dresser la liste de toutes les options possibles pour le résoudre. La réflexion divergente cherche à fractionner le problème en ses nombreuses composantes pour mieux en comprendre la nature véritable et dresser la liste de toutes les solutions possibles. On peut comparer cela à gonfler un ballon pour en déterminer la taille et la forme.

L'autre façon de penser s'appelle réflexion convergente et fonctionne de la façon contraire. Elle consiste à réduire le problème en parties plus petites. Elle s'en remet à des facteurs clés pour son analyse approfondie, rejette les options inappropriées et en choisit d'autres qu'elle adoptera. La réflexion convergente est réductrice. Elle réduit un problème à un plan d'action précis et à une méthode permettant d'en évaluer les résultats.

Lorsqu'il s'agit de résoudre un problème, il est toujours important de savoir quand diverger et quand converger, la plupart des gens pratiquant l'un ou l'autre des deux types de réflexion.

Celui qui adopte la réflexion divergente génère beaucoup de nouvelles idées et envisage plusieurs solutions possibles, mais il est incapable de prendre une décision. On qualifie souvent ces gens d'indécis, car il ne parviennent jamais à agir, préférant se limiter à étudier une fois de plus le problème.

Par ailleurs, celui qui pratique la réflexion convergente a tendance à agir prématurément, sans avoir adéquatement étudié la totalité du problème. Il tend à prendre des décisions rapides fondées sur des données insuffisantes et une exploration incomplète des options possibles. On le qualifie souvent d'impulsif, car il ne comprend jamais tout à fait pourquoi il agit comme il le fait. Il est trop pressé.

Certaines des personnes les plus rigides, qui ne peuvent innover ou accepter les gens qui innovent, sont bien connues de la plupart d'entre nous. Souvent elles doivent leur étroitesse d'esprit à leur formation professionnelle et à la nature analytique de leur travail. Parmi les professionnels, les avocats, les comptables, les officiers de l'armée, les fonctionnaires et les cadres d'entreprises sont souvent les moins imaginatifs. Ils ont tous leurs formules approuvées, leurs procédures correctes, leurs approbations nécessaires et leurs directives obligatoires. Tout étant défini, dicté et décidé, ils laissent peu de place à l'initiative ou à la créativité. Ils ont rarement des options. Vous vous qualifiez ou vous ne vous qualifiez pas; les règles le permettent ou ne le permettent pas; vous obéissez aux ordres ou vous en subissez les conséquences. Il n'est pas étonnant que ces professionnels changent très peu avec le temps et qu'ils n'aient pas tendance à innover.

La créativité est un exercice de réflexion. C'est une compétence acquise visant à générer de nouvelles idées qui peuvent être plus utiles que les idées existantes. Une idée nouvelle n'est généralement qu'une combinaison de vieilles idées remaniées selon une façon de voir différente. Vous pouvez créer plus facilement de nouvelles idées en prenant l'habitude de la «libre association», en établissant des liens entre deux idées ou plus pour en former une nouvelle. Sony a créé un produit entièrement nouveau en concevant le baladeur. On a combiné deux idées connues pour satisfaire un besoin du consommateur: être capable d'écouter la radio en marchant ou en courant, deux loisirs de plus en plus populaires.

Un autre exemple a révolutionné le transport. À la fin du siècle dernier, un ingénieur allemand, Wilhelm Maybach, a observé un atomiseur de parfum et a été intrigué par la façon dont il mélangeait le liquide avec de l'air. Il l'a essayé avec de l'essence et a inventé le carburateur. Gottlieb Daimler a utilisé le dispositif pour créer un mode de transport tout à fait nouveau: l'automobile.

Regardez autour de vous et voyez ce que vous pouvez créer qui pourra servir aux gens. Pouvez-vous aider le genre humain à mieux vivre, à moins souffrir et à apprécier davantage la vie? La réponse est en vous, profondément enfouie dans votre subconscient. Vous commencez à réaliser vos possibilités lorsque vous aidez les gens à réaliser les leurs.

La seule véritable richesse dans le monde est une nouvelle idée et quelqu'un qui est disposé à la mettre en pratique. La richesse ne réside pas dans les biens de luxe comme les voitures, les maisons et les biens matériels. Ce ne sont là que des symboles de richesse. Le facteur qui sous-tend toute prospérité est une nouvelle idée pratique encore inexploitée. L'individu, l'entreprise ou le pays qui peut générer le plus grand nombre de nouvelles idées pratiques est celui qui prospérera.

Comme le disait un jour Victor Hugo: «On peut résister à une invasion militaire, mais pas à une idée dont le temps est venu.»

Voici quelques techniques éprouvées permettant de générer de nouvelles idées:

1. *La méthode de l'incubateur:* Cette technique consiste à identifier clairement la question ou le problème qui se pose, à en prendre note avant de vous mettre au lit et à dormir. Vous confiez le problème à votre subconscient puis vous l'oubliez, tout en comptant obtenir la solution au cours de la nuit ou en vous réveillant le lendemain matin. Placez un bloc-notes et un stylo-bille sur votre table de chevet, et lorsque la solution vous viendra de nulle part, comme un éclair, levez-vous et prenez-la en note. Sinon, vous vous rendormirez et vous ne vous en souviendrez jamais. Plusieurs excellents auteurs affirment faire appel à cette méthode plus qu'à toute autre pour trouver des idées créatrices et de l'inspiration pour leurs livres.

2. *Le remue-méninges:* Cette technique de génération d'idées est généralement attribuée à Alex Osborn, auteur de *Applied Imagination*. Le processus consiste en deux réunions distinctes de quatre ou sept personnes, réunions d'une durée de 30 ou 45 minutes. L'objectif principal de la première réunion est de s'entendre sur ce qu'est le véritable problème, puis de générer autant d'ébauches de solutions que possible sans aucune évaluation ou jugement. Aussitôt que le coordonnateur de la réunion obtient le consensus quant à une définition claire du problème, il demande aux participants de suggérer des idées de solutions.

On doit s'assurer de ne pas favoriser une méthode particulière ou approche au cours des discussions, et se borner à favoriser la libre circulation d'idées et de suggestions. À la fin de la réunion, le coordonnateur fait taper toutes les idées présentées sur une seule feuille. Cette liste forme la base d'une seconde réunion dont l'objectif principal sera d'évaluer les mérites de chaque solution proposée, d'en choisir une ou plusieurs et de s'entendre sur un plan d'action. Des tâches précises doivent être confiées à des personnes précises, avec une échéance prédéterminée.

3. *La méthode graphique:* Cette technique fait appel au maximum à la libre association en formant une illustration ou un arbre décisionnel d'idées nouvelles. Le sujet en question est placé au centre d'une page et des rayons sont tracés pour relier le sujet à chaque nouvelle idée ou solution. Lorsqu'une option particulière soulève une association, une branche secondaire est tracée à partir du rayon concerné. Vous vous retrouverez avec plusieurs rayons et de nombreuses branches secondaires, et tout cela vous permettra de résoudre votre problème.

Cette technique graphique a été mise au point par Tony Buzan du «Learning Methods Group» en Angleterre. L'exercice est conçu dans le but de tirer le maximum des capacités intellectuelles d'une personne, et porte le nom de «méthode du cerveau global». Il combine les caractéristiques visuelles et intuitives de l'hémisphère droit du cerveau aux caractéristiques analytiques et logiques de l'hémisphère gauche, comme le décrit, Betty Edward, dans son best-seller intitulé: *Drawing on the Right Side of the Brain*. La plupart des gens utilisent un seul de leurs deux hémisphères lorsqu'ils s'attaquent à un problème; ils se servent rarement des deux hémisphères en même temps. La méthodologie combine efficacement les capacités quantitatives et qualitatives du cerveau.

La notion de perception versus réalité est au cœur de ce concept. Les gens ont souvent intérêt à s'en tenir à une méthode particulière ou au statu quo sans en être vraiment conscients. Ils négligent les nouvelles occasions ou options leur permettant d'apporter des changements ou des améliorations, que d'autres personnes, plus éloignées du problème, distinguent facilement. Les gens ont tendance à s'attarder surtout aux effets, aux résultats de modes d'action ou de politiques, plutôt que de tenir compte des causes. Les causes représentent la réalité, alors que les effets représentent la perception. Les gens qui prennent des décisions fondées sur la seule perception fonctionnent avec une fausse image de la réalité. Ils ne sont généralement pas très créateurs.

Voyez l'exemple des trains de passagers, qui ne sont certainement plus aussi nombreux que par le passé. Les opérateurs de trains de passagers considéraient qu'ils faisaient partie du secteur des trains de passagers, alors qu'ils œuvraient dans le secteur des transports. Ils ne sont pas demeurés concurrentiels avec les autres modes de transport et ont laissé stagner leur industrie.

L'illustration 10 montre la grande variété des façons dont des livres peuvent être vendus à des consommateurs. On y voit les divers canaux de distribution du point de vue de la personne qui désire explorer les nombreuses options lui permettant de vendre des livres. Une fois que toutes les options sont identifiées, il est plus facile de porter des jugements quant à la viabilité de chacune à partir de notions de temps, de profits et d'autres considérations.

Nos actes sont déterminés par ce que nous sommes; ce que nous sommes est déterminé par ce que nous pensons; ce que nous pensons est déterminé par ce que nous apprenons; ce que nous apprenons est déterminé par ce à quoi nous sommes exposés et ce que nous en tirons.

Alors exposez-vous volontairement au plus grand nombre de gens et de situations possibles. Ce à quoi vous vous exposez est un facteur causal clé de ce que vous faites de votre vie.

Pour être une personne créatrice, vous devez donc, entre autres, vous exposer à un flot continu de nouvelles

idées provenant de sources extérieures. Vous devez lire des
livres qui font réfléchir, rencontrer des gens intéressants,
assister à des conférences, tenir des conversations significatives et remettre en question le statu quo. Soyez inquisi-
teur, curieux, et cherchez constamment. Ce sont là les
qualités d'une personne créatrice.

Illustration 10

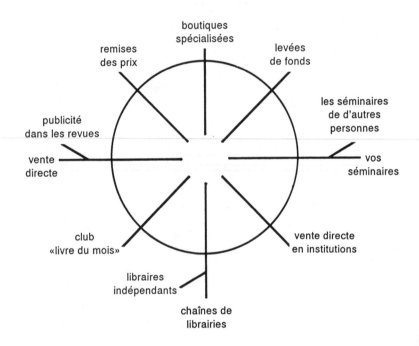

Service

Le neuvième facteur clé de réussite (FCR) est le service. *Vous devez penser service si vous voulez penser en gagnant!* La meilleure façon de résumer le principe du service
est celle-ci: «Donnez et vous recevrez.» Il s'agit d'un reflet
de la loi de cause à effet — à toute action, il y a une réaction
opposée équivalente. En s'attardant à la signification pre-

mière du succès, on se rend compte qu'il signifie simplement «rendre service». Et plus vous rendez service, plus vous aurez de succès. «En faire plus pour le monde que le monde n'en fait pour soi, voilà le succès», selon Henry Ford.

Napoleon Hill encourageait avec ferveur les gens qui recherchaient le succès plus que l'échec, la richesse plus que la pauvreté et le bonheur plus que le malheur, à donner davantage que ce pourquoi ils étaient payés. Ralph Waldo Emerson parlait de service dans son fameux essai intitulé *Compensation*: «Mais tout le bien de la nature est celui de l'âme, et peut être à soi si on le paie conformément à la nature, c'est-à-dire par le travail que permettent le cœur et la tête.»

Votre contribution extérieure, par le biais de services rendus aux gens, déterminera votre degré de réussite dans vos entreprises. Vos récompenses seront toujours directement proportionnelles à la valeur de vos services. Si vous voulez accroître la valeur de vos récompenses, vous devez accroître celle de vos services. Il y aura toujours des gens naïfs et opportunistes qui s'efforceront de tirer le maximum du moindre effort, ou pire encore, d'obtenir quelque chose en ne payant rien en retour. Ces gens oublient simplement la loi de la Bible quant à ce que l'on sème et ce que l'on récolte: «L'homme récolte ce qu'il a semé.» S'il était facile d'avoir toutes les récompenses que l'on recherche sans avoir à travailler, nous ne les apprécierions pas beaucoup et nous n'en voudrions sans doute pas.

Le service est le loyer que l'on doit payer pour l'espace que l'on occupe ici-bas.

Le service est notre contribution au tableau d'ensemble, aux interactions entre les gens qui déterminent la qualité des rapports humains et de la production humaine.

C'est le loyer que l'on doit payer pour l'espace que l'on occupe ici-bas. Une famille transfère à la collectivité l'amour et l'affection de chacun de ses membres. Une entreprise reflète sur ses clients la somme d'attention et de soins qu'elle consacre à la satisfaction de leurs besoins. Rendre service consiste à satisfaire les besoins et les désirs humains le plus efficacement possible.

Voyez les conséquences des services rendus à la maison. Nous savons que les enfants sont le produit de leur éducation, de la qualité du traitement qu'ils ont reçu de leurs parents. Les enfants qui n'ont pas l'approbation de leurs parents, qui sont victimes de critiques destructrices et de châtiments arbitraires grandissent avec une piètre idée d'eux-mêmes, une piètre image d'eux-mêmes et peu d'assurance, et vivent une vie improductive, dénuée d'inspiration. Par ailleurs, les enfants qui grandissent dans un climat d'amour et d'affection deviennent des adultes sains et confiants, qui s'estiment et s'accordent beaucoup de valeur personnelle. Ils sont capables de faire quelque chose de leur vie et d'apporter une contribution valable à la société.

En ce qui a trait aux relations matrimoniales, tout mariage reflète les contributions de ses deux membres. S'il y a un appui mutuel minimal, si chacun demande plus à l'autre qu'il n'est prêt à donner, le résultat ne peut qu'être un isolement plutôt qu'une union. Si vous voulez tirer davantage de votre mariage, commencez par contribuer davantage à la relation. Dans tous les cas, ajoutez plus de ce que vous voulez. Si vous voulez plus d'affection de votre conjoint, donnez-lui plus d'affection. Si vous voulez plus de compréhension, montrez-vous plus compréhensif. Et si vous semez les germes de la discorde et de la méfiance, attendez-vous à récolter la même chose. Le bien attire le bien, et le mal suscite le mal.

Notre société capitaliste est fondée sur une économie de services dans laquelle les biens et les services sont librement échangés selon les besoins et les désirs individuels. C'est par le biais des services que vous rendez que vous vivez, et ce n'est qu'en rendant service que vous pouvez espérer survivre et prospérer. Le système est très exigeant envers les gens, et certains le qualifient même de cruel. Mais il récompense généreusement la majorité des gens. Winston Churchill observait: «Le vice inhérent du capitalisme est le partage inégal des biens, alors que la vertu inhérente du socialisme est le partage équitable des malheurs.»

Voyez comment le capitalisme a évolué pour devenir ce qu'il est aujourd'hui. À son étape la plus élémentaire, chacun consommait exactement ce qu'il produisait. Les aliments que vous aviez, les vêtements que vous portiez et les armes que vous fabriquiez, tout cela était le résultat de vos propres efforts. Avec le temps, la société a mûri et les familles ont commencé à produire des biens qu'elles échangeaient avec d'autres familles. Vous échangiez ce que les autres voulaient contre ce que vous vouliez. Bien sûr, plus vous produisiez ce que voulaient les autres, plus vous pouviez acquérir de ce que vous vouliez. Votre prospérité était le résultat direct de votre travail et de votre capacité de satisfaire les besoins et les désirs des autres. Cela constitue la base de notre système moderne de libre entreprise.

Comme le démontre le poème qui suit, viser haut dans la vie à la recherche de la prospérité ne requiert pas plus d'efforts que de viser bas et d'accepter la pauvreté.

«J'ai marchandé avec la vie pour un sou,
Et la vie ne m'a rien donné de plus,
Cependant je mendiais le soir

En comptant ma maigre fortune.
Car la vie n'est qu'un employeur,
Elle vous donne ce que vous demandez,
Mais une fois que cela est réglé,
Vous devez vous acquitter de la tâche.

J'ai travaillé pour un maigre salaire,
Pour enfin apprendre, étonné,

Que tout ce que j'aurais demandé de la vie,
Elle me l'aurait volontiers accordé.»

Jessie Rittenhouse

La façon la plus simple d'exprimer la loi de la compensation est la suivante: plus vous investissez dans quelque chose, plus vous en retirez en retour. C'est une loi de la nature, et non une loi de l'homme. Obéissez à cette loi et vous en récolterez les avantages; contrevenez-y et vous en subirez les conséquences. Dans la vie, les gagnants s'efforcent toujours d'investir le plus possible, alors que les perdants s'efforcent toujours de retirer le maximum.

Les entreprises modernes réussissent et échouent suivant cette même loi immuable.

Une entreprise peut être une seule personne exécutant toutes les tâches nécessaires à la satisfaction des besoins particuliers d'un client. Il peut s'agir d'un jardinier, d'un comptable, d'un expert-conseil, bref d'une personne qui n'a pas besoin de structure hiérarchique pour fonctionner. Dans une telle situation, le fournisseur et le client se rencontrent «face à face» sur le marché. Cependant, lorsque l'entreprise procède à une expansion et exige une spécialisation, une organisation devient nécessaire. La raison d'être d'une organisation est très simple. Une organisation n'existe que parce qu'elle peut réaliser des objectifs qu'un individu ne peut réaliser seul. Toute organisation est le résultat d'une structure hiérarchique au sein de laquelle divers niveaux de direction et des travailleurs s'efforcent de coexister et de collaborer pour fabriquer un produit en enregistrant un profit.

Une entreprise est aussi soumise à la loi de cause à effet. La cause consiste à satisfaire les besoins des clients, et l'effet à mettre en marché des biens ou des services à un prix plus élevé que le coût. Il va donc de soi que l'on doit d'abord s'efforcer de satisfaire les besoins du client, et obtenir une productivité permettant d'exiger un prix équitable et concurrentiel qui générera un profit. Le client doit toujours être le centre primordial d'attention. Si un bon nombre de clients sont bien servis à un prix inférieur au coût de production, il y aura automatiquement du profit. Mais vous ne pouvez espérer générer des profits si vous ne pensez pas à servir le client à un prix qu'il peut se permettre et qu'il est prêt à payer compte tenu de la concurrence.

De nos jours, dans l'industrie automobile en Amérique du Nord, nous voyons des manufacturiers qui sont incapables de satisfaire les besoins de leurs clients à un prix concurrentiel. Le Japon a notamment fait du bien meilleur travail pour ce qui est de faire passer le client en premier, tant en ce qui a trait à la conception de ses produits qu'à la qualité de sa main-d'œuvre. L'industrie américaine a effectué de grands efforts pour tenter de concurrencer les Japonais. On a beaucoup investi dans l'automatisation, dans un effort pour réduire les coûts. On a amélioré la conception et accru la qualité du produit. Mais les résultats n'ont pas été spectaculaires. La productivité des travailleurs n'atteint toujours pas les niveaux observables au Japon. Et les gestionnaires américains sont toujours obsédés par les profits trimestriels et annuels plutôt que par la satisfaction de la clientèle et l'augmentation de leur part du marché.

Dans un effort pour expliquer nos importants déficits en comparaison de ceux du Japon, nous dénonçons facilement le manque d'accès au marché japonais, les taux de change irréalistes, les généreuses subventions du gouvernement japonais à son industrie et les salaires moins élevés que l'on retrouve au Japon. Et plusieurs de ces plaintes sont fondées, mais nous semblons toujours oublier un fait primordial: la suprême importance du client. Nous devons de plus en plus nous efforcer de considérer chaque travailleur comme étant l'unité de production de base, et l'organisation comme étant un mécanisme de coordination des diverses spécialisations, et nous devons satisfaire les besoins des clients dans un environnement très concurrentiel. Ce n'est qu'ainsi que l'industrie américaine sera en mesure de concurrencer les entreprises étrangères, tant sur le marché américain qu'à l'étranger.

Dans leur livre, *In Search of Excellence*, Thomas Peters et Robert Waterman ont découvert que les excellentes entreprises possèdent deux caractéristiques distinctes: elles recherchent constamment des améliorations de leur productivité en gérant bien leurs ressources humaines, et elles ont une obsession: faire passer le client d'abord. Toutes les directives internes et les plans d'action des excellentes compagnies font de ces deux éléments leurs priorités. Leur but n'est pas d'avoir des services distincts des finances, de la production, des achats et du marketing en tant qu'excellents secteurs isolés de spécialisation. Elles veulent plutôt que ces services fonctionnels travaillent de concert à la production du meilleur produit pouvant répondre aux besoins du marché.

Tout le monde est travailleur autonome, que l'on travaille pour d'autres ou pour soi. C'est à chaque individu de s'assurer qu'il contribue au maximum à l'organisation dont il fait partie pour assurer sa rentabilité et sa survie.

Voici huit attributs qui, selon des recherches intensives, sont les caractéristiques d'excellentes compagnies qui maximisent la contribution des employés et font passer le client en premier. Voyez les changements que vous pourriez apporter et qui pourraient ajouter aux avantages concurrentiels de l'organisation pour laquelle vous travaillez présentement.

1. *Un haut degré de communication*, verticalement et horizontalement dans toute l'organisation, établissant un lien avec les employés de tous les niveaux. Pour être efficace, une entreprise doit trouver le moyen de concentrer tous les efforts, les talents et les énergies de ses employés vers des buts et des objectifs conformes au bien-être de l'organisation. Les excellentes entreprises font des pieds et des mains pour encourager des discussions et des réunions informelles fréquentes, pouvant se dérouler pendant le lunch ou après les heures de travail, sous forme écrite ou verbale.

2. *Une structure moins formelle* pour favoriser les communications et faciliter la participation des travailleurs dans le processus de prise de décisions. Une structure hiérarchique formelle ne peut accommoder toutes les lignes de communication nécessaires à une participation maximale des employés, le nombre de lignes nécessaires augmentant de manière exponentielle à mesure que le nombre des employés s'accroît. Les excellentes compagnies forment souvent des groupes de travail ad hoc représentant de petites unités au sein de l'entreprise qui ont pour objet de s'attaquer aux problèmes multifonctionnels tels que le contrôle de la qualité. Beaucoup d'entreprises ont éliminé des niveaux entiers de direction, réduisant parfois le nombre des membres d'une organisation de douze ou quatorze à aussi peu que trois.

3. *Une forte délégation d'autorité.* Les excellentes compagnies délèguent l'autorité au niveau approprié, prenant ainsi compte des connaissances et de l'expérience des travailleurs. Cela stimule l'initiative et la créativité individuelle et permet à la haute direction de se concentrer sur les tâches importantes. La délégation d'autorité permet aussi à des changements évolutionnaires plutôt que révolutionnaires de se produire dans l'organisation conformément aux changements qui se produisent dans le marché. Les employés qui sont en contact direct avec les clients sont en bien meilleure position pour noter les tendances et les changements de préférences que les cadres moyens ou supérieurs.

4. *Un niveau élevé de responsabilité.* Les individus doivent avoir l'entière responsabilité de leur contribution envers l'organisation, ce qui va de pair avec la délégation d'autorité. Cela suscite un haut degré de confiance et favorise l'acceptation de responsabilités accrues. La responsabilité s'applique autant aux groupes formels qu'informels, où les individus assument la responsabilité de la qualité de toutes leurs suggestions et décisions.

5. *La reconnaissance des efforts.* Les employés désirent que leurs efforts soient reconnus, surtout en ce qui a trait

à leurs propres réalisations ou à celles de leur groupe. Les gens veulent avoir le sentiment d'appartenir à une équipe gagnante. Les excellentes compagnies favorisent les encouragements dans le cadre de leurs activités quotidiennes. Elles sont attentives aux besoins des employés et ont trouvé des moyens de manifester leur appréciation pour le travail bien fait. Elles aident les employés à se sentir importants et indiquent à ceux-ci que leur contribution est précieuse et significative pour l'organisation.

6. *Les objectifs stratégiques clairement définis* au sein de l'organisation qui tiennent compte du marché et mettent l'accent sur les éléments appropriés:

- on ne doit pas se préoccuper des profits aux dépens du produit.

- on ne doit pas se préoccuper des actionnaires aux dépens des clients.

- on ne doit pas se préoccuper des facteurs quantitatifs (articles produits, expédiés ou vendus) aux dépens des facteurs qualitatifs (produits, travailleurs et processus).

7. *L'accent sur la créativité et l'innovation.* Les excellentes compagnies visent constamment une productivité accrue de leurs travailleurs. Elles mettent l'accent sur la fidélité, le moral, le dévouement et l'identification des individus avec le succès de la firme. Dans chaque cas, la clé est la relation chef de service et employé. Le chef de service idéal indique à chacun des employés comment être plus productif. Le chef de service doit faciliter les choses, être un catalyseur capable de maximiser les efforts individuels et de les orienter en fonction des objectifs premiers de la firme.

La recherche des suggestions des employés est une activité qui favorise la quantité et la qualité de la production. Jusqu'à 50 % de l'amélioration de la productivité peut provenir des suggestions des employés et de leur participation dans les processus de conception et de production.

En 1980, par exemple, Toyota comptait 48 757 employés qui ont soumis 859 039 suggestions, soit une moyenne de 17,62 par personne par année. Ces 807 497 suggestions, ou 94 % d'entre elles, ont été considérées comme des idées valables et mises en pratique la même année, ce qui a permis des économies de 30 000 000 $.

8. *Une mentalité ou culture corporatiste* qui encourage:

- la souplesse concernant les gens, les processus et la résolution de problèmes.

- la concentration des ressources de la compagnie sur des questions clés.

- la réponse aux besoins des clients par la perception des problèmes de la clientèle comme étant une occasion de faire des affaires.

Ces huit attributs ont pour objet de satisfaire le consommateur ultime, la personne qui paie toutes les factures. Dans une société de libre marché, le consommateur a le choix. Les gens n'encourageront une entreprise que dans la mesure où ils croient qu'elle a leurs intérêts à cœur et qu'elle les sert conformément à leurs besoins et proportionnellement à leur importance.

En fin de compte, nous sommes tous en affaires pour nous-mêmes. Chaque individu représente une firme de services personnelle et doit lutter sur le marché pour survivre et prospérer. Que pouvez-vous changer pour ajouter à la valeur des services que vous offrez? Réfléchissez bien à cette question.

Excellence

Le dixième facteur clé de réussite (FCR) est l'excellence. *Vous devez penser excellence si vous voulez penser en gagnant!* Engagez-vous à devenir excellent dans ce que vous faites, car c'est par l'excellence que vous vous réaliserez. Comme le souligne John Gardner dans son livre, *Excellence*: «En visant plus haut, en visant l'excellence, en nous engageant à réaliser les buts les plus élevés de notre société, nous adoptons une cause ancienne et significative: l'éternelle lutte des hommes pour réaliser ce qu'ils ont de mieux.»

Ce n'est qu'en atteignant l'excellence dans votre secteur d'activité que vous pouvez espérer réussir dans la vie. Sinon vous ne pouvez espérer réaliser vos possibilités. Toute étude portant sur les gens exceptionnels démontre qu'ils ont persévéré et travaillé à devenir exceptionnels dans la profession de leur choix. Le marché paie toujours en fonction du rendement. Une performance maximale est toujours profitable, que ce soit dans les sports, les arts, les affaires ou le match de la vie.

Très peu de choses distinguent les gens exceptionnels du reste d'entre nous. Dans un tournoi de golf, un ou deux coups seulement distinguent le gagnant de tous les autres joueurs. Dans le base-ball professionnel, le meilleur frappeur ne frappe que 10 ou 12 fois de plus, au cours de la saison, que son plus proche rival. Aux Jeux olympiques, la différence entre le médaillé d'or et le quatrième au 100 mètres est souvent de moins de 2/10 de secondes. Alors la différence se limite souvent à un coup d'approche, à un amorti ou à une fraction de seconde à un chrono. Cette petite différence fait toute la différence au monde, quelle que soit l'activité.

L'excellence est l'amour du travail.

Les champions ne le deviennent pas par hasard. Ils s'engagent plutôt à acquérir les habiletés et les connaissances qui leur sont nécessaires pour exceller. Ce sont des gens dévoués qui aiment ce qu'ils font. Ils ne «travaillent» pas vraiment comme le reste des gens. On peut définir le travail comme une chose que l'on doit faire alors que l'on préférerait faire autre chose. Quel que soit le nom qu'on lui donne, l'excellence est l'amour du travail, un engagement total à faire le maximum.

Les petites différences, apparemment marginales, au niveau du rendement, se traduisent par d'énormes différences en termes de récompenses, et cela a été clairement démontré lors de la finale de tennis, la classique de Wimbledon le samedi 5 juillet 1980, entre Bjorn Borg et John McEnroe. Les marques étaient de 1-6, 7-5, 6-3, 6-7 et 8-6. Bjorn Borg remporta sa cinquième victoire consécutive à Wimbledon à cette occasion, gagnant 28 matchs contre 27 pour John McEnroe, une différence de performance d'environ 4 %. Mais Bjorn Borg s'est mérité un premier prix de 50 000 $ et John McEnroe 25 000 $, une différence de 50 %.

Les gens exceptionnels bénéficient de nombreux avantages. Ils sont davantage récompensés, tant matériellement qu'émotionnellement. Ils peuvent se permettre un meilleur niveau de vie et une plus grande indépendance. Ils ont aussi plus de chances d'être heureux, satisfaits et positifs à propos de leur personne, de leur profession et de leur entourage. Ils risquent moins d'être malades, déprimés ou sans emploi. Chaque fois qu'ils donnent un bon rendement, ils acquièrent de l'assurance et de l'estime de soi. Ils refont facilement leurs énergies et sont capables de passer à de nouveaux défis. Ils acceptent volontiers les conseils et les critiques des autres, s'attaquent aux problèmes de façon créatrice et travaillent bien en collaboration avec d'autres. De tels individus ne sont pas exceptionnels dans un secteur; ils sont simplement un peu plus compétents dans divers secteurs clés. C'est ainsi qu'on atteint l'excellence et que l'on découvre comment tirer le maximum de ses possibilités.

Ces règles s'appliquent autant aux entreprises qu'aux personnes. Les entreprises développent un ou plusieurs secteurs d'excellence, un avantage qui leur permet de surpasser la concurrence. Elles excellent à des activités particulières qui répondent à la demande du marché, et le marché réagit en conséquence.

Reprenons notre exemple de l'industrie de l'automobile. Les Japonais ont juré de devenir les plus grands fabricants mondiaux d'automobiles à la fin des années 1970, et ils ont réussi. Pour atteindre ce but, ils ont dû percer le lucratif marché nord-américain, surmonter une réputation de piètre qualité, surtout concernant les biens peu coûteux, et concurrencer carrément les «trois grands» de l'automobile qui possédaient déjà des points de vente et de service bien établis. La stratégie japonaise était de vendre une voiture de conception et de performance exceptionnelle à un prix concurrentiel. Ainsi, les consommateurs étaient davantage amenés à mettre l'accent sur la valeur et la qualité que sur le service et les réparations. Le succès des Japonais démontre que le véritable service ne consiste pas à réparer rapidement quelque chose qui est brisé, mais à construire un produit de qualité dès le départ.

Le marché paiera toujours plus pour la qualité. La qualité est en fait une combinaison de rendement et de prix qui ajoute à la valeur, et la valeur est encore recherchée par le consommateur avisé. Chaque entreprise doit avoir un avantage qui la distingue de la concurrence. Toute entreprise dont le produit ou service ne se distingue pas de celui de la concurrence a peu de chances de réussir. Elle est condamnée à la médiocrité et à un déclin lent, mais elle est inéluctable.

La chaîne des hôtels Quatre saisons est un exemple d'organisation qui a réagi différemment à la tendance qui veut, en Amérique du Nord, que le service soit chose du passé. Vous avez sans doute déjà entendu l'histoire du commis-vendeur qui disait à ses clients qu'il ne se devait plus de leur dire «merci», puisque c'était déjà imprimé sur les factures!

Pour réussir sur le marché international, la compagnie a formulé un objectif auquel elle se conforme toujours: offrir les meilleurs hôtels dans tous les marchés sur lesquels elle pénètre.

Isadore Sharp, le directeur général et président du conseil de la compagnie, est fier de raconter l'histoire d'un client qui avait oublié une mallette à l'arrière de l'hôtel torontois de la firme. L'homme téléphona de Washington pour expliquer que le contenu de la mallette était très important et qu'il en avait besoin pour une réunion imminente. Lorsque la direction de l'hôtel s'informa de ce qui était advenu de la mallette en s'adressant à l'employé responsable, on découvrit qu'il était déjà en route pour Washington pour remettre la mallette au client, à ses propres frais. Il se sentait personnellement responsable parce qu'il avait oublié de placer la mallette dans le coffre du taxi avec les autres bagages du client.

Business Week accusait récemment Quatre saisons d'une quasi-obsession pour le service à la clientèle. Le président de la compagnie a volontiers plaidé coupable. Lors d'un discours prononcé à Los Angeles le 3 juin 1987, il expliquait: «Nous pouvons mettre cinq ans à concevoir et à construire l'hôtel le plus prestigieux. Nous pouvons investir plusieurs millions de dollars dans cet hôtel. L'année suivante, la concurrence peut s'établir juste en face, dépenser plus de millions et être un peu plus à la mode. Mais heureusement, il faut plus que de l'argent pour donner un excellent service, et le service est notre spécialité. *Le service est l'essence de l'excellence*, et nous pensons qu'en faisant passer l'excellence en premier, nous ferons sûrement des profits.»

Cela soulève d'importantes questions que vous devez vous poser: Dans quel secteur excellez-vous? Quel est l'avantage concurrentiel qui vous permet de surpasser tous vos collègues? Qu'avez-vous à offrir de précis qui soit l'équivalent de l'excellence personnelle?

Ce ne sont pas des questions faciles. Nous voulons tous exceller dans quelque chose. Nous voulons tous nous regarder dans le miroir chaque matin en étant capables de nous dire: «Je suis excellent dans ce que je fais.» C'est ainsi que l'on peut beaucoup s'aimer et s'estimer. La véritable estime de soi consiste à savoir que l'on est compétent dans son secteur d'activité. Les gens qui ne se croient pas particulièrement bons dans quoi que ce soit ne se sentent inférieurs et insécurisés qu'en présence de gens qui ont une plus haute estime d'eux-mêmes. Si vous ne vous trouvez pas compétent dans quelque chose, vous ne pouvez vraiment vous aimer, vous respecter et vous accepter en tant que personne valable et méritante. Vous accepterez toujours vos limites, vous aurez des objectifs peu élevés et vous essaierez de vous en tirer avec le moins d'embarras possible.

«La qualité de la vie d'une personne est directement proportionnelle à son engagement envers l'excellence, quel que soit son secteur d'activité», croyait fermement Vince Lombardi.

Vous avez la responsabilité de découvrir et de développer vos talents et vos responsabilités uniques. Nul ne vient au monde avec les qualités et les caractéristiques nécessaires à la réussite. Si vous vous en remettez au hasard, vous développerez naturellement certaines de ces qualités en cours de route — certaines plus tôt, certaines plus tard et certaines jamais. Mais cela n'est pas obligatoire si vous choisissez d'agir. N'abandonnez jamais le développement de toutes vos possibilités au hasard.

Toutes les habiletés et caractéristiques intellectuelles dont nous avons parlé dans les trois derniers chapitres peuvent être acquises grâce à un effort volontaire portant sur une plus grande efficacité dans tous les secteurs de votre vie. N'acceptez pas le point de vue selon lequel il serait «bien» de les acquérir un jour, ou selon lequel vous envisagerez de les acquérir lorsque vous en aurez le temps, lorsque vous aurez l'emploi approprié ou lorsque l'occasion parfaite se présentera. Vous devez vivre dans le présent, le précieux présent, car c'est là, uniquement, que le bonheur se trouve. Décidez de faire de chacune de ces habiletés et caractéristiques une partie de votre vie dès aujourd'hui, une partie de votre personnalité qui contribuera à votre rendement actuel.

Chapitre 11

De meilleures relations humaines: La clé principale de votre réussite

«Traitez les gens comme s'ils étaient tels qu'ils doivent être et vous les aiderez à devenir ce qu'ils peuvent être.»

Johann von Gœthe

Les relations humaines supérieures constituent le onzième facteur clé de réussite (FCR), et l'un des sujets les plus importants de ce livre. *Vous devez penser relations humaines supérieures si vous voulez penser en gagnant!* Quiconque espère réussir doit acquérir l'habileté de motiver et d'influencer les gens de manière efficace, positive et prévisible. Pour pouvoir faire ce que vous voulez, personnellement et professionnellement, vous avez besoin de l'appui et de la collaboration des autres. Peu de choses significatives peuvent être accomplies sans l'aide des autres. Les relations humaines supérieures sont un élément essentiel de l'équation de la performance.

Dans ce chapitre, nous identifierons et soulignerons les divers désirs et besoins que vous devez satisfaire pour motiver les gens à coopérer constamment. Nous le ferons à la lumière de ce que nous avons déjà appris concernant l'image de soi et la psychologie de l'image de soi. Vous verrez que vous possédez déjà, en abondance, plusieurs des choses que les gens veulent désespérément et dont ils ont grandement besoin. Et vous verrez qu'en donnant ouvertement et librement aux gens ce qu'ils veulent, vous recevrez ce que vous voulez à votre tour. C'est là l'essence des relations humaines supérieures.

Pour commencer, il est important de constater que les gens doivent avoir quelque chose à gagner de leur collaboration avec vous. Vous ne pouvez espérer avoir quelque chose en ne donnant rien en retour. Si l'expérience est bien menée, les deux partis croîtront et en tireront profit.

Persuasion et force

Fondamentalement, trois choix s'offrent à nous lorsque nous nous efforçons d'influencer les gens. Le premier consiste à les ignorer et à espérer qu'ils agiront dans votre intérêt. Vous admettrez sans doute qu'il ne s'agit pas là d'une option très pratique, car les résultats ne peuvent être ni efficaces ni prévisibles. En ne tenant pas compte des gens, vous abandonnez tout espoir de les influencer et vous vous abandonnez aux caprices du destin. Vous dites en effet au monde: «Je vous laisserai seuls et, en échange, je veux que vous fassiez ce que je veux.» C'est une attente naïve et irréaliste.

La seconde option est de faire appel à la coercition et à la force pour obliger les autres à agir comme vous le voulez. L'utilisation de menaces et d'intimidation peut donner des résultats, du moins à court terme. Cependant, les tactiques faisant appel à la crainte ne permettent jamais de tirer le meilleur des gens, car les gens doivent eux-mêmes se motiver si l'on veut qu'ils mettent leur cœur et leur âme dans ce qu'ils font. La crainte force les gens à se borner à survivre. Ils suivront peut-être vos ordres et vos directives à la lettre, mais ils ajouteront rarement une énergie ou un enthousiasme réel à leurs efforts.

La troisième option consiste à persuader les gens de faire ce que vous voulez qu'ils fassent simplement parce qu'ils le veulent vraiment. Les gens feront ce que vous attendez d'eux volontairement, dans la mesure où cela pourra visiblement servir leurs intérêts. En d'autres mots, vous devez convaincre les gens qu'ils auront des avantages et des récompenses véritables s'ils suivent la voie que vous leur suggérez. Ces avantages doivent être compris de l'autre parti, qui doit les souhaiter, pour une raison ou une autre. En fait, vous offrez une récompense à laquelle les gens accordent de la valeur en échange d'une récompense que vous estimez. La plus haute récompense que vous puissiez offrir aux gens est de leur offrir des occasions de tirer le maximum de leurs possibilités.

Plus le monde progresse, plus les gens semblent avoir tendance à utiliser la persuasion dans leurs rapports avec leurs semblables, et moins ils ont tendance à utiliser la force. Pourtant, peu de gens connaissent les outils qui leur permettent de réussir en ce sens. Avec une connaissance et une compréhension limitée de cette nouvelle méthodologie, ils finissent naturellement par recourir à nouveau à ce qu'ils ont déjà utilisé avec un certain succès: la force.

La force est un instinct primaire chez chacun de nous. En élevant des enfants, par exemple, nous avons souvent recours à la force lorsque la persuasion ne donne rien pour obtenir les résultats que nous souhaitons. En dernier recours, avez-vous déjà forcé vos enfants à faire leurs devoirs ou à ranger leur chambre pour que l'on puisse au moins voir leur lit? Nous excusons notre comportement en croyant que nous l'avons fait pour leur bien et que, plus tard, les enfants admettront que nous avions leurs intérêts à cœur.

Dans le monde réel, il y a des cas où la force doit être envisagée. Par exemple, lorsque quelqu'un vous attaque, tente de vous voler ou entre par la force chez vous, la persuasion amicale n'est peut-être pas la meilleure façon de vous protéger. Ou pensez à une puissance étrangère qui menace d'attaquer votre pays ou de nuire à votre régime politique. Faites-vous appel simplement aux mots pour dissuader ces gens? Il y a bien sûr des occasions où vous choisissez de ne pas reculer et vous rendre, préférant utiliser la force pour vous défendre.

Il existe un problème crucial avec les gens : Nous avons tendance à utiliser la force dans beaucoup de situations qui ne l'exigent pas. Souvent nous ne traitons pas les autres de manière à les persuader de coopérer. Nous laissons plutôt nos émotions prendre le dessus sur notre intellect — nous nous mettons en colère — et en agissant ainsi, nous perdons la maîtrise de nous-même et de la situation.

Par exemple, nous avons tendance à utiliser la force lorsque nous sommes convaincus d'avoir raison concernant un problème particulier, ou du moins d'avoir plus raison que l'autre parti. Myron Colbert résume ainsi cette tendance : «Dans les moments de controverse, ma perception est assez bonne et je vois toujours les deux points de vue : le mauvais et le mien.»

Et parce que nous croyons avoir raison, nous nous sentons justifiés d'agir comme nous le faisons. Nous avons aussi tendance à utiliser la force lorsque nous croyons posséder l'autorité, véritable ou perçue, de forcer nos adversaires à accepter notre volonté. En général, les démonstrations de force sont dénuées de communication réciproque. Il est rare que nous examinions les faits du problème pour déterminer ceux qui ont du mérite et ceux qui n'en ont pas.

La force n'est pas très civilisée, et pourtant des membres de notre société y ont recours chaque jour pour obtenir ce qu'ils veulent. Étant donné que l'on abuse de la force dans beaucoup de situations, bien des gens voudraient la voir disparaître de nos foyers et de nos institutions. Les opposants à la coercition et à la force considèrent ces deux éléments comme des armes de dernier recours, des outils archaïques et dépassés permettant d'amener les gens à agir comme on le veut.

Nous avons beaucoup progressé en ce qui a trait à la conception et la mise au point de nouvelles technologies pour gérer et contrôler notre environnement physique. Pourtant nous n'avons pas autant progressé dans nos rapports avec notre environnement humain — nos semblables. Les parents ne savent toujours pas quoi faire lorsque leurs enfants refusent de manger leur repas. Ces enfants doivent-ils être grondés, recevoir la fessée, être envoyés dans leur chambre ou privés de télévision pour la soirée? Ou doit-on leur promettre une double portion de dessert avec crème glacée? Les éducateurs font face au même dilemme en classe. Les enfants doivent-ils se soumettre à des règles de conduite strictes sous peine de châtiments corporels, ou doit-on leur laisser l'entière liberté de s'exprimer et d'exprimer leur individualité? Et où est le juste milieu entre ces deux extrêmes?

Plusieurs font appel à une combinaison de la carotte et du bâton dans leurs rapports avec les gens, à un système de récompenses d'une part et de châtiments physiques d'autre part. Imaginez une carotte appétissante qui se balance devant le nez d'un âne et un bâton dont on lui frappe le derrière. Grâce à ces moyens, il est tantôt attiré, tantôt forcé d'avancer et de réaliser le but de son maître. Avec cette analogie bien connue, on ne sait jamais si l'âne finit par manger la carotte, mais on sait que s'il ne coopère pas, il tâtera du bâton. Quoi qu'il en soit, on sait que l'âne n'avance pas parce qu'il le veut vraiment.

Il en est de même dans la plupart des entreprises où l'on récompense les gens qui suivent les règles et l'on punit les contrevenants. Souvent la récompense offerte n'est qu'une absence de châtiment, une approche qui semble dire: «Fais ce que je te dis et tu n'en souffriras pas.» Dans un tel système, les gens en font le moins possible pour éviter le châtiment, sachant qu'ils ne tireront rien de significatif de plus grands efforts et d'une meilleure coopération. Ils ont naturellement tendance à chercher à éviter ce sur quoi on insiste le plus, les menaces, plutôt que de rechercher ce qui est vaguement mentionné, les récompenses.

Dans tous les milieux contrôlés, que ce soit à la maison, à l'école ou au travail, il y a généralement un code de conduite à suivre, un ensemble de règles auxquelles on doit obéir sous peine d'en subir les conséquences. Mais il est rare que vous puissiez prendre connaissance de la liste des récompenses auxquelles vous aurez droit si vous faites un travail exceptionnel ou si vous aidez les autres à faire de même. Et lorsque des récompenses sont offertes, elles ont rarement pour objet de favoriser la motivation interne ou intrinsèque.

Le défi que doit relever chaque génération est de hausser le niveau des relations humaines. Les jeunes diplômés des institutions de haut savoir sont souvent impatients de travailler fort et de s'investir dans leur nouvelle carrière. Pourtant, ils parviennent rarement à obtenir la reconnaissance qu'ils attendent et qu'ils méritent. Malheureusement les relations humaines supérieures ne sont pas pratiquées librement dans la plupart des milieux de travail. Nombre de gens d'affaires supposent qu'elles sont sans importance. Mais ils ont tort. Il y a une habileté essentielle pour les cadres de tous les niveaux d'une organisation: la capacité d'entretenir des rapports soutenus et efficaces avec les gens et de les influencer afin qu'ils fournissent un maximum d'efforts.

Bien sûr, les discussions se poursuivront sur les mérites de la persuasion ou de la force dans notre société, à une époque où nous luttons pour résoudre la multitude des problèmes humains auxquels nous faisons face au pays et à l'étranger. Il est certain que nous continuerons à commettre des erreurs coûteuses et dommageables dans la conduite des affaires humaines jusqu'à ce que nous en apprenions davantage sur les fondements du comportement humain. Le dommage est particulièrement visible en termes de perte de productivité au travail, au rythme de millions de dollars chaque jour.

Bien sûr, c'est la coopération qui doit être favorisée et encouragée au travail, et non la confrontation. L'industrie doit commencer à faire preuve de plus de leadership dans l'enseignement des relations humaines, et réaliser que l'apprentissage n'a pas plus à se faire dans un immeuble ap-

pelé «école» que le jogging sur une piste. Un investissement majeur est requis pour former les gens en relations
humaines, de manière à maximiser, collectivement, le potentiel humain.

Il y a plusieurs raisons pour lesquelles nous avons
tardé à développer notre capacité de vivre et de travailler
harmonieusement les uns avec les autres. Premièrement,
dans la longue histoire de l'évolution humaine, nous avons
agi comme des animaux dans un environnement sauvage,
beaucoup plus que comme des gens civilisés dans un milieu civilisé. Nous avons commencé par vivre en petites
familles et en tribus, et notre survie exigeait une adaptation
à un environnement difficile. Nous étions surtout préoccupés par la nécessité de trouver de la nourriture, un abri et
de nous protéger des prédateurs et d'autres tribus hostiles.
Les espèces qui ont survécu ont de toute évidence été
capables de supporter ces difficultés physiques avec plus
de succès que celles qui ont péri. L'homme a survécu non
pas parce qu'il a été capable de persuader ses ennemis de
vivre en paix — ils ne parlaient sans doute pas la même
langue — mais parce qu'il pouvait lutter avec plus d'efficacité. Cet instinct de survie est toujours une puissante
force aujourd'hui. Par conséquent, notre pouvoir de persuasion n'a jamais été pleinement développé, du moins pas
autant que d'autres habiletés que nous maîtrisons désormais.

La seconde raison pour laquelle nous avons tardé à
développer des relations humaines supérieures est que
nous pouvons offenser une personne ou profiter d'elle sans
en subir pendant un certain temps quelque conséquence
sérieuse que ce soit. Puis, par la suite, il est rare que nous
puissions faire un lien entre notre faute et un châtiment
spécifique. Nous attribuons généralement le comportement négatif d'une personne à sa piètre attitude ou à des
circonstances particulières, mais jamais à notre conduite
passée ou à notre incapacité à être persuasif. Puisque nous
justifions notre comportement de cette manière pratique,

nous nous endormons tous les soirs confiants et sûrs de notre supériorité, bien que fascinés par l'imprévisibilité et la nature peu coopérative des gens.

Cela nous amène à la troisième raison, la plus importante sans doute, pour laquelle nous n'avons pas fait beaucoup de progrès pour ce qui est de bien nous entendre avec nos semblables. Nous sommes possédés par un important et puissant ego qui nous force à voir les choses de notre propre point de vue. Nous ferons des pieds et des mains pour justifier notre comportement et prouver que nous avons raison même si nous nous doutons d'avoir complètement tort. Nous savons que nous ne pouvons aussi facilement défier les lois de notre environnement physique; un saut du sommet d'un gros immeuble a des conséquences immédiates et sérieuses. Pourtant nous nous mettons naturellement à l'abri du blâme lorsque quelqu'un est pris dans un échec. Dans presque tous les cas, nous trouvons des façons et des moyens de nous prouver que nous avons raison et que l'autre personne a tort.

«Il est curieux de noter que de toutes les illusions que peut avoir l'homme, la plus curieuse est cette tendance à supposer que nous sommes intellectuellement et moralement supérieurs à tous ceux qui diffèrent d'opinion avec nous.» Elbert Hubbard (1856-1915), écrivain américain.

Par le biais de tels moyens, nous évitons de faire face à un fait très important de la vie: la plupart des gens ne sont pas très efficaces dans leurs rapports avec leurs semblables. Notre intérêt personnel en souffre car il y a beaucoup plus à perdre qu'à gagner à entretenir de piètres et inefficaces rapports avec les gens. Il ne sert à rien de tenter de nous justifier et de nous cacher derrière notre ego pendant que passent les occasions de coopération et de collaboration. Que nous contrevenions à une loi de notre environnement physique ou humain, le prix à payer est toujours très élevé.

L'histoire abonde en exemples d'inhumanité de l'homme envers l'homme, que ce soit individuellement ou en groupes. Notre survie future est désormais axée sur la compréhension de l'homme à l'égard de ses semblables, sur les nombreux avantages que de bonnes relations humaines peuvent comporter pour le foyer, le bureau et l'usine, la communauté et les affaires internationales.

Nous sommes certainement capables de relever ce défi. Nous sommes des êtres rationnels et pensants, capables de changer d'idées et de convictions lorsque nos désirs sont stimulés ou notre survie est menacée. Nous avons prouvé à d'innombrables reprises que nous avons un cœur et une âme remplis d'amour et de compassion qui peuvent exprimer magnifiquement le sacrifice de soi et les services.

Nous sommes à la croisée des chemins. La planète Terre compte aujourd'hui 5 000 000 000 d'habitants. Certains s'efforcent de surmonter les difficultés de la terre et de survivre, alors que d'autres s'efforcent de surmonter les difficultés de l'esprit et d'exceller. Quel que soit l'objectif, seules la tolérance, la compréhension, la compassion et la coopération pourront nous sauver. Les relations humaines supérieures ne sont plus bonnes, mais nécessaires. Bien sûr, cela nécessitera beaucoup d'analyse personnelle et d'introspection. Il nous faudra aborder de nouvelles techniques d'adaptation dans nos foyers et nos milieux de travail. Mais plus encore, ce n'est que par l'exemple individuel que nous pourrons surmonter nos tendances préhistoriques et contempler des niveaux beaucoup plus élevés d'expression de soi et de sacrifice de soi. Chacun de nous doit démontrer et promouvoir la réalité et les récompenses spirituelles qui peuvent résulter des relations humaines supérieures. Car le fait d'amener la grande famille humaine à travailler dans la coopération et l'efficacité, et de créer de nouveaux sommets d'accomplissement et de réalisation, voilà qui est assurément la clé maîtresse du succès.

Pour développer de meilleures relations humaines

Rappelez-vous que l'objectif premier des relations humaines supérieures est de motiver et d'influencer les gens de manière efficace, positive et prévisible. C'est de maximiser le potentiel humain individuel, de permettre aux gens d'atteindre un rendement maximal et, ce faisant, de ressentir les sentiments positifs de valeur personnelle et d'estime de soi qui accompagnent les réalisations.

C'est en grande partie par le biais de vos rapports avec les autres que vous pouvez réussir.

Le besoin de se sentir important est la force centrale et motrice chez tout individu. C'est le parent, l'enseignant ou le cadre sage et alerte qui sait comment donner aux gens le sentiment de leur importance qui réussit. C'est en grande partie par le biais de vos rapports avec les autres que vous pouvez réussir.

Vous devez comprendre et accepter le fait que vos semblables sont extrêmement importants. Nous voulons tous obtenir quelque chose de nos semblables. Nous voulons l'affection, la coopération et l'appui des membres de la famille. Nous voulons la coopération, la fidélité et les fruits du travail des employés. Des employeurs, nous voulons les encouragements, la reconnaissance et une juste compensation pour notre travail.

Certains des gens d'affaires les plus perceptifs et les plus expérimentés vous diront que pour réussir dans n'importe quel travail, vous devez disposer de trois qualités principales. D'abord, vous devez vouloir faire le travail; deuxièmement, vous devez avoir les connaissances et les capacités de faire le travail; troisièmement, vous devez pouvoir vous entendre avec les autres. De ces trois qualités, plusieurs considèrent que la capacité de s'entendre avec les autres est la plus importante. Il y a d'innombrables exemples d'individus qui sont chefs de service, cadres supérieurs ou dirigeants de grandes entreprises, non pas à cause de leur désir ou de leur capacité de faire un travail particulier, mais à cause de leur capacité de s'entendre avec leurs semblables. «Je paierais plus pour être capable de m'entendre avec les gens que pour toute autre capacité», disait John D. Rockefeller (1839-1937), le célèbre capitaliste et philanthrope américain.

Des études démontrent que 85 % des réussites en affaires peuvent être attribuées à la qualité des rapports avec les autres, contre 15 % seulement aux connaissances techniques. Malheureusement, lorsqu'il est question de programmes de formation, la plupart des entreprises inversent ces chiffres. On suppose simplement que les gens savent déjà comment entretenir des relations humaines efficaces, alors qu'en fait tel n'est pas le cas. L'importance des relations humaines efficaces devient évidente lorsque nous constatons que 81 % de tous les nouveaux emplois créés aux États-Unis de nos jours le sont dans le secteur des services.

Examinez le facteur des relations humaines dans le contexte d'une grande entreprise. On explique couramment pourquoi les gens qui sont compétents à un certain niveau échouent lorsqu'ils atteignent un niveau supérieur par le principe de Peter, titre que porte le livre du docteur Laurence Peter. Il suggère que parce que le niveau supérieur de responsabilité exige des compétences différentes, les gens échouent parce qu'ils ne possèdent pas ces nouvelles compétences. La raison de leur échec, selon le docteur Peter, est qu'ils ont été promus à leur niveau d'incompétence.

Voici une explication possible de ce phénomène. Lorsque les gens obtiennent une promotion au sein d'une entreprise, ils deviennent responsables, souvent pour la première fois, de la surveillance d'autres personnes et de leur contribution aux objectifs de l'entreprise. Mais on ne peut supposer qu'un représentant promu directeur grâce à ses compétences supérieures dans la vente saura automatiquement diriger et motiver une équipe de représentants. Nous voyons donc qu'à mesure que les gens progressent dans l'échelle hiérarchique, des relations humaines supérieures deviennent de plus en plus importantes parce que leur influence a un impact plus grand sur l'ensemble de l'entreprise. En un mot, plus vous montez, plus vous influencez de gens.

Seules des qualités sur le plan des rapports interpersonnels résultant en des relations humaines supérieures peuvent éliminer les effets du principe de Peter. Nous découvrons récemment un nouveau phénomène qui prend de plus en plus d'ampleur chez les cadres supérieurs avisés: Les gens qui affichent une capacité d'obtenir des résultats avec l'aide de leurs semblables sont généralement promus à un niveau correspondant avec leur compétence. Il s'agit évidemment de l'inverse du principe de Peter.

À mesure que nous avançons rappelez-vous notre discussion concernant le lien direct qui existe entre le niveau d'estime de soi et la capacité de s'entendre avec les gens, le degré d'estime de soi est toujours le facteur déterminant de la qualité de toutes vos relations avec les gens, de votre capacité d'aimer les autres et de travailler efficacement avec eux. Et en entretenant des relations humaines supérieures avec les autres, vous leur permettez de vous accorder de la valeur et de vous aimer à leur tour. Le résultat est un échange synergique, mutuellement profitable: vous aidez les autres à se sentir mieux, et ils vous rendent la pareille.

Il y a trois façons principales de développer une sociabilité qui conduit à des relations humaines supérieures. La première consiste à ajouter de la valeur aux gens par le biais de la reconnaissance; la seconde consiste à voir les choses du point de vue d'une autre personne; la troisième porte sur l'écoute efficace.

Une valeur accrue grâce à la reconnaissance

Les relations humaines supérieures supposent essentiellement que l'on donne une valeur additionnelle aux gens parce que, comme soi, ils le méritent. C'est donner

aux autres quelque chose qu'ils veulent, de la reconnaissance, en échange de quelque chose que vous voulez, leur
coopération. En accroissant l'estime de soi des autres, vous
faites preuve de respect et vous leur indiquez que vous
attendez d'eux ce qu'il y a de mieux, les aidant ainsi à
donner le maximum.

Il est intéressant de se rendre compte que chacun de
nous est un millionnaire potentiel, du moins en ce qui
concerne ce que nous avons à donner aux autres. Nous
possédons tous des atouts précieux et intangibles que les
autres veulent désespérément. Nous avons tous de l'acceptation, de l'approbation, de l'appréciation, du respect et
des encouragements en quantités illimitées... à donner!
C'est de cette manière que nous reconnaissons l'importance des autres. Ils ne nous coûtent rien et sont innombrables. Nous avons tous cette fortune à partager.

Malheureusement, peu de gens reconnaissent le fait
que l'on doit donner pour recevoir. Nous avons tendance
à accumuler ce que nous recherchons désespérément.
Nous nous accrochons à ces atouts comme s'ils consti-
tuaient une ressource limitée. En même temps, nous nous
efforçons d'amasser ces atouts chez les autres et de les
accumuler pour satisfaire notre énorme soif. Tout le monde
a soif de reconnaissance.

Voici certaines choses que vous devez savoir pour ce
qui est de donner:

- Le désir de recevoir est un instinct naturel, alors
  que le désir de donner doit s'acquérir.

- Inutile de dire que ceux qui donnent sont bons et
  ceux qui prennent sont mauvais. C'est une simple
  question d'efficacité.

- Ceux qui donnent vraiment n'essaient pas d'obtenir quoi que ce soit, mais ils reçoivent en abondance.

Plusieurs rejettent le principe de donner comme étant
altruiste et peu pratique. Mais il n'en est rien. On reçoit

toujours en fonction de ce que l'on donne. En d'autres mots, les gens vous donneront ce que vous voulez dans la mesure où vous leur donnerez d'abord ce qu'ils veulent. Si vous respectez les autres et vous reconnaissez leur importance, ils auront tendance à faire de même pour vous. Si vous vous montrez irrespectueux et méprisant, ils vous rendront également la pareille. Les gens vous renvoient toujours le comportement que vous leur manifestez. Il n'y a rien d'altruiste dans le fait de vouloir que les autres coopèrent avec vous et respectent ce que vous êtes.

Il y a fondamentalement trois sortes de personnes qui donnent dans le monde:

- Les premières ne donnent qu'à condition de recevoir autant à chaque occasion. En fait, ce ne sont pas des personnes qui donnent, mais qui marchandent.

- Les deuxièmes ne donnent qu'à l'occasion, s'attendant à recevoir quelque chose plus tard. Mais ces personnes sont en fait des investisseurs, des gens qui accumulent les reconnaissances de dettes.

- Les troisièmes sont des personnes qui donnent inconditionnellement, librement et en toutes occasions, et qui n'attendent rien en retour — jamais! Ou du moins pas pendant leur vie!

Socrate a dit, il y a de nombreuses années: «Connais-toi toi-même.» Cicéron disait: «Maîtrise-toi.» Et le Sauveur a dit: «Fais don de toi-même.» Paul H. Dunn, auteur religieux américain.

La reconnaissance est le désir le plus profond de la nature humaine. C'est la reconnaissance de l'importance des gens. Vous êtes celui que vous croyez être, mais vous êtes aussi une fonction de ce que les autres pensent de vous. Si tout votre entourage se mettait à vous traiter comme une nullité et à vous ignorer, vous vous demanderiez bien vite qui vous êtes vraiment. Par ailleurs, si les gens vous traitent en personne précieuse et importante et aiment vous fréquenter, cela ne fera que confirmer ce que vous voulez déjà croire et accepter à propos de vous-même.

Il y a plusieurs façons d'aider les autres à se sentir importants. La courtoisie, la politesse et l'aide constituent un bon début. Voici quelques suggestions additionnelles:

1. *Soyez alerte:* Recherchez toujours des occasions de féliciter les gens de leurs actes ou de leurs réalisations. La personne vigilante et perceptive trouvera toujours une raison d'en complimenter ou d'en féliciter une autre. Comme le suggèrent les auteurs de «The One Minute Manager, prenez quelqu'un en flagrant délit de travail exceptionnel!

2. *Soyez vivant:* Montrez-vous toujours enthousiaste dans vos rapports avec les autres. Montrez par votre poignée de main, votre sourire et vos paroles, que vous êtes heureux de les rencontrer.

Rappelez-vous l'histoire des trois briqueleurs. On leur demanda: «Qu'est-ce que vous faites?» et le premier briqueleur répondit: «Nous posons des briques.» Le second répondit: «Nous gagnons 12,50 $ l'heure.» Et le troisième dit: «Eh bien, je construis la plus belle cathédrale au monde!» Si quelqu'un peut s'emballer à ce point à propos de simples briques, il est certain que vous pouvez être aussi emballé par la perspective de rencontrer des gens.

3. *Soyez disponible.* Montrez-vous toujours intéressé par ce que font les autres. Offrez de les aider si vous le pouvez. Encouragez-les dans leurs entreprises. Une parole d'encouragement peut parfois faire toute la différence du monde.

4. *Soyez attentif:* Interrogez les gens sur leur famille et leur passe-temps favoris. Voyez ce qu'ils font pour leur collectivité et applaudissez leurs efforts. Voyez aussi quels sont leurs problèmes et comment vous pouvez les aider.

5. *Soyez élogieux:* Littéralement, «apprécier» veut dire prendre de la valeur, tout comme «déprécier» veut dire perdre de la valeur. Les gens ont intensément besoin d'être appréciés pour ce qu'ils sont et ce qu'ils représentent. En donnant de la valeur aux gens, vous donnez de la valeur au monde.

B.C. Forbes a écrit un jour dans la revue *Forbes*: «Aucun être humain ne peut être vraiment heureux à moins d'être estimé de ses semblables. Celui qui veut entretenir de bons rapports avec nous ne doit pas oublier que nous possédons cet ego et que nous sommes possédés par lui. Un mot d'appréciation permet parfois d'accomplir ce que rien d'autre n'aura permis d'accomplir.»

6. *Soyez approbateur:* Chacun veut que les autres appuient ses efforts et ses entreprises, souvent malgré l'adversité. En approuvant les actions des autres, vous approuvez ce qu'ils sont et ce qu'ils croient. Il y a toujours quelque chose de positif que vous pouvez approuver et admirer chez les autres. Comme le disait Abraham Lincoln: «Tout le monde aime recevoir un compliment.»

7. *Soyez affectueux:* Montrez-vous chaleureux et sincère envers les autres, et ils feront de même avec vous. L'affection aide les gens à se détendre et à être eux-mêmes. Elle solidifie une relation et procure aux autres un sentiment de bien-être. La douceur comporte un fort message: Vous n'êtes pas indifférent.

8. *Acceptez:* Acceptez les autres tels qu'ils sont. Laissez-les être eux-mêmes et formuler librement et ouvertement leurs idées et leurs opinions. C'est en acceptant les autres que nous leur donnons la force et le courage de changer pour le mieux.

9. *Soyez affirmatif:* Soyez généreux dans la louange et avare de critiques. Les affirmations positives encouragent les gens et les aident à viser plus haut dans la vie. Accordez toujours aux gens le mérite qui leur est dû.

J'aime l'exemple de l'orateur qui demande aux membres de son auditoire de lever la main droite très haut.

Ensuite il leur demande de la descendre derrière la tête et de s'administrer trois petites tapes. Il conclut en disant: «Vous et moi savons que vous le méritiez. Le problème est que nous ne nous rappelons pas toutes les raisons!»

10. *Soyez un ami:* Comme le disait Ralph Waldo Emerson: «Pour avoir un ami, on doit d'abord être un ami.» On ne peut être une nullité qui a des amis.

«Donner et recevoir,» le titre du poème suivant, est l'expression ultime de l'acceptation et de l'amour de soi:

«J'ai lancé un sourire; il a vogué très loin
Sur la mer agitée de la vie.
Et j'en ai compté bien plus
Qui ont vogué vers moi.

J'ai serré une main en murmurant
«Les nuages s'en iront.»
J'ai senti ma vie remplie de bénédictions
Tout au long de cette journée.

J'ai eu une pensée de bonheur
Alors que d'autres en avaient grand besoin,
Et peu après, j'ai vu
De la joie s'ajouter à ma joie.

J'ai sagement partagé ma fortune
Mon or gagné au prix de mon labeur;
Mais il m'est aussitôt revenu
Au centuple.

J'ai aidé quelqu'un à gravir une colline,
Ce qui était facile;
Et pourtant j'ai été grandement récompensé:
Je me suis fait un ami.

Je pense chaque matin en me levant
À ce que je vais réaliser,
Je sais qu'en rendant service, je progresse,
Qu'en donnant, je reçois.»

Thomas Gaines

L'autre côté de la médaille

L'empathie a été décrite comme étant le fait de parcourir 100 km dans les chaussures d'une autre personne. C'est comprendre une autre personne selon son point de vue. Voir l'autre côté de la médaille est une habileté essentielle. Sans elle, vous ne pouvez compter vous entendre avec les gens.

Plusieurs personnes, dans la société pressée d'aujourd'hui, croient qu'un simple processus en deux étapes suffit à persuader les gens d'adopter leur point de vue:

1. Être certain d'avoir raison.

2. Bombarder son interlocuteur d'autant de «faits» possibles pour appuyer son point de vue.

Cette approche de «l'esprit étroit» ne peut conduire qu'à la confrontation, aux discussions et à un durcissement des positions, car l'autre personne a le sentiment d'avoir raison. Et bien sûr, selon sa propre perspective, elle a raison. Dans ce scénario, vous ne laissez à l'autre que deux options: se rendre ou utiliser la force à son tour. Nul ne finira gagnant.

Il n'y a rien d'étonnant à ce que cette approche réussisse rarement, «car un esprit convaincu malgré lui conserve ses opinions.» Peu importe que vous ayez raison et que vous disposiez de nombreux faits pour appuyer vos dires, vous ne convaincrez pas les gens s'ils ont de fortes opinions et de fortes convictions dont vous ne voulez pas tenir compte.

La réalité est que chacun veut avoir raison, au moins un peu, quant à ce qu'il croit. Les gens veulent être acceptés et reconnus pour leur intelligence, leurs idées et leurs opinions fondamentales. Et il est rare qu'une personne ait tout à fait raison et une autre tout à fait tort.

Ce dont nous devons nous rendre compte, c'est que les gens qui croient avoir raison n'accepteront jamais le fait que vous avez raison à moins que vous ne trouviez quelque chose de juste concernant leur point de vue. En d'autres mots, personne ne fera preuve d'ouverture d'esprit à moins que vous indiquiez que vous comprenez quelque chose concernant leur position. Vous donnez. Ils donnent. En aidant les autres à avoir raison à propos d'un aspect du problème, vous ouvrez quelque peu votre esprit et vous vous mettez à leur place pour mieux comprendre pourquoi ils croient ce qu'ils croient. Si vous agissez ainsi et vous le faites sincèrement, les autres ont plus de chances de s'ouvrir un peu et de réfléchir aux mérites de vos arguments. Dans le processus, vous apprenez tous les deux quelque chose et vous savez pourquoi vous pensez et agissez comme vous le faites. Malheureusement, la plupart des gens ne communiquent pas efficacement avec leurs semblables. Ils se bornent à parler à tour de rôle.

Lorsque deux personnes s'ouvrent mutuellement au point de vue de leur interlocuteur, elles sont en bonne voie d'en venir à un accord. Au contraire, deux personnes à l'esprit étroit risquent de discuter éternellement sans jamais s'entendre sur quoi que ce soit.

Tout bon représentant sait que même s'il a raison à 100 % et que son futur client à tort à 100 %, cela ne lui garantit pas qu'il passera une commande. Son expérience lui dit que remporter une discussion est la meilleure façon de perdre une vente! Toute chance de succès ne lui viendra qu'en adoptant le point de vue du futur client et en l'aidant à avoir raison. S'il y a une manière d'amener les gens à être d'accord avec vous, c'est de trouver quelque chose de positif à dire à leur sujet. Vous pouvez commencer par leurs chaussures et monter si vous le voulez. La clé consiste à donner aux gens un sentiment d'importance. Il y a toujours du bien à dire de quelqu'un à condition de prendre le temps de faire une évaluation juste et appropriée.

On voit constamment des gens à l'esprit étroit trouver des choses négatives à dire à tous ceux qu'ils rencontrent, et d'autres, à l'esprit ouvert, trouver à dire des choses positives. Ce sont les gens qui tentent toujours d'avoir raison — et de donner tort aux autres — qui causent la plupart des problèmes du monde. Les esprits étroits qui respectent peu les autres n'ont aucun espoir de succès et de bonheur pouvant provenir de relations humaines supérieures.

Comme l'observait Robert West: «Rien n'est plus facile que de trouver des défauts; nous n'avons pas besoin de talent, d'intelligence ou de caractère pour dénigrer nos semblables.» Si vous pouviez composer un credo reflétant une philosophie positive de la vie, il pourrait se lire comme suit:

«Les compliments sont les bienvenus parmi nous. Toute critique devrait trouver un autre lieu pour se sentir chez elle. Seules la coopération et la compréhension nous conduiront là où nous voulons aller.»

En dernière analyse, bien des gens n'auraient aucune personnalité si on leur enlevait leurs ennuis préférés et leurs haines favorites. Ils ne sont à leur meilleur que lorsqu'ils dénigrent quelqu'un. Ils croient qu'avoir raison est ce qu'il y a de plus important au monde. Malheureusement, ils ont tort. Il s'agit de la façon la moins productive de gagner le respect et la coopération des gens.

Henry Ford offrait ce conseil concernant les bonnes relations humaines: «S'il existe un secret de la réussite, il réside dans la capacité de voir les choses tant du point de vue de l'autre que de son propre point de vue.»

En vous mettant à la place de l'autre et en «voyant les choses de son point de vue autant que du vôtre», vous créez un climat de respect mutuel. Vous manifestez une volonté de coopérer pour résoudre les problèmes, et vous créez ainsi une situation où tout le monde est gagnant.

C'est en adoptant d'abord l'attitude et le comportement que vous voulez que les autres adoptent que vous influencez le plus leurs actes et leur comportement. Bref, les gens veulent que vous reconnaissiez qu'ils sont importants, que leur point de vue est digne de considération. Ne soyez pas surpris que les autres désirent voir leur importance reconnue. Vous voulez certainement qu'ils reconnaissent la même chose à votre sujet.

Les relations humaines valables sont en fait l'art de faire en sorte que les gens se sentent bien à propos d'eux-mêmes.

Les relations humaines valables sont en fait l'art de faire en sorte que les gens se sentent bien à propos d'eux-mêmes. Cela suppose un partage des désirs et des besoins relatifs à l'ego. Lorsque les gens se sentent importants, ils s'aiment davantage. Et seuls ceux qui s'aiment vraiment peuvent être généreux et coopératifs dans leurs rapports avec vous.

Celui qui a conçu la façon dont les gens communiquent entre eux savait visiblement ce qu'il faisait. Comme nous l'avons vu, les gens qui aident les autres sont aussi aidés en retour. Ralph Waldo Emerson parlait de ce principe en ces termes: «L'une des plus belles compensations de la vie est que nul homme ne peut sincèrement essayer d'en aider un autre sans s'aider lui-même.»

Pouvez-vous imaginer un monde où le contraire se produirait, un monde où vous pourriez progresser en dénigrant les autres? Heureusement, ceux qui n'ont rien de bon à dire de leurs semblables n'ont généralement rien de bon à offrir. Souvenez-vous de cela la prochaine fois que vous aurez envie de critiquer quelqu'un.

Benjamin Franklin a découvert au cours de sa jeunesse qu'il lui fallait changer d'attitude s'il voulait s'entendre avec les gens. Son secret: «Je ne dirai de mal d'aucun homme, et je dirai de chacun tout le bien que j'en sais.»

Une écoute efficace

L'écoute efficace est le troisième et dernier élément conduisant à des relations humaines supérieures. C'est une habileté intellectuelle active plutôt que passive. Elle requiert une concentration et une attention intenses aux propos des gens.

Lorsque vous écoutez attentivement les autres, vous leur faites un compliment sincère. Vous indiquez ainsi que vous les considérez, que ce qu'ils ont à dire est important et digne de votre attention. L'écoute efficace donne de la valeur aux gens et accroît leur estime de soi.

L'écoute active requiert de la discipline personnelle et des efforts de la part de celui qui écoute, car on peut penser beaucoup plus vite que les autres peuvent parler. La plupart des gens ont une vitesse d'élocution d'environ 125 mots à la minute, alors que le cerveau fonctionne à une vitesse de 450 à 500 mots à la minute. Cela vous permet de penser à autre chose pendant environ les deux tiers du temps pendant lequel on vous parle. Votre esprit a naturellement tendance à errer lorsqu'il n'est pas utilisé à pleine capacité. Lorsque vous essayez d'écouter et que vous pensez simultanément, vous ne vous concentrez sur aucune des deux activités. Le truc consiste à utiliser votre temps libre, celui pendant lequel vous ne vous exprimez pas, pour vous concentrer davantage sur ce que l'autre personne vous dit.

Ralph G. Nichols, professeur au département de rhétorique de l'université du Minnesota, a consacré sa carrière à l'écoute efficace et a effectué plusieurs études sur le sujet. Il rapporte que les étudiants dont on a testé la capacité d'écouter ont eu de bons résultats lorsqu'ils utilisaient à bon escient le temps libre dont ils disposaient pendant qu'ils écoutaient. Il a découvert que les gens qui écoutaient efficacement avaient en commun quatre caractéristiques:

1. L'auditeur devançait les pensées de l'orateur. Il essayait de deviner où son interlocuteur voulait en venir et pensait aux conclusions à tirer des propos qu'il entendait.

2. L'auditeur évaluait continuellement les preuves formulées pour déterminer si les arguments de l'orateur étaient bien étayés.

3. À des intervalles pratiques, l'auditeur résumait mentalement les propos tenus par son interlocuteur jusque-là.

4. Tout en écoutant, l'auditeur «lisait entre les lignes» à la recherche de significations et de données additionnelles que son interlocuteur avait pu oublier.

Le docteur Nichols souligne que la vitesse plus grande à laquelle le cerveau fonctionne vous accorde facilement beaucoup de temps pour vous adonner à ces quatre activités.

Les communications verbales sont une importante façon d'apprendre par les autres. Les enseignants de l'élémentaire et du collégial passent plus de la moitié de leur temps à parler aux étudiants. Les universitaires passent plus de 80 % de leur temps de cours à écouter des conférences ou à participer à des discussions de groupes. Cependant, la recherche sur la mémorisation révèle que les universitaires ne se rappellent que 50 % de ce qui a été dit immédiatement après un exposé de 10 minutes, et pas plus de 25 %, deux semaines plus tard.

Les étudiants, les parents et les professionnels ont de la difficulté à écouter avec un taux d'efficacité élevé. Une étude révèle que les cadres supérieurs passent au moins 40 % de leur temps à écouter, alors qu'une majorité d'entre eux n'ont que 25 % d'efficacité de concentration de ce qu'ils entendent.

Voici quelques idées additionnelles destinées à faciliter l'écoute efficace:

1. *Intéressez-vous intensément* au sujet de la discussion. Peut-être croyez-vous tout connaître sur un sujet donné, mais tel est rarement le cas. Si vous croyez vraiment que le sujet est ennuyeux et ne présente aucun intérêt pour vous, faites semblant d'être intéressé, et après quelques minutes vous le deviendrez vraiment. Même si l'orateur n'est pas très efficace et a tendance à marmonner, ne portez aucune

attention à ces défauts et concentrez-vous plutôt sur ses propos.

2. *Soyez patient.* Ne soyez pas pressé de vous former des opinions bien arrêtées sur le sujet. Trop souvent nous sautons aux conclusions avant même que les gens ne se soient pleinement expliqués. Si vous tirez des conclusions prématurées des propos d'une personne et vous vous mettez intérieurement à réfuter ses arguments, vous l'empêcherez de communiquer efficacement avec vous. Beaucoup de gens se demandent ce qu'ils vont répondre et ratent la quasi-totalité de ce qu'on leur dit.

3. *Faites une pause avant de répondre* afin de rassembler vos idées et de vous assurer que votre interlocuteur a fini de parler. Les gens veulent avoir le temps de s'exprimer pleinement avant d'avoir à répondre aux questions et aux critiques des autres.

4. *Ayez l'esprit ouvert* et sympathisez avec celui qui parle en adoptant son point de vue. Tout le monde a le droit de s'exprimer. Vous n'aimez peut-être pas la personne ou ce qu'elle représente, mais aucun progrès n'est fait si les idées ne peuvent être communiquées. L'apparence physique d'une personne, ses vêtements ou l'utilisation qu'elle fait de certains mots peut vous offenser. Pour ces mêmes raisons, vous pouvez offenser l'autre personne. Grâce à un esprit ouvert et à un intérêt sincère envers l'autre personne, chacun a la chance d'apprendre quelque chose.

Maintenant que vous avez appris comment améliorer vos relations humaines, commencez dès aujourd'hui à mettre en pratique les trois techniques dont nous venons de parler. Suffisamment de gens se trouvent autour de vous pour vous livrer à des expériences. Tout le matériel de recherche dont vous aurez besoin est le son de votre voix et le toucher de votre main. Vous avez en vous les outils et le pouvoir vous permettant de motiver et d'influencer les gens de manière efficace, positive et prévisible. Les relations humaines supérieures constituent la clé maîtresse de votre réussite.

Chapitre 12

Le leadership: Stratégies en vue d'accroître la productivité

«*Une entreprise n'a que la valeur de ses employés, et ses employés ne sont pas plus spéciaux que l'entreprise le leur permet.*»

Anonyme

Nous en sommes maintenant arrivés au douzième et dernier facteur clé de réussite (FCR), celui qui réunit tous les autres facteurs clés qui ont le pouvoir d'avoir un impact majeur sur les gens et l'entreprise pour laquelle ils travaillent. *Vous devez penser leadership si vous voulez penser en gagnant!*

Le leadership en milieu de travail

D'abord, examinons la qualité du leadership en milieu de travail aujourd'hui. Warren Bennis et Burt Nanus rapportent dans leur excellent livre, *Leaders: The Strategies for Taking Charge*, que la qualité du leadership américain laisse beaucoup à désirer. Ils se fondent sur un important sondage mené en 1983 auprès des travailleurs américains par la Public Agenda Foundation, qui cite les résultats suivants:

- Moins de 25 % des travailleurs déclarent utiliser leur plein potentiel.
- 50 % déclarent ne fournir que l'effort minimum leur permettant de conserver leur emploi.

- 75 % d'entre eux disent qu'ils pourraient être beaucoup plus efficaces qu'ils ne le sont actuellement.

- Près de 60 % des travailleurs américains croient qu'ils «ne travaillent plus aussi fort que par le passé.»

La responsabilité de cette situation, qui ne semble qu'empirer, incombe aux dirigeants d'entreprises. Relisez la phrase en début de chapitre: «... les employés ne sont pas plus spéciaux que l'entreprise ne le leur permet.» Les dirigeants d'entreprises doivent jouer le rôle de catalyseurs et s'assurer que les employés ont le sentiment de faire partie de l'organisation, et qu'ils peuvent y contribuer et faire une différence. À cet égard, tout dirigeant doit être un leader, quelqu'un qui aide l'organisation à «se réaliser» et à se rapprocher un peu de ses principaux objectifs et de sa raison d'être.

Comme individu, vous ne pouvez faire avancer l'entreprise qu'à la vitesse où le lien le plus faible du leadership vous le permet.

Avez-vous déjà remarqué que, lorsque vous roulez sur l'autoroute, vous ne pouvez avancer qu'à la vitesse de la voiture la plus lente qui vous précède? Il en est de même d'une entreprise. En tant qu'individu, vous ne pouvez faire avancer l'entreprise qu'à la vitesse où le lien le plus faible du leadership vous le permet. L'obstacle peut être votre chef de service immédiat, son supérieur ou des cadres supérieurs. Peu importe où le blocage se produit, à condition que l'entreprise permette aux employés qui ont de bonnes idées de le contourner.

Pensez à une situation dans l'armée où, entre le simple soldat et le général, il y a un sergent, un lieutenant, un capitaine, un major, un lieutenant-colonel et un colonel (sans compter tous leurs secrétaires!). Supposez qu'il vous faut l'approbation du général pour utiliser une méthode améliorée de classement et de sauvegarde des dossiers médicaux de tous les membres de votre détachement. N'est-il pas vrai que le lien le plus faible de cette chaîne de commandement peut faire obstacle à cette idée ou à tout autre bonne idée que vous risquez d'avoir?

Ce phénomène, qui ne contribue qu'à nuire au rendement individuel et à l'efficacité d'une organisation, est l'un des obstacles majeurs auxquels doit faire face l'industrie américaine d'aujourd'hui. On peut le qualifier de principe de Staples, et l'énoncer comme suit:

* *

Une organisation n'est jamais plus forte que le maillon le plus faible de sa chaîne de commandement.

* *

Il est clair que si une entreprise désire tirer profit des précieuses suggestions de ses employés, les cadres de tous les niveaux doivent être progressifs et réceptifs aux suggestions des employés portant sur les améliorations et les changements.

L'utilisation de tout le potentiel des employés est cruciale au succès continu et au bien-être de toute entreprise. John Gardner met l'accent sur cela dans son nouveau livre, *On Leadership*, lorsqu'il écrit: «La tendance la plus prometteuse de notre réflexion sur le leadership est sans doute la conviction croissante que les buts du groupe sont mieux servis lorsque le leader aide les employés à développer leur sens de l'initiative, les encourageant ainsi à se servir de leur jugement, et leur permettant de croître et d'apporter une meilleure contribution.»

Les suggestions des employés économisent de l'argent et accroissent la productivité des travailleurs et leur sentiment de satisfaction. Nous avons déjà parlé du succès de

Toyota à cet égard. La «National Association of Suggestion Systems» aux États-Unis publiait récemment les résultats de données recueillies en 1988 auprès de plus de 900 entreprises et agences qui utilisaient un système de suggestions. On a découvert que plus d'un million de suggestions ont été soumises, et que près de 300 000 ont été retenues. Les économies moyennes réalisées par suggestion retenue sont de 7 663 $!

Dow Dewar, président du «Quality Circle Institute» en Californie, rapporte dans le *Quality Digest* que les travailleurs japonais sont plus encouragés à soumettre des suggestions à leurs dirigeants. Lors de son dernier voyage au Japon, il a découvert que chaque employé de la Pioneer Electronics soumettait en moyenne 60 suggestions par année, contre 70 chez Cannon, et plus de 100 chez Mitsubishi. Dans les meilleures entreprises américaines, les employés soumettent en moyenne trois suggestions chacun par année, la moyenne américaine étant de 0,14 par employé par année. Il croit que les firmes américaines ne pourront être concurrentielles sur un marché global que lorsqu'elles tireront profit de la créativité et de l'ingénuité de chacun de leurs employés, et ce, pour chacune des opérations des entreprises.

Sous le sous-titre «Service», dans le dixième chapitre, nous dressions la liste de huit caractéristiques spécifiques des excellentes compagnies qui reconnaissaient l'importance des suggestions des employés. Dans le onzième chapitre, trois méthodes éprouvées destinées à favoriser des relations humaines supérieures étaient avancées. Nous continuerons ici à explorer d'autres idées permettant de motiver et d'influencer les gens à donner du rendement de manière positive et prévisible, et d'aider les entreprises à tirer le maximum de leur atout le plus précieux: les ressources humaines.

Le professeur Peter Kœstenbaum, philosophe corporatiste de la compagnie Ford, observe que le travail est ce que les gens font de plus important dans leur vie, et qu'il doit donc être lié à la condition humaine. Ils croient que les entreprises qui désirent prospérer dans un monde de plus en plus concurrentiel doivent développer toutes les habiletés de leurs cadres et de leurs employés. Il explique que les cadres qui lui montrent tous leurs systèmes de compensations complexes ne comprennent pas que ceux-ci sont inutiles à moins qu'ils ne s'accompagnent de fierté, de fidélité, d'inspiration et de comportement éthique. «Amener des gens à travailler ensemble est bien plus que créer des stratégies, présenter ou concevoir des programmes de compensations... vous devez tenir compte du facteur humain», dit-il.

«Pour être un leader, un cadre doit d'abord s'épanouir et ensuite aider ceux dont il et responsable à s'épanouir à leur tour,» poursuit Kœstenbaum. «Alors il donnera vraiment de la valeur à l'entreprise. Si vous faites cela, des miracles se produiront.»

Son conseil se résume à traiter les gens avec respect et à créer un climat de fierté et de motivation afin qu'ils accroissent leurs efforts. «C'est un principe simple», affirme-t-il. «Lorsque les gens croissent, les profits croissent!»

Coopération et concurrence

Pour établir la valeur des stratégies de leadership qui motivent efficacement les gens au travail et accroissent la productivité, commençons par comparer les mérites de la coopération avec ceux de la concurrence, et essayons de dissiper la notion selon laquelle la compétition fait ressortir ce que les gens ont de meilleur.

Historiquement, les économies de libre marché ont démontré le besoin et la valeur de la concurrence entre les firmes produisant des biens et des services. Par exemple, le fait d'avoir cinq ou six grands fabricants d'automobiles s'efforçant de convaincre le consommateur conduit invariablement à un produit supérieur offert au public au plus bas prix possible.

Mais quels sont les facteurs qui favorisent l'excellence au sein d'une entreprise qui offre un produit ou un service en s'efforçant de faire un profit? La question en est une d'avantage concurrentiel: Qui peut trouver les méthodes et les moyens les plus efficaces pour permettre aux gens de travailler ensemble et de coopérer pour maximiser le potentiel individuel et celui du groupe, de même que l'efficacité de l'entreprise?

Nous sommes quotidiennement témoins d'une concurrence ouverte dans tous les domaines de l'activité humaine. Chacun s'efforce d'être le meilleur dans les secteurs clés de sa vie. Elliott Aronson, psychologue social de renom, a observé que «le cerveau américain en particulier a été formé pour faire équivaloir succès et victoire, le travail bien fait et le fait de battre quelqu'un.» On suppose que seule la compétition peut donner lieu à des réalisations, que seul l'individu qui pense à son intérêt d'abord, peut réussir.

En regardant de près les preuves disponibles, on peut rejeter cette supposition. Au contraire, le rendement individuel et collectif est généralement meilleur lorsque les gens coopèrent que lorsqu'ils se font la lutte. L'effet de la compétition est de faire dépendre le succès d'une personne de l'échec d'une autre, et naturellement cela est perturbateur et improductif.

Ce fait et d'autres sont rapportés dans l'excellent ouvrage d'Alfie Kohn, *No Contest: The Case Against Competition*. Alfie Kohn cite une étude effectuée en 1954 par Peter Blau de l'université Columbia et portant sur la compétition et la coopération dans les milieux de travail traditionnels, ainsi que de l'effet de chacun sur la productivité. Monsieur Blau a étudié deux groupes d'employés d'une agence de placement qui compétitionnaient les uns contre les autres pour combler le plus de postes vacants possible. Le premier groupe était constitué de gens très ambitieux et préoccupés par leur rendement individuel. Le résultat? Ils cachaient les offres d'emploi et gardaient pour eux les noms des candidats qualifiés. Par ailleurs, les membres du deuxième groupe coopéraient de façon routinière entre eux et se partageaient les renseignements critiques. Ils ont eu de meilleurs résultats que leurs rivaux.

Alfie Kohn poursuit en décrivant sept autres études effectuées pendant les années 1980 par le docteur Robert Helmreich, un psychologue de l'université du Texas. Toutes démontrent que la compétition nuit au rendement.

Dans l'une de ses études, Robert Helmreich a tenté d'établir le lien existant entre les réalisations et les traits de la personnalité tels que l'orientation vers le travail, la maîtrise (définie comme étant une préférence pour les tâches difficiles) et la compétitivité. Dans un échantillonnage de 103 scientifiques de sexe masculin, on a découvert que ceux qui étaient les plus cités par leurs collègues pour leurs travaux mettaient davantage l'accent vers l'orientation et la maîtrise, mais étaient peu compétitifs.

Des recherches similaires ont porté sur des psychologues universitaires, des étudiants, des élèves de cinquième et de sixième, des pilotes d'avions, des préposés aux réservations de compagnies aériennes et des gens d'affaires. Dans chaque cas, on a découvert que la compétitivité était opposée au rendement.

De toutes ces études, celle qui emballait le plus Robert Helmreich était celle portant sur les gens d'affaires parce qu'elle remettait en question la conviction très répandue selon laquelle les gens d'affaires doivent être très compétitifs pour réussir. Sa recherche établit clairement que les salaires individuels en affaires sont inversement proportionnels à la compétitivité.

Une autre recherche décrite dans le livre de Alfie Kohn démontre que la compétitivité d'un individu n'est pas l'unique élément qui nuit à son rendement. Une structure qui impose la compétitivité à ses membres tend aussi à produire des résultats similaires. Dans le cadre d'une expérience où l'on a mesuré la créativité artistique, la psychologue, Theresa Amabile, de l'université Brandeis a découvert qu'un groupe de petites filles âgées entre sept et onze ans qui se livraient à une compétition pour obtenir des prix très convoités ont produit moins de collages créatifs que les membres d'un autre groupe. Les collages d'enfants qui n'étaient pas en compétition ont été jugés plus spontanés, innovateurs, variés et complexes.

Monsieur Kohn s'attarde au secteur du journalisme où l'on pourrait prétendre que la compétition abaisse la qualité et la précision des reportages. Il cite le détournement, en 1985, d'un avion de la TWA par des musulmans chiites comme étant un exemple probant de compétition entre divers réseaux de télévision s'efforçant de se surpasser les uns les autres. Il cite Fred Friendly, ex-dirigeant de CBS News, qui déclarait: «Trop de décisions sont prises pour battre la concurrence plutôt que de se fonder sur des réactions responsables.»

Une recherche approfondie dans le domaine de l'éducation citée par Alfie Kohn établit également que la compétition abaisse le taux de rendement. David et Roger Johnson, professeurs à l'université du Minnesota, ont analysé 122 études effectuées entre 1924 et 1981, réunissant des données sur des étudiants, données produites dans des milieux d'apprentissage compétitifs, coopératifs et individuels. Leurs résultats concluent que 65 études démontrent que la coopération favorise un meilleur rendement que la compétition, 8 études indiquant le contraire et 36 n'établissant aucune différence statistique significative.

Alfie Kohn souligne que plusieurs de ces études définissaient les réalisations en termes quantitatifs tels que la vitesse ou les unités de production. Cela favorisant en soi l'approche compétitive, il est remarquable que la coopération se soit si bien classée dans les résultats. Des expériences datant de 1920 indiquent que les travailleurs produisaient plus lorsqu'ils étaient en compétition les uns contre les autres que lorsqu'ils ne l'étaient pas, mais cette production accrue s'accompagnait d'une baisse de la qualité. Lorsque l'on a mesuré la qualité du rendement dans deux études, Alfie Kohn rapporte que les Johnson ont découvert que «les discussions au sein des groupes coopératifs favorisent la découverte et le développement de meilleures stratégies cognitives d'apprentissage que ne le fait le raisonnement individuel que l'on retrouve dans les situations d'apprentissage compétitives et individualistes.»

Alfie Kohn tire certaines conclusions concernant les raisons pour lesquelles la coopération surpasse la compétition dans la majorité des études qu'il a analysées. Il croit que les situations de compétition accroissent le stress et l'anxiété chez les gens. Cet état d'esprit est favorisé par la possibilité de perdre le concours, une préoccupation qui, bien sûr, nuit au processus d'apprentissage.

Il conclut aussi que la coopération permet la mise en commun des compétences et des ressources de chacun pour créer un effet synergique. En d'autres mots, la sagesse collective d'un groupe de personnes travaillant ensemble est généralement plus grande que la sagesse totale des membres travaillant seuls. Dans un environnement coopératif, les gens travaillent volontiers ensemble pour s'aider mutuellement à réussir; dans une situation compétitive, ils travaillent fort individuellement pour voir leurs collègues échouer.

Finalement, Alfie Kohn suppose que dans un environnement compétitif, il devient plus important de surpasser ses collègues que d'essayer de bien faire en tant que groupe. Lorsque l'accent est mis sur le rendement individuel, celui du groupe en souffre nécessairement. En fait, le rendement du groupe et le rendement individuel sont affectés lorsque chacun n'est préoccupé que par son propre rendement.

Il semble aussi que la compétition et la coopération mettent l'accent sur des tâches et des activités totalement différentes. L'objectif premier de la compétition est de maximiser la production individuelle aux dépens de la qualité du travail et de la cohésion du groupe. Par ailleurs, l'objectif premier de la coopération est d'organiser et de mettre en commun les ressources mutuelles de manière efficace, car cela tend à améliorer la qualité et la quantité du rendement du groupe.

Robert Blatchford remarque, à propos de coopération et de compétition, dans le *Elbert Hubbard's Scrap Book*:

«On apprend à plusieurs d'entre nous, à compter de notre jeunesse, que la compétition est essentielle à la santé et au progrès de la race. Ou, comme le dit Herbert Spencer: «La société fleurit grâce à l'antagonisme de ses atomes.» Mais la règle d'or évidente est que la coopération est bonne et la compétition mauvaise, et que la société fleurit grâce à l'aide que s'apportent mutuellement les êtres humains. Je dis que c'est évident, et ça l'est. Et c'est si bien connu que dans toutes les grandes entreprises militaires ou commerciales, l'individualisme doit être subordonné à l'action collective. Nous ne croyons pas qu'une maison divisée contre elle-même puisse tenir; nous croyons qu'elle doit tomber. Nous savons qu'un État divisé par des conflits internes et déchiré par les combats de diverses factions ne peut tenir contre un peuple uni. Nous savons que dans une équipe de cricket ou de football, un régiment, un équipage de navire, une école, «l'antagonisme des atomes» entraînerait la défaite et l'échec. Nous savons qu'une société composée d'atomes antagonistes ne serait pas du tout une société et ne pourrait exister en tant que société. Nous savons que si les hommes doivent fonder et gouverner des villes, construire des ponts et des routes, établir des universités, piloter des navires, creuser des mines, et créer des systèmes d'éducation, et des politiques et des religions, ils doivent travailler ensemble et non les uns contre les autres. Bien sûr, tout cela est aussi évident que le fait qu'il ne pourrait y avoir de ruches si les abeilles ne formaient pas de colonies pour s'aider mutuellement.»

En examinant d'un peu plus près l'exemple de l'équipe de football, nous savons que tout le monde ne peut espérer porter le ballon dans la zone des buts pour marquer un toucher. Quelqu'un doit mettre le ballon en jeu, un quart-arrière doit le remettre à un autre joueur et plusieurs autres doivent barrer la route aux adversaires. Dans une équipe, ce n'est pas un joueur qui gagne ou perd. C'est l'équipe comme entité. En fait, le joueur qui tente de se montrer supérieur à ses coéquipiers ne fait que nuire à l'efficacité de l'équipe. Tout joueur dont l'objectif principal est d'exceller aux dépens de ses collègues gagne ou perd sur cette base seulement, et il risque de perdre plus souvent qu'il ne gagne. Mais même lorsqu'il gagne, il perd, car il n'a pas appris à fonctionner en coopérant avec les autres. Car ce n'est qu'en coopérant avec ses coéquipiers qu'il excellera individuellement et en tant que membre d'un groupe plus important.

Une théorie de la motivation

Toutes les études de motivation jamais effectuées en sont venues à la même conclusion: les gens excellent davantage dans l'exécution des tâches qui les motivent. Pourquoi? Il semble que la motivation soit un mystère pour la plupart des gens. Bien que l'on ait beaucoup écrit sur le sujet, il demeure mal compris.

La motivation est généralement associée avec les affaires, mais en fait elle influence les rapports humains dans toute entreprise ou groupe, qu'il s'agisse de la famille, d'une école ou du magasin du coin. Elle est aussi importante pour les guides ou les scouts que pour les forces armées ou IBM. Quiconque est responsable des résultats des efforts d'autres personnes doit tenter de les motiver s'il veut réussir.

La motivation est la contraction de l'expression «motif en action.» Elle est la personnification d'un but que l'on poursuit, de la poursuite de quelque chose de désirable ou de valable.

Vous motivez quelqu'un en lui fournissant des motifs de faire ce que l'on veut. Prenez un voleur qui vous pointe une arme à la tête et grogne: «La bourse ou la vie!» Instantanément, il vous a fourni un motif de faire ce qu'il veut que vous fassiez: Votre désir de rester en vie. À un autre niveau, imaginez qu'un prestigieux groupe de citoyens vous demande de diriger la campagne nationale de United Way dont le président d'honneur est le président des États-Unis. Comme dans le premier exemple, le groupe vous fournit un ou plusieurs motifs de faire ce qu'il veut, dans ce cas, votre désir est d'être reconnu par des gens que vous respectez et de servir les autres d'une manière significative.

La méthode de la carotte et du bâton est traditionnellement associée à ce que l'on appelle «l'homme économique», une expression inventée par les économistes classiques désireux de trouver une manière simple d'expliquer le comportement humain. Le philosophe, Alfred North Whitehead, a un jour écrit: «La beauté de l'homme économique était que nous savions exactement ce qu'il recherchait.» Il était décrit comme un être craintif et timide qui ne travaillait que pour survivre, et on le considérait en même temps avaricieux et opportuniste, toujours désireux d'acquérir davantage des biens matériels que le monde avait à lui offrir.

Peter Drucker, considéré aujourd'hui comme le père de la gestion moderne, a publié en 1939 un livre intitulé *The End of Economic Man*. Dans ce livre, il réfutait la notion voulant que l'intérêt économique personnel ait été la force toute-puissante de la dynamique humaine dont parlaient les économistes classiques. «Nous ne savons rien de la motivation. Tout ce que nous pouvons faire, c'est écrire des livres sur le sujet», disait-il. Cela est peut-être un peu difficile, mais il est explicite: l'homme et la femme modernes ont des motifs beaucoup plus mystérieux et complexes qu'on le pensait tout d'abord.

Il est clair que le travailleur moderne est motivé par autre chose que la séduction de l'argent et de la sécurité ou la menace de la discipline ou du congédiement. L'argent n'est pas la seule chose que veulent les gens. Sinon, les riches seraient les gens les plus heureux sur terre. Mais rien ne prouve non plus que l'homme moyen ait cessé d'en vouloir ou de vouloir ce que l'argent peut lui procurer. De plus, les gens s'efforcent naturellement d'éviter les ennuis et les confrontations, et ils préfèrent le confort et la sécurité d'un emploi stable.

Les théoriciens de la gestion en sont venus à classifier les choses telles que l'emploi et la sécurité financière comme des motivateurs de bas niveau qui ne produisent rien de plus qu'un rendement de bas niveau. «Pour amener les gens à faire un travail médiocre, il suffit de les y forcer, en faisant appel à la coercition et aux récompenses, en les manipulant,» écrit James J. Cribben dans son livre intitulé *Effective Managerial Leadership*. «Pour obtenir un rendement maximal, poursuit-il, il faut les amener à se forcer eux-mêmes.»

Le cadre moderne doit comprendre que sa première responsabilité est d'aider les employés à donner le maximum. Cela suppose la création et le maintien du climat psychologique approprié et de la conception de programmes de travail tels que les gens seront capables de fonctionner au maximum de leurs capacités.

Le leadership vise à permettre aux gens de se motiver à emprunter la voie désirée parce qu'ils le veulent.

Le processus qui consiste à influencer les gens pour les amener à donner le maximum à leur entreprise est nécessairement du bon leadership. Le leadership vise à permettre aux gens de se motiver à emprunter la voie désirée, à se sentir obligés de fournir un rendement élevé parce qu'ils le veulent. Le contraire du bon leadership est une forme de dictature, où un effort est imposé aux gens par l'exercice pur et simple du pouvoir. L'objectif doit toujours être de fournir aux gens un haut niveau de motivation, car elle seule, produit des résultats supérieurs.

Beaucoup de théories ont été évoquées quant à ce que doivent faire les cadres pour motiver les gens, mais une seule chose semble certaine: Si la motivation doit venir de l'individu même, ce doit être parce que les besoins et les désirs qui se trouvent profondément en l'être humain sont satisfaits. En d'autres mots, le milieu de travail et le genre d'emploi doivent être tels que les gens aiment ce qu'ils font et retirent de grandes gratifications et récompenses psychologiques de leurs efforts.

La théorie la plus acceptée sur les désirs et les besoins inhérents a été formulée par Abraham Maslow dans son ouvrage classique, *Motivation and Personality*. Abraham Maslow a divisé les besoins et les désirs des gens sains en cinq grandes catégories qui représentent la somme totale de leur personnalité, de leurs grandes motivations et aspirations telles qu'on les retrouve dans l'illustration 6, au sixième chapitre. Il est beaucoup plus facile de comprendre le comportement humain une fois que nous nous rendons compte que les gens agissent et parlent comme ils le font parce qu'ils ont des besoins et des désirs précis qu'ils cherchent à satisfaire. Ces besoins et ces désirs incluent les besoins physiologiques comme la nourriture, l'air, le repos, la sexualité, le logement, d'autres fonctions corporelles et la protection contre les éléments. Tout cela découle des efforts automatiques de l'organisme pour se maintenir en santé et en harmonie. La circulation sanguine, par exemple, doit maintenir une température constante et un niveau précis d'eau, de sel, de sucre, de protéines, de gras et d'oxygène en tout temps.

Les besoins physiologiques sont, de toutes les motivations humaines, les plus fondamentales. Si une personne manque de nourriture, de sécurité, n'est pas acceptée socialement et ne se respecte pas, c'est son besoin de manger qui dominera. Cela ne veut pas dire que les autres besoins cesseront d'exister. Ils s'estomperont temporairement jusqu'à ce que les motivations inférieures soient satisfaites. Par exemple, une personne affamée sera obsédée par la recherche de nourriture jusqu'à ce que ce besoin fondamental soit satisfait. En attendant, elle aura du mal à se concentrer sur autre chose.

Alors que se passe-t-il quand une personne a satisfait son besoin de nourriture et tous ses autres besoins physiologiques? D'autres besoins émergent simplement au niveau supérieur de motivation, et ils dominent le comportement de la personne.

Les seconds besoins et désirs portent le nom de besoins liés à la sécurité, et ils incluent l'absence de crainte et la protection contre le danger, les menaces et les privations. Dans notre société, les gens veulent vivre dans un monde sûr et organisé qui puisse leur assurer un mode de vie ordonné et prévisible. Cela suppose un environnement sûr, garantissant la protection des dangers physiques et psychologiques. Tout comme la personne affamée est calmée et apaisée par la nourriture, la personne craintive est rassurée par la protection.

La protection est omniprésente dans notre société. La protection physique est assurée par le comité de vigilance du quartier, la police locale et celle de l'État, la garde nationale et l'armée. La protection de la santé est assurée par des médecins et des infirmières bien formés, et par les cliniques et hôpitaux où ces gens travaillent. La sécurité financière est assurée sous la forme d'assurances contre les maladies, le chômage et les incapacités, et de prêts et d'hypothèques garantis par le gouvernement. La protection est une préoccupation majeure de notre société et elle doit être fournie pour que les gens aspirent à des niveaux plus élevés de satisfaction et de réalisations personnelles.

Quand les besoins physiologiques et ceux qui sont liés à la sécurité sont satisfaits, les besoins sociaux comme l'amour, l'acceptation et l'affiliation commencent à émerger et à dominer le comportement de la personne. À ce troisième niveau, la personne recherche des amis intimes et des êtres chers, et l'affection que cela procure. L'association avec les amis, la famille et d'autres groupes est très importante. Les besoins sociaux sont comblés lorsque vous êtes accepté par les amis, la famille et d'autres personnes pour ce que vous êtes et ce que vous représentez. La satisfaction de ces éléments de motivation de niveau intermédiaire suppose que l'on soit capable de donner et de recevoir de l'amour et de l'affection, d'accepter les gens et d'être accepté d'eux.

Ces trois premiers niveaux de motivation sont plutôt faciles à comprendre. Les gens désirent naturellement les nécessités fondamentales de la vie. Ils veulent assez de nourriture, d'eau, d'air, de sommeil et ils veulent être à l'abri des éléments; ils veulent être protégés des menaces et des dangers extérieurs; ils veulent être capables d'échanger de l'amour et de l'affection avec d'autres. Les besoins au niveau de l'ego et de la réalisation de soi sont plus complexes et difficiles à comprendre.

Lorsqu'une personne saine et bien adaptée a satisfait ses besoins fondamentaux aux trois premiers niveaux, elle désire naturellement se sentir estimée et respectée, et elle a fortement besoin de se valoriser. La personne veut afficher un degré de maîtrise et de compétence, et elle recherche le prestige, un rang social élevé et des occasions de réaliser de grandes choses. À ce niveau de l'ego, une personne a fortement besoin de voir sa valeur reconnue. En un mot, les gens veulent voir confirmer leur importance aux yeux des autres.

La satisfaction des désirs et des besoins liés à l'ego influe de manière positive sur l'image de soi et le sentiment de sa propre valeur. Par ailleurs, lorsque ces désirs et ces besoins ne sont pas comblés, ils sont nuisibles à l'image qu'une personne se fait d'elle-même. Il est important de comprendre que le besoin de s'aimer et de s'estimer ne peut jamais être satisfait une fois pour toutes. C'est un peu comme la faim, qui va et vient jour après jour, mais qui ne disparaît jamais complètement. Vous ne pouvez apaiser votre faim une fois pour toutes, et vous ne pouvez pas non plus satisfaire votre désir d'estime de soi une fois pour toutes. Il réapparaît et se manifeste continuellement, cherchant toujours sa satisfaction.

La véritable estime de soi ne peut se fonder uniquement sur les opinions des autres, de sources extrinsèques. Elle doit venir de soi, de l'intérieur, être le résultat d'un effort personnel en vue de réaliser des choses considérées utiles. Trop souvent on recherche la renommée et l'adoration pour remplacer un besoin intérieur d'amour et de respect de soi, et dans tous les cas cela s'avère insuffisant. Par exemple, vous pouvez être admiré par les gens pour toutes sortes de raisons et vous considérer peu méritant. Vous pouvez remporter tous les honneurs et continuer à croire que vous avez réalisé peu de choses importantes. Et vous pouvez être adulé par des millions de personnes et vous réveiller tous les matins en vous sentant craintif et insécure. En fin de compte, votre comportement tout entier est façonné et contrôlé par ce que vous pensez être.

Nous en arrivons au cinquième et plus haut niveau de motivation, le niveau de la réalisation de soi. Il s'agit d'un niveau que peu de gens atteignent parce que peu de gens s'estiment véritablement. Les besoins liés à la réalisation de soi nécessitent des défis lancés à ses habiletés, des occasions de démontrer une compétence et une créativité uniques et un désir d'autonomie personnelle. Ils représentent l'ultime gratification de l'ego.

La meilleure façon de résumer le besoin de réalisation de soi est l'affirmation suivante: «Ce que vous croyez pouvoir être, vous devez l'être.» Si vous croyez pouvoir écrire, vous devez écrire. Si vous croyez pouvoir chanter, vous devez chanter. Si vous croyez pouvoir exceller et réussir quelque chose, vous devez tenter l'expérience. Ce désir ne s'estompera pas. Il doit trouver le moyen de se concrétiser.

Nul n'a les mêmes besoins ou désirs avec la même intensité ou dans le même ordre. Une personne peut très bien désirer davantage la réussite financière que l'amour et l'affection par exemple. Le mélange particulier de motivations d'une personne est le résultat de son éducation et de son milieu. Les besoins varient aussi selon le moment et les circonstances. Par exemple, les jeunes gens sont généralement moins préoccupés par leur santé et leur sécurité que les gens plus âgés. Toute tentative de motivation d'une personne requiert par conséquent de connaître quelque peu la personnalité de la personne et de satisfaire ses besoins.

Des études récentes portant sur les attitudes des employés indiquent que les facteurs qui amélioraient le moral et la satisfaction des gens il y a une génération — les besoins liés au confort et à la sécurité — ne sont plus aussi importants. Les travailleurs actuels ont tendance à accorder plus d'importance à un travail intéressant, à la reconnaissance pour un travail bien fait, à la responsabilité individuelle et aux occasions de croissance personnelle, d'épanouissement professionnel et d'avancement.

Cela veut dire que ce qui motivait les employés et les rendait heureux et productifs dans les années 1950 et 1960 a changé. Les besoins se sont déplacés vers les niveaux de l'ego et de la réalisation de soi, un progrès naturel vers un plus grand développement du potentiel humain. Mais le désir d'être heureux n'a pas changé. C'est encore le but ultime de la plupart des gens.

William James a identifié ce trait universel il y a longtemps lorsqu'il a écrit: «Si l'on devait poser la question: «Quelle est la préoccupation première de la vie?» l'une des réponses que l'on obtiendrait serait: «Le bonheur.» Comment gagner, conserver ou retrouver le bonheur est en fait le motif de tout ce que nous faisons et de tout ce que nous sommes prêts à supporter.» Et William Butler Yeats (1865-1939), essayiste et poète irlandais, ajoutait ce commentaire: «Le bonheur n'est ni une vertu, ni un plaisir; c'est tout simplement la croissance. Nous sommes heureux quand nous croissons.»

Diverses méthodes et techniques ont été mises au point et essayées au cours des ans pour tenter de motiver davantage les gens afin qu'ils deviennent plus productifs. Deux méthodes se sont constamment avérées efficaces.

Elles représentent un début modeste pour ce qui est de comprendre un sujet dont nous connaissons peu de choses, un sujet qui est encore entouré de plus de fiction que de faits, de plus de suppositions que de précisions.

Nous examinerons d'abord la recherche effectuée par Frederick Herzberg, aujourd'hui distingué professeur de gestion à l'université de l'Utah, dont les écrits incluent le livre *Work and the Nature of Man*. Il a aussi écrit un article marquant, paru dans le numéro de janvier-février 1968 de la *Harvard Business Review* intitulé «Encore une fois: Comment faire pour motiver vos employés?» L'article a été réimprimé à plus de reprises que tout autre jamais publié par cette prestigieuse revue. Les découvertes de Frederik Herzberg concernant ce qu'il appelle les facteurs de motivation et de soutien constituent une approche fascinante et donnent une compréhension approfondie de ce qui est nécessaire pour motiver les employés de façon constante.

Deuxièmement, nous passerons en revue la méthode de gestion dite du cercle de qualité, une technique mise au point à la fin des années 1940 par W. Edwards Deming, un ingénieur américain. W. Edwards Deming prononça beaucoup de conférences dans le Japon de l'après-guerre sur les méthodes statistiques du contrôle de la qualité. Il insistait pour dire que les travailleurs et les cadres devaient coopérer pour s'assurer une haute qualité constante. Les Japonais ont pris les idées de monsieur Deming et les ont combinées avec leurs propres convictions, réunissant de petits groupes de gens pour résoudre les problèmes liés au travail. Au cœur de la méthode japonaise on retrouve la conviction que les travailleurs sont les mieux en mesure d'identifier et de corriger les problèmes liés à la qualité, et que la direction doit puiser à même cette ressource essentielle pour que des améliorations soient apportées à la qualité, à la conception et à la productivité.

La théorie de la motivation soutenue de Frederik Herzberg

La contribution de Frederik Herzberg à la compréhension de la motivation en milieu de travail est unique. Ses recherches ont détruit beaucoup de vieux mythes américains concernant les façons de motiver efficacement les employés.

Vous êtes-vous jamais arrêté à vous demander vraiment pourquoi la motivation est si importante? Les employés qui éprouvent des problèmes de motivation coûtent à leur entreprise des milliers et même des millions de dollars chaque année. Les recherches indiquent que 20 % seulement des employés peuvent être responsables de 100 % des griefs, de 45 % des absences, de 52 % des oppositions, de 38 % des réclamations médicales et de 40 % de tous les congés de maladie.

Pour reprendre l'analogie de la carotte et du bâton, monsieur Herzberg explique que l'utilisation du bâton ou de la carotte n'a rien à voir avec la motivation intrinsèque. Le seul résultat de ces tactiques est que «l'âne avance», mais pas volontairement. Il n'avance que tant qu'il y est forcé ou poussé par des motivateurs extérieurs. C'est un peu comme si l'on avait à recharger la batterie d'un employé chaque jour, chaque fois qu'il se présente au travail, plutôt que de voir la batterie se recharger d'elle-même. Lorsqu'un individu est vraiment motivé, sa batterie se recharge toujours de l'intérieur et l'individu n'a pas besoin d'encouragements continuels de sources extérieures. La personne qui est motivée fonctionne automatiquement à un haut niveau et n'a besoin que d'une aide et d'un appui occasionnels pour demeurer sur la bonne voie.

Les entreprises américaines ont essayé beaucoup de tactiques pour obtenir de leurs travailleurs des efforts de meilleure qualité. Les programmes portant sur les salaires, les actions ou le partage des profits abondent; le salaire de l'employé et ses conditions de travail s'améliorent chaque année sans aucun lien avec la productivité. De coûteux programmes de formation et de perfectionnement de toutes sortes ont été mis sur pied pour enseigner aux employés et aux cadres des techniques d'adaptation nouvelles et plus efficaces. Que l'objectif ait été d'améliorer les communications, la formation ou les rapports avec les employés, l'accent a toujours porté davantage sur la motivation des employés et tenter d'améliorer la productivité.

Frederik Herzberg croit que toutes ces méthodes ont échoué. Sa théorie de la motivation soutenue concernant les attitudes au travail a été mise au point à la suite des événements liés aux expériences de travail de plusieurs centaines d'ingénieurs et de comptables. Ses recherches ont par la suite été étendues pour inclure divers travailleurs et professionnels, y compris des chefs de service, des professionnels, des administrateurs en agriculture, des gestionnaires au bord de la retraite, du personnel d'entretien dans des hôpitaux, des chefs de service travaillant en usine et des infirmières. Toutes ces études sont parvenues à la même conclusion générale.

Frederik Herzberg a découvert que les facteurs qui menaient à la satisfaction et à la motivation au travail étaient différents des facteurs qui menaient à l'insatisfaction. Il explique que la satisfaction et l'insatisfaction au travail ne sont pas nécessairement diamétralement opposées. Le contraire de la satisfaction au travail peut être «la non-satisfaction au travail, tout comme le contraire de l'insatisfaction au travail peut être la non-insatisfaction au travail».

Frederik Herzberg a tiré certaines conclusions intéressantes. Il a découvert que les facteurs liés à l'environnement général de travail suscitent l'insatisfaction. En d'autres mots, à moins d'améliorer ces facteurs, on suscite l'insatisfaction au travail, alors que leur amélioration n'entraîne que la non-insatisfaction, et non la satisfaction. Ces facteurs extrinsèques au travail incluent les directives et l'administration de la compagnie, la supervision, les relations humaines, les conditions de travail, le salaire, le rang et la sécurité.

Il a aussi découvert que les facteurs directement reliés au travail en soi suscitaient la satisfaction. En n'améliorant pas ces facteurs, on suscitait la non-satisfaction au travail, alors que l'amélioration de ces facteurs conduisait à une plus grande satisfaction au travail et à une meilleure motivation intrinsèque. Ces facteurs incluent les occasions de croissance personnelle et d'avancement, la somme des responsabilités, la nature exaltante du travail, la reconnaissance personnelle et le sens de la réussite.

Les preuves indiquent que les facteurs d'insatisfaction sont plus étroitement liés aux motivateurs de niveau inférieur, alors que les facteurs de satisfaction sont davantage liés aux motivateurs de niveau supérieur tels que définis par Abraham Maslow dans sa hiérarchie des besoins et des désirs humains. Par exemple, les facteurs d'insatisfaction incluent l'environnement du travail, la sécurité et la protection que l'on fournit. Les facteurs de satisfaction sont directement liés à la croissance et aux réalisations personnelles, de même qu'aux avantages et aux récompenses psychologiques qu'ils produisent.

Voici un résumé de ses découvertes:

Les facteurs positifs conduisant à la satisfaction au travail: les réalisations, la reconnaissance, le travail en soi, les responsabilités, l'avancement et la croissance.

Les facteurs positifs conduisant à la non-insatisfaction au travail: les directives et l'administration de la compagnie, la supervision, les conditions de travail, la vie personnelle, le rang et la sécurité.

Frederik Herzberg utilise les résultats qu'il a obtenus pour expliquer que l'emploi en soi est capital pour ce qui est de fournir de la motivation, par opposition aux facteurs environnementaux. Par exemple, de tous les facteurs contribuant à la satisfaction au travail, 81 % sont liés à l'emploi; de tous les facteurs contribuant à l'insatisfaction au travail, 69 % sont liés à l'environnement. Sa recommandation aux cadres pour améliorer la productivité et mieux utiliser la main-d'œuvre consiste à enrichir les descriptions de tâches. Il peut s'agir de confier des tâches plus spécialisées et difficiles aux individus plus aptes, leur donnant plus d'autorité concernant leurs tâches, ou de rendre les employés plus responsables de leur propre rendement.

Les employés qui démontrent plus d'autorité, de responsabilités et de variété dans leur travail ont l'impression de réaliser de plus grandes choses dans leur vie. Ils ont le sentiment de croître et de s'améliorer, d'avoir plus de responsabilités et de contrôle, et de recevoir une reconnaissance proportionnelle à leur rendement. Il est clair que les récompenses et les avantages de haut niveau qui accompagnent naturellement le travail intéressant et difficile génèrent de la motivation.

Le message de Frederik Herzberg est aussi pertinent et important aujourd'hui que la première fois qu'il l'a proposé. Les employeurs ne peuvent compter accroître leur productivité en donnant simplement plus d'argent aux employés. Les salaires plus élevés et les meilleures conditions de travail n'accroissent pas automatiquement la satisfaction et la motivation des employés. Pourtant, il semble que ce soit la tendance à laquelle nous assistons actuellement. Cela peut amener les gens à gagner plus, même en travaillant moins, ce qui se produit vraiment selon une étude de l'université du Michigan. Au même moment, les avantages sociaux s'accroissent plus rapidement que les salaires.

Non seulement cette tactique est-elle moins productive, mais elle provoque un plus grand malaise chez l'employé de même qu'un faux sentiment de sécurité. Les industries qui ne sont pas concurrentielles sur le marché mondial ne survivront pas. Les employés qui exigent et reçoivent des salaires et des avantages sociaux excessifs causeront leur propre perte à long terme, sinon avant. Rappelez-vous la quasi-fermeture de la compagnie Chrysler dans les années 1970.

L'enrichissement des tâches pour accroître la satisfaction de l'employé est particulièrement efficace dans les situations où les employés ont atteint un plafonnement au plan de la carrière et ont peu de chances de recevoir une promotion. Dans de telles situations, les employés se sentent souvent pris dans une ornière et ont l'impression que leur compétence n'est pas pleinement utilisée ou reconnue. Il y a probablement des millions de cols bleus et de cols blancs aujourd'hui qui n'ont à peu près aucun espoir d'avancement.

Trop souvent les descriptions de tâches n'ont pas changé depuis des années, qu'il s'agisse de la nature du travail ou de la nouvelle technologie disponible. Nous n'avons pas non plus tenu compte des plus grandes attentes des travailleurs et de leur niveau de scolarité et de formation supérieures. Trop de cadres oublient de considérer la description de tâches comme un outil de motivation, croyant qu'il faut trouver d'autres moyens pour stimuler les gens.

Résumons en ces termes l'argument en faveur de l'enrichissement de la tâche: Si vous avez de bons travailleurs, confiez-leur du travail intéressant et difficile. Accroissez leur niveau de responsabilité dans la mesure du possible et reconnaissez leurs efforts. Permettez-leur d'avoir le sentiment de réaliser des choses et de croître en tant que personnes. Sinon vous aurez de sérieux problèmes de motivation qui ne vous vaudront que du gaspillage et des dépenses inutiles, tant au plan monétaire qu'au plan humain.

Les cercles de qualité

Une autre manière pratique d'enrichir les emplois et d'obtenir davantage des employés consiste à accroître la participation des employés aux décisions, par le biais des cercles de qualité. Les cercles de qualité exposent les employés à des secteurs d'activité allant au-delà de leur participation habituelle. Ainsi, les employés sont en mesure de voir le tableau d'ensemble et de juger de leur contribution au travail dans son ensemble. Le but des cercles de qualité est d'enrichir l'expérience d'un employé et d'accroître sa participation et son engagement global, de donner à chacun l'impression de faire partie d'une équipe et de lui permettre de s'identifier davantage à la réussite de la compagnie.

Les cercles de qualité se fondent sur les théories et les recherches portant sur la motivation, surtout celles d'Abraham Maslow et de Frederick Herzberg. Leurs découvertes indiquent que les employés sont plus productifs et motivés lorsque leurs tâches répondent à leurs besoins de croissance et de réalisations personnelles.

Après la Seconde Guerre mondiale, au Japon, des cercles de qualité ont résulté de la collaboration du gouvernement et de l'industrie qui désiraient moderniser la base industrielle du pays et améliorer la qualité de ses biens manufacturés. Il a fallu 30 ans environ, mais au milieu des années 1970, les mots MADE IN JAPAN, synonymes de piètre qualité jusque-là, étaient désormais devenus symboles de qualité.

Le Japon progressait rapidement en faisant appel aux cercles de qualité pour mettre à profit la créativité et la productivité de sa main-d'œuvre, et pendant ce temps, l'industrie américaine stagnait. La gestion traditionnelle américaine voulait que chaque travailleur se limite à son secteur de spécialisation et exécute quelques tâches précises appartenant au secteur pour lequel il avait été formé. On supposait que les travailleurs étaient surtout motivés par des facteurs économiques et étaient indifférents aux avantages intrinsèques qu'un travail excitant et intéressant pouvait offrir. Cette attitude archaïque prévalant largement chez les dirigeants d'entreprises des États-Unis, il n'est pas étonnant que les cercles de qualité aient mis du temps à s'implanter ici.

Tout cela a commencé à changer à la fin des années 1970. Les effets de la récession américaine et l'arrivée de produits japonais de plus haute qualité sur le lucratif marché américain amenèrent les dirigeants américains d'entreprises à rechercher des moyens efficaces d'accroître la productivité des travailleurs et de réduire les coûts de main-d'œuvre. Ils mirent à l'essai les cercles de qualité, qui semblaient être parmi les techniques efficaces de gestion japonaises à mettre en pratique.

L'expérience a démontré que les cercles de qualité sont plus efficaces lorsqu'ils sont utilisés dans des buts précis. Par exemple, on peut les utiliser pour obtenir les idées et suggestions des employés concernant des sujets comme la paperasserie et la prise de décisions. Ils sont aussi idéaux pour les projets spéciaux qui traitent de problèmes inattendus ou multidimensionnels comme la qualité, le contrôle des marchandises et la mise au point d'horaires. De plus, les cercles de qualité constituent un outil idéal pour mettre à l'essai des techniques de gestion participative impliquant les travailleurs de la base. En général, les cercles de qualité représentent une façon peu risquée de faire participer davantage les employés dans les activités quotidiennes d'une entreprise, car ils ne nécessitent aucun changement majeur de la structure organisationnelle ou du style de gestion.

Patrick Townsend, auteur du livre *Commit to Quality*, a raffiné et étendu le concept des cercles de qualité pour en faire des équipes de qualité. Beaucoup de firmes américaines ont aimé cette nouveauté et se sont mises à faire appel aux équipes de qualité dans des secteurs aussi critiques que la mise au point de nouveaux produits. La compagnie Ford dans le programme Taurus et la General Motors dans le programme Saturn ont opté pour le concept de l'équipe pour favoriser le maximum de créativité et de prise de risques dans la conception de nouveaux modèles. Les équipes étaient composées de gens appartenant à tous les secteurs clés, et étaient entièrement autonomes pour accomplir leur mission. Ainsi, les membres de l'équipe étaient protégés des éléments plus conservateurs de la compagnie et des rivalités inter-services qui existent toujours quant à savoir qui a le dernier mot.

Si les cercles de qualité doivent devenir un outil de gestion plus efficace pour ce qui est de faire participer les travailleurs dans la prise de décisions, les participants devront avoir plus d'autonomie et de responsabilités. Cela nécessitera une participation des travailleurs à toutes les facettes de la résolution de problèmes. Ces facettes incluent notamment l'identification du problème et son analyse, la recherche d'une solution, l'évaluation de la gestion et la prise de décisions, les essais, la surveillance et les observations, la modification et l'application finale.

De nos jours, les cercles de qualité sont largement acceptés en Amérique comme techniques utiles de participation destinées à améliorer la productivité des travailleurs et l'efficacité organisationnelle. Mais on doit se rappeler qu'ils ne représentent qu'une première étape limitée vers la participation significative des employés. Si nous voulons que les cercles de qualité aient davantage d'impact, des changements plus importants devront être apportés, surtout en ce qui concerne l'attitude des dirigeants envers les employés et l'importance de leur contribution, de même que la façon dont les organisations sont structurées.

Un dirigeant a rappelé à ses employés l'importance de chacun en rédigeant la note de service qui suit, ainsi qu'on l'a rapporté dans le *Pasadena Weekly Journal of Business*. Le texte démontre clairement à quel point chaque personne est un élément critique de son équipe ou de son organisation, et doit faire sa part pour s'assurer que le groupe unit ses efforts et réussit en tant que groupe. Réfléchissez à la qualité du travail produit lorsqu'une personne ne fonctionne pas adéquatement.

CHAQUX PXRSONNX XST IMPORTANTX

«Mx̄mx si ma machinx à x̄crirx xst un vixux modx̄lx, xllx fonctionnx trx̄s bixn, à l'xxcxption d'unx touchx. On pourrait pxnsxr qux, toutxs lxs autrxs touchxs fonctionnant bixn, cxttx touchx xst sans importancx, mais cxla sxmblx vouxr tous mxs xfforts à l'x̄chxc.

Vous vous ditxs pxut-x̄trx: «Jx nx suis qu'unx sxulx pxrsonnx. Nul nx s'xn apxrcxvra si jx nx fais pas mon possiblx. Mais cxla fait unx diffxrxncx, parcx qux pour x̄trx xfficacx unx organisation a bxsoin dx la participation ac- tivx dx tous sxs mxmbrxs, qui doivxnt donnxr lxur maxi- mum.

Alors, la prochainx fois qux vous pxnsxrxz qux vous n'x̄txs pas important, souvxnxz-vous dx ma vixillx machinx à x̄crirx. Vous x̄txs unx pxrsonnx trx̄s importantx.»

Ces dernières années, nous avons assisté à une vérita- ble explosion des cercles de qualité, surtout aux États-Unis. Dans le cadre d'un sondage national effectué par la bourse de New York en 1982, nous avons découvert que 44 % de toutes les entreprises possédant plus de 500 employés ont mis sur pied des programmes de cercles de qualité. Actuel- lement, environ 7 000 membres font partie de l'«Associa- tion for Quality and Participation,» un groupe qui ne comptait que 100 membres en 1978. Les cercles de qualité s'appliquent maintenant à des disciplines autres que le simple contrôle de la qualité. Elles incluent la gestion financière, le marketing, l'administration du personnel, la recherche et le développement, la gestion des crises et la planification stratégique. Il n'existe probablement aucune facette dans une entreprise qui ne peut tirer profit des cercles de qualité et d'une meilleure participation de ses employés à son fonctionnement.

Toutes les preuves que nous avons vues dans ce cha- pitre appuient diverses stratégies de leadership qui peu- vent faire une différence importante pour ce qui est d'ac- croître la productivité des travailleurs. Le fait qu'une partie de la recherche remonte à plusieurs années indique que nous en avons beaucoup à apprendre sur les gens et la façon de les influencer et de les motiver de manière effi- cace, positive et prévisible.

En fin de compte, on se retrouve avec cet ultime défi: Comment tirer le maximum du potentiel humain que l'on possède et de celui de ceux qui nous entourent.

La formule: Un dernier survol

Rappelez-vous Mike, notre super représentant dont nous avons parlé en détail dans le premier chapitre, qui a mérité des commissions cinq fois plus élevées que la moyenne de ses collègues.

Qu'est-ce qui a permis à Mike de réaliser un tel rendement? Physiquement, Mike était comme tout le monde. Ce n'était que la qualité de ses argumentaires internes qui le distinguait. Son subconscient était dominé par des images exceptionnelles. C'est là ce qui distingue principalement les gens moyens de ceux qui réalisent des résultats exceptionnels dans la vie.

À partir de ce que nous avons appris dans ce livre, nous pouvons reformuler une dernière fois notre équation:

$$R = FIS \times (M + FCR)$$

- R est un niveau particulier de rendement pour une activité donnée;

- M est votre matériel, le seul facteur constant qui représente votre équipement de base, le cerveau et le corps avec lesquels vous êtes né;

- FIS, le facteur de votre image de soi, et FCR, les divers facteurs clés de réussite, sont les deux variables qu'une personne contribue au processus. Combinés, ces deux facteurs, qui vous sont personnels et uniques, représentent votre manière de penser conformément à vos atouts intellectuels et physiques.

Ainsi le fort rendement (R) de Mike dans la vente est surtout en fonction des deux facteurs variables, FIS, sa façon de se voir comme représentant, et FCR, les 12 facteurs clés de réussite appliqués à sa profession particulière. En d'autres mots, si Mike pense en gagnant et met diligemment en pratique les 12 facteurs clés de réussite dans sa profession, il sera gagnant!

Vous n'avez qu'à substituer des résultats maximums aux éléments FIS et FCR de l'équation pour voir comment en tirer un rendement maximal.

R = (une très haute image de soi)
multiplié par
(M + les 12 facteurs clés de réussite)
En d'autres mots: R = RENDEMENT MAXIMAL!!!

Conclusion

«La première et la meilleure des victoires est de se conquérir soi-même; être conquis par soi-même est, de toutes choses, la plus honteuse et la plus vile.»

Platon

Vous dirigez votre vie

Le thème central de ce livre est que vous pouvez diriger votre vie par le biais de vos pensées. Comme l'observait Marc Aurèle: «La vie d'un homme est faite des pensées qu'il entretient.» Après tout, qu'est-ce que la vie sinon une série de pensées et d'expériences? Les pensées représentent la substance de la vie et créent le monde tel que vous le connaissez et l'acceptez. Il s'ensuit que c'est par vos pensées que vous pouvez changer votre vie et le monde dans lequel vous vivez, et de les changer pour le meilleur si vous le choisissez.

Nous avons vu comment il est possible de diriger sa vie lorsque nous avons parlé des cinq grandes merveilles de l'esprit. Les voici:

Premièrement, vous avez la possibilité de contrôler ce que vous pensez, de minute en minute et jour après jour.

Deuxièmement, vous avez la possibilité d'imaginer avec créativité votre avenir tel que vous voulez le voir évoluer.

Troisièmement, vous avez la possibilité de consulter des données provenant d'une source autre que votre esprit conscient.

Quatrièmement, vous avez la possibilité d'éliminer les pensées et les émotions négatives de votre vie.

Cinquièmement, vous avez la possibilité de jouer le rôle de la personne que vous voulez le plus être, avec les habiletés et les caractéristiques que vous désirez le plus.

Ces cinq merveilles de l'esprit démontrent un facteur primordial: Vous créez votre propre réalité.

Toute causalité est mentale. Tout ce qui vous arrive aujourd'hui est déterminé par le contenu de votre esprit, par les images mentales que vous entretenez. C'est par le biais de vos pensées que vous vivez et vous expérimentez la vie, et c'est par vos pensées que vous pouvez changer votre vie.

Nous avons entrepris une nouvelle ère de grandes découvertes et de changements technologiques. Nous sommes passés du chevalier à dos de cheval, à l'avion à réaction voyageant à Mach 2,5 (à 2,5 fois la vitesse du son). Une micro-puce peut emmagasiner 100 000 informations sur la tête d'une épingle. Un super ordinateur peut facilement effectuer 10 000 000 de calculs arithmétiques en une milliseconde.

Mais aussi incroyable que tout cela puisse paraître la technologie n'a porté à de nouveaux sommets que notre façon de penser actuelle. Elle n'a amélioré d'aucune façon notre réflexion, car seuls les êtres humains peuvent réfléchir, et les machines en sont incapables.

Prenez le fait qu'un ordinateur personnel peut imprimer au laser le texte de ce livre en moins d'une heure, beaucoup plus vite que ne pourrait le faire une machine à écrire. Pourtant l'ordinateur est incapable d'améliorer la réflexion représentée par le texte en soi. Le progrès technologique nous a simplement fourni un moyen plus efficace de progresser ou de reculer.

Alors il nous reste à entrer dans l'ère de la découverte de soi, à découvrir et à développer toutes nos possibilités. Il ne peut exister de plus grand défi pour l'homme que de tirer le maximum de ses habiletés et de ses talents naturels. La vie est un processus continuel de découverte et de conscience de soi.

Les changements sont inévitables

Le monde change à une vitesse encore jamais vue par l'humanité. Certaines personnes ne semblent pas savoir que cela se produit, d'autres se bornent à observer ce qui se passe, alors que d'autres encore y participent. Avez-vous sérieusement réfléchi à ce que pourrait être votre contribution à ce processus? Voulez-vous apporter des changements dans votre vie personnelle et professionnelle... ou laisserez-vous les changements vous affecter?

Voici des exemples de changements qui se produisent actuellement dans le monde des affaires et que vous devriez connaître:

- Une tendance à préférer le travail en équipes à une stricte surveillance.
- Une tendance à rejeter la spécialisation au profit de la polyvalence.
- Une tendance à remplacer la gestion traditionnelle par une gestion générale par tous les employés.
- Une tendance à rejeter le partage sélectif de l'information au profit du partage général de l'information.
- Une tendance à remplacer les programmes de récompenses limités par des programmes de récompenses complets.
- Une tendance à remplacer les hiérarchies verticales par des réseaux horizontaux.
- Une tendance à rejeter la formation isolée sur le tas au profit d'une formation complète et continuelle.
- Une tendance à ne plus limiter la recherche de productivité aux cols bleus pour l'appliquer désormais également aux cols blancs.

Toutes ces tendances ont pour objet d'humaniser les structures et les processus organisationnels et de maximiser les possibilités individuelles. Les entreprises ne survivent pas grâce à la seule technologie. Elles survivent grâce aux gens et à leur capacité d'apporter des changements pour relever de nouveaux défis et saisir des occasions de réussite. «La liberté humaine n'est jamais la liberté d'échapper aux tendances fondamentales d'une époque»; telles sont les sages paroles de l'auteur américain, Langdon Gilkey.

L'objet de la vie

Nous nous demandons tous un jour ou l'autre ce que nous faisons sur terre et quel est l'objet de la vie. Bien sûr, il y a divers points de vue à ce sujet, et nous en aborderons trois.

Le premier est le point de vue humaniste, selon lequel on doit faire tout ce qui est possible pour réaliser toutes ses possibilités, s'efforcer d'être tout ce que l'on peut devenir. Deuxièmement, les fondamentalistes soutiennent que l'objet ultime de l'homme et sa raison de vivre est de glorifier son Créateur. Le troisième, que beaucoup de grands leaders ont enseigné et démontré par leur exemple, consiste à servir ses semblables. Jésus de Nazareth, Bouddha, Mohammed, Mère Teresa et Albert Schweitzer sont autant d'exemples de gens qui ont consacré leur vie entière au service des autres.

Quel que soit le point de vue qui vous sourit le plus, il y a beaucoup de synergie et de constance dans ces trois approches. On pourrait dire que le fait de servir les autres est le plus grand défi qui soit aux talents et aux habiletés individuelles. Cela permet aussi de glorifier le Créateur en travaillant ensemble et en s'aidant les uns les autres à se libérer de la pauvreté, du désespoir et des problèmes humains si répandus de nos jours.

Que vous croyiez que votre but dans la vie est de réaliser toutes vos possibilités, de glorifier le Créateur ou de servir les autres, vous ne pourrez le constater qu'en vous sacrifiant personnellement, en faisant des efforts constants et en coopérant avec les gens. Vous devez trouver quelque chose de plus grand que vous-même, une cause qui vous stimulera comme nulle autre. Chacun de nous devrait s'efforcer de rendre ce monde meilleur qu'il ne l'a trouvé. Et c'est à chacun de nous de décider de ce que sera sa contribution.

Une philosophie de vie

L'éminent psychiatre et éducateur d'origine autrichienne, Rudolph Dreikurs (1897-1972) a formulé ce qu'il appelle «Les 10 conditions d'une philosophie de vie.» Ces conditions, plus que tout ce que j'ai découvert, constituent l'essence de ce qui a été présenté dans ce livre. Veuillez les lire attentivement, y réfléchir et imaginer un monde dans lequel elles seront acceptées et mises en pratique par une majorité de gens.

1. L'homme n'est ni bon ni mauvais en soi. Son utilité sociale et son efficacité personnelle dépendent de sa formation et de son perfectionnement individuels, de sa propre interprétation de ses expériences et des situations auxquelles il sera confronté dans la vie.

2. L'homme n'est pas conscient de sa force et de ses pouvoirs. Il dispose de capacités intellectuelles, morales et créatrices qu'il ne reconnaît pas et que, par conséquent, il ne peut utiliser pleinement.

3. L'homme ne peut contrôler ses propres actes. Les émotions ne sont pas ses maîtres, mais ses outils. Il est motivé par ses convictions, ses attitudes et les objectifs qu'il se donne, même si souvent il n'en est pas conscient et n'en reconnaît pas le côté fantaisiste.

4. L'homme influe sur son propre destin sans le savoir; il est plus conscient de ce qu'il lui est fait que de ce qu'il fait aux autres.

5. Le plus grand obstacle de l'homme à une participation et à une coopération sociale entière est une sous-estimation de sa force et de sa valeur propres. Les méthodes d'éducation et les procédures de formation tendent à lui inculquer de faux concepts et de fausses attitudes à propos de lui-même comparativement aux autres, et les modèles culturels fortifient ces concepts et ces attitudes.

6. Le plus grand ennemi de l'homme est la crainte. Le courage et le fait de croire en ses propres capacités constituent le fondement de toutes ses vertus. C'est en réalisant sa propre valeur qu'il ressent un sentiment d'appartenance et qu'il s'intéresse aux autres.

7. La base des rapports humains harmonieux est le respect de sa propre dignité combinée au respect des droits et de la dignité des autres. Cela interdit le règlement des conflits humains par la force. L'équilibre social n'est possible que grâce à des ententes entre femmes et hommes égaux dans l'esprit de la démocratie.

8. Dans la démocratie, c'est l'homme ou la femme qui dirige; par conséquent, tout membre de la société a droit à une dignité et à un respect égaux à ceux que l'on accorde à un souverain. L'égalité humaine fondamentale n'est pas affectée par des caractéristiques accidentelles telles que la race, la couleur, la religion, le sexe, l'âge, la situation sociale et économique, l'éducation, la santé physique ou mentale, la beauté, le développement moral ou intellectuel, les compétences ou les réalisations personnelles. Toute présomption de supériorité ou d'infériorité sur la base de tels facteurs accidentels est arbitraire et fallacieuse.

9. La paix d'esprit et la paix sur terre seront possibles lorsque l'homme abolira la supériorité d'un homme par rapport aux autres, lorsque les valeurs de chacun seront fermement ancrées en son esprit de même que dans celui de ses semblables, et lorsqu'aucun désir compensatoire de prestige ou de pouvoir ne dressera l'homme contre ses semblables.

10. Nous devons constamment nous aider les uns les autres pour conserver notre vision de ce que nous devons être, fortifier nos bonnes intentions et nos nobles aspirations et lutter contre les expériences décourageantes et démoralisantes auxquelles nous sommes tous quotidiennement exposés.

Réfléchissez un moment à ce vieux quatrain plein de sagesse portant sur la façon dont vous voudriez apporter des changements dans votre vie:

«Quel genre de monde
serait ce monde
Si tous ceux qui en font partie
étaient comme moi?»

Et maintenant, substituez les mots «foyer», «école», «église», «compagnie», «collectivité» et «nation» au mot «monde» pour établir votre programme d'amélioration personnelle. L'attitude et le comportement que vous affichez ont un effet durable, positif ou négatif, sur la personnalité et le comportement d'autres groupes et des gens qui en font partie. Votre façon de penser et d'agir a un impact très réel sur le monde qui vous entoure et le traitement que celui-ci vous réserve. Tout renouveau doit commencer par soi. Comme le disait le pape Jean-Paul II: «Avant de renouveler les systèmes, les institutions et les méthodes, on doit chercher le renouveau dans le cœur de l'homme.»

L'ultime secret de la réussite

La seule chose au monde que vous et vous seul pouvez contrôler est ce à quoi vous pensez à cet instant même. C'est votre propre territoire, votre domaine privé. Pour la plupart, cela ne semble pas très significatif ou même valable, et pourtant c'est là le secret du bonheur et de la réussite dans la vie. Car votre façon de penser détermine ce que vous êtes, et ce que vous êtes détermine votre contribution aux groupes et organisations dont vous faites nécessairement partie.

Comme le disait le poète américain, Walt Whitman (1819-1892): «Toute la théorie de l'univers est dirigée avec justesse vers un seul individu: Vous.»

Dans un monde frénétique et chaotique, il est facile pour un individu moyen de se sentir insignifiant. Après tout, il y a sur la terre plus de 5 000 000 000 de personnes qui se demandent ce que l'avenir leur réserve, à eux et au reste de l'humanité. Pourtant, c'est la pensée individuelle qui façonne collectivement et détermine l'histoire du genre humain. Des hommes et des femmes ni plus ni moins importants que vous ou moi ont apporté et continuent d'apporter de grandes et petites contributions pour aider à faire un monde meilleur. Vous le pouvez aussi. Certains ont été mentionnés dans ce livre. Tous sont des gens moyens, sauf en ce qui concerne la qualité de leur façon de penser.

Vous êtes unique. L'empreinte distincte de votre pied n'a jamais foulé la terre auparavant et ne la foulera plus jamais. Aucune voix ne chantera de louanges et d'encouragements avec la sonorité et les caractéristiques de votre propre voix. Toutes les contributions que vous laisserez derrière vous seront aussi uniques — ce que vous avez dit, les gestes que vous avez posés et les gens que vous avez touchés. C'est à vous de rêver ce que vous osez rêver, de faire ce que vous osez faire et d'être ce que vous osez être!

«Ne crains pas que ta vie prenne fin, mais crains plutôt qu'elle ne commence jamais», conseillait sagement le cardinal John Henry Newman (1801-1890), théologien et auteur anglais.

Pour les gens qui espèrent en ce monde, la vie en est à un croisement. Deux voix appellent. L'une monte des profondeurs de l'égoïsme et du désespoir, là où tout succès est synonyme d'échec. L'autre provient des sommets de l'entraide et de l'inspiration, là où même l'échec est synonyme de réussite. Ces deux lumières brillent intensément sur l'ensemble de l'humanité. L'une mène à la satisfaction des petits plaisirs et à la servitude, et l'autre à la paix intérieure et à la prospérité. Décidons de remplacer les tristes sanglots des déshérités par la dignité humaine en réalisant les possibilités humaines.

C'est par le biais de vos pensées que vous pouvez enrichir votre vie et maîtriser votre destin. Vous pouvez vous élever à tous les sommets et trouver la paix, le bonheur et un pouvoir illimité en vous-même. Vous pouvez devenir tout ce que vous voulez et mériter de devenir. Tout dépend ultimement de votre façon de penser.

Maintenant que vous savez penser en gagnant, vous pouvez commencer à être un gagnant! Vous pouvez franchir la barrière du succès en choisissant simplement votre cible et en la poursuivant de tous vos talents, de toutes vos habiletés et de toutes les énergies dont vous disposez. C'est un voyage inespéré, semblable à nul autre. Quant à moi, votre compagnon de route, je vous souhaite bonne chance dans votre quête, dans la découverte de soi.

LE COMMENCEMENT

À propos de l'auteur

Walter Doyle Staples détient un B.SC, un M.B.A. et un Ph.D. en psychologie du comportement. Il a eu une carrière distinguée en tant que diplomate canadien, dans les secteurs du commerce et des relations internationales.

Le docteur Staples est président de «Peak Performance Seminars», une entreprise spécialisée dans la croissance personnelle et le perfectionnement professionnel. De son propre aveu, adepte invétéré de l'aide de soi, il a dévoré au moins un livre par semaine sur le sujet au cours des cinq dernières années. Il est aussi un praticien certifié de la programmation neuro-linguistique.

Sa carrière d'auteur, de formateur et d'orateur professionnel a commencé en 1981, lors de la publication de son premier livre, *Motivation and Personal Power*. Cet ouvrage a été suivi en 1986 de *The Greatest Motivational Concept In The World*. Son dernier livre, *Pensez en gagnant!*,* est tenu pour un classique moderne dans le domaine du perfectionnement personnel, s'inscrivant dans la foulée de *Réfléchissez et devenez riche** *How to Win Friends and Influence People* et *La psychocybernétique**. Il est en train de devenir le texte de référence par excellence en ce qui a trait au perfectionnement personnel et professionnel dans plusieurs entreprises, universités et agences gouvernementales réparties dans le monde. Walter Doyle Staples est l'un des auteurs les plus acclamés d'Amérique en ce qui a trait au potentiel humain, ainsi qu'en font foi les nombreux témoignages d'autorités éminentes à propos de ce livre. Son succès dans deux professions très exigeantes attestent le fait que ses idées et ses concepts sont vraiment applicables dans le monde réel.

Le docteur Staples vit avec sa femme, Céline, et leurs deux enfants, à Gloucester, en Ontario.

Pour plus de renseignements concernant sa disponibilité pour des conférences et des séminaires, veuillez téléphoner ou écrire à:

Peak Performance Seminars
5 Diceman Crescent
Gloucester, Ontario
Canada K1B 3Y2
Tél.: (613) 837-7235

---

* Publiés aux éditions Un monde différent ltée sous format de livre ou cassette audio.

CHEZ LE MÊME ÉDITEUR :

Secrets de la confiance en soi (Les) *Anthony, Robert*
Secrets du succès dans la vente (Les) *Gyger, Armand*
Secrets pour conclure la vente (Les) *Ziglar, Zig*
Sens de l'organisation (Le) *Winston, Stephanie*
Stratégies de prospérité *Rohn, Jim*
Stratégies pour conquérir la personne de vos rêves
    McKnight, Thomas W.
Stress dans votre vie (Le) *Powell, Ken*
Succès d'après la méthode de Glenn Bland (Le) *Bland, Glenn*
Succès de A à Z, tomes I et II (Le) *Bienvenue, André*
Succès n'a pas de fin, l'échec n'est pas la fin ! (Le)
    Schuller, Robert H.
Télépsychique (La) *Murphy, Joseph*
Tout est possible *Schuller, Robert H.* (Français, Espagnol, Italien)
Transformez votre univers en 12 semaines *De Moss, A. et Enlow, D.*
Triomphez de vos soucis *McClure, Mary et Goulding, Robert L.*
Trois clés du succès (Les) *Beaverbrook, Lord*
Un *Bach, Richard*
Un guide de maîtrise de soi *Peale, Norman V.*
Un nouvel art de vivre *Peale, Norman V.*
Une meilleure façon de vivre *Mandino, Og*
Université du succès (L'), tomes I, II et III *Mandino, Og*
Vente : Une excellente façon de s'enrichir (La) *Gandolfo, Joe*
Vie de Dale Carnegie (La) *Kemp, Giles et Claflin, Edward*
Vie est magnifique (La) *Jones, Charles E.*
Vivez en première classe *Thurston Hurst, Kenneth*
Votre désir brûlant *Atkinson, W.W. et Beals, Edward E.*
Votre droit absolu à la richesse *Murphy, Joseph*
Votre foi totale *Atkinson, W.W. et Beals, Edward E.*
Votre force intérieure = T.N.T. *Bristol, Claude M. et*
    Sherman, Harold
Votre passe-partout vers la richesse *Hill, Napoleon*
Votre plus grand pouvoir *Kohe, J. Martin*
Votre pouvoir personnel *Atkinson, W.W. et Beals, Edward E.*
Votre puissance créatrice *Atkinson, W.W. et Beals, Edward E.*
Votre subconscient et ses pouvoirs *Atkinson, W.W. et*
    Beals, Edward E.
Votre volonté de gagner *Atkinson, W.W. et Beals, Edward E.*

CASSETTES

Après la pluie, le beau temps ! *Schuller, Robert H.*
    Narrateur : Jean Yale
Assurez-vous de gagner *Waitley, Denis*
    Narrateur : Marc Fortin
Comment attirer l'argent *Murphy, Joseph*
    Narrateur : Mario Desmarais
Comment contrôler votre temps et votre vie *Lakein, Alan*
    Narrateur : Gaétan Montreuil

Comment se fixer des buts et les atteindre *Addington, Jack E.*
    Narrateur : Jean Fontaine
De l'échec au succès *Bettger, Frank*
    Narrateur : Robert Richer
Dites oui à votre potentiel *Ross, Skip*
    Narrateur : Jean-Pierre Manseau
Fortune à votre portée (La) *Conwell, Russell H.*
    Narrateur : Henri Bergeron
Homme est le reflet de ses pensées (L') *Allen, James*
    Narrateur : Henri Bergeron
Je vous défie ! *Danforth, William H.*
    Narrateur : Pierre Bruneau
Magie de croire (La) *Bristol, Claude M.*
    Narrateur : Julien Bessette
Magie de penser succès (La) *Schwartz, David J.*
    Narrateur : Ronald France
Magie de voir grand (La) *Schwartz, David J.*
    Narrateur : Marc Bellier
Mémorandum de Dieu (Le) *Mandino, Og*
    Narrateur : Roland Chenail
Plus grand vendeur du monde (Le), parties I et II *Mandino, Og*
    Narrateurs : Guy Provost et Marc Grégoire
Puissance de votre subconscient (La), parties I et II
    Murphy, Joseph
    Narrateur : Henri St-Georges
Réfléchissez et devenez riche *Hill, Napoleon*
    Narrateur : Henri Bergeron
Rendez-vous au sommet *Ziglar, Zig*
    Narrateur : Alain Montpetit
Secrets pour conclure la vente (Les) *Ziglar, Zig*
    Narrateur : Daniel Tremblay
Votre plus grand pouvoir *Kohe, J. Martin*
    Narratrice : Christine Mercier

Cartes de motivation – Vertes
Cartes de motivation – Bleues
Cartes de motivation et cassettes : taxe en sus

En vente chez votre libraire ou à la maison d'édition
Prix sujets à changement sans préavis

Si vous désirez recevoir le catalogue de nos parutions,
il vous suffit d'écrire à la maison d'édition:
Les éditions Un monde différent ltée
3925 Grande-Allée
Saint-Hubert, (Québec) J4T 2V8
Tél.: (514) 656-2660
Fax.: (514) 445-9098